95

D1272724

ALBRECHT WEBER

Wege zu Goethes „Faust"

VERLAG MORITZ DIESTERWEG

FRANKFURT AM MAIN · BERLIN · BONN · MÜNCHEN

Bestell-Nr. 6460

3. Auflage

Druck: Oscar Brandstetter KG · Wiesbaden

Inhalt

„FAUST" IN DER SCHULE

Goethes „Faust" hat seit langem seinen festen Ort im Deutschunterricht der höheren Schule: kein Abiturient, der nicht in der Oberklasse wenigstens mit „Der Tragödie erstem Teil" vertraut oder jedenfalls doch bekannt worden wäre. Der zweite Teil allerdings findet erst seit dem ersten Weltkrieg Eingang in die Schule. Mit dem in seinen Ausmaßen von 12 000 Versen gewaltigen Werk ist Lehrern und Schülern wohl die schwierigste Aufgabe im Unterricht gestellt. Eine „Faust"=Inter= pretation in der Schule ist schwerer als die barocker oder moderner Dichtung. Man muß sich deswegen eigentlich wundern, wie wenig bisher didaktisch und metho= disch für die Bereitung des Unterrichts geschehen ist, wenn man etwa damit die zahlreichen Interpretationen moderner Dichtung vergleicht. Fast die gesamte rie= sige Faustliteratur ist von der Universität für die Universität geschrieben, dient also dem Gespräch der Forschung, oder sie führt in philosophischen oder ästhe= tischen Bögen den Gebildeten durch die Dichtung, manchmal auch kommentiert sie philologisch=minutiös, aber kaum eine Veröffentlichung geht dem Lehrer, der bei seinem Übermaß an Aufgaben und Pflichten hier kaum noch Forschung trei= ben kann, wirklich an die Hand.

Was braucht der Lehrer?

Er braucht keinen Kommentar, der zerlegt und zerstückelt; kann er selbst doch auch nicht die Dichtung zeilenweise durchnehmen. Er braucht kein abstrakt=philo= sophisches Lehrgebäude; die Schüler würden es ihm nicht abnehmen können, auch wenn er selbst es sogar verstünde. Er braucht kein erhabenes schöngeistiges Re= den; denn er muß lehren, was der Schüler lernen kann.

Was der Lehrer braucht, ist thematisch eine Schwerpunktbildung in den Haupt= zügen, geistig geschlossene und gerundete Themen, wie er sie einer Unterrichts= einheit zugrundelegen kann, aber die nicht im Telegrammstil, sondern in zusam= menhängender und flüssiger Darstellung. Er braucht an Ort und Stelle die wich= tigen Zitate im Wortlaut, nicht aber die Angabe der einschlägigen Literatur, er braucht die entscheidenden Verse in ausgiebigen Hinweisen. Weiter nützen ihm Vorschläge für Aufgaben zur Vorarbeit für das nächste Thema. Der Lehrer be= nötigt mehr Stoff, mehr Vorlage, als er im Unterricht selbst verwerten kann; nur dann kann er, sich auf einen festen Rahmen und gute Grundlagen stützend, aus= wählen und bleibt frei und unabhängig. Der Lehrer braucht eine positive und praktische Hilfe, die ihm Freiheit läßt und ihn nicht gängelt. Eine Deutung wie die des „Faust" gelingt nur mit Geist und in Freiheit.

1

Aus dem Bedürfnis der Schule ist dieses Buch entstanden. Es verdankt sehr viel der Faustforschung, so Ernst Beutler, Max Kommerell, Emil Staiger, Edgar Hede= rer und Paul Stöcklein, besonders aber Erich Trunz, der in dankenswerter Weise einen kurzen Abdruck erlaubt hat. Auf seine Weise will das Buch dieses oder jenes zur Forschung beitragen. Ziel und Zweck aber ist der Unterricht.

Gehalten und Formen des, wie Goethe sagt, „inkommensurablen" Werkes na= hezukommen, heischt offene, scharfe und feine Sinne und ehrliches Mühen eines weitspannenden Geistes. Ohne Erfahrung aber wird Wesentliches nicht erfahren, ohne vollzogenes Leben nicht erlebt. Findet sich der „Faust"=Interpret in der Lage, daß er glauben darf, das Werk zu eigen zu haben, dann erst tritt er als Lehrer vor seine eigentliche Aufgabe: es jungen Menschen zu vermitteln.

Es müssen rechte Wege sein, die er weist, Wege, denen der junge Mensch ohne Schaden folgen kann. Der Positivist wird hier scheitern wie der Nihilist, nicht nur, weil beiden das Wesen eines Kunstwerkes fremd bleibt, sondern weil sie zu Eigentlichem nicht fähig sind. Der Lehrer muß mehr geben, als was seines Amtes ist oder wie er bezahlt wird. Das ist seine Berufung und die erweist sich an der schwersten Aufgabe unausweichlich. „Die Sprache ist der Güter Gefährlichstes", sagt Hölderlin. Es ist gefährlich, aus Unkenntnis oder Mangel an Glauben, Leben und Welt etwa den Hymnus des „Faustischen" anzustimmen und der Einseitigkeit Tür und Tor zu öffnen. Nie dürfen die rechten Bezüge, in die Goethe seine Dich= tung ordnete, verwischt werden!

Die Behandlung des „Faust" bedarf weitplanender Bereitung. Lektüre und In= terpretation müssen durch Jahre so aufgebaut werden, daß das Bemühen um den „Faust" als Ernte langen Wachstums sichtbar wird. Für das weniger Belangvolle ist neben dem „Faust" keine Zeit mehr; denn jetzt muß das Gespräch der Großen über Völker und Zeiten hinweg deutlich werden: Sophokles, Dante, Sha= kespeare, Calderon wie Walthers Elegie, Wolframs „Parzival", ein Sonett von Gryphius, eine Hymne Hölderlins oder Rilkes „Duineser Elegien". Man kann doch nicht chronologisch durch die Literaturgeschichte wandern, um als Höhepunkt vor der Reifeprüfung etwa bei einem minimalen literarischen Erzeugnis zu ver= weilen, bloß weil es aus der Gegenwart stammt. Zeitgenössische Dichtung muß in allen Klassen der Oberstufe, also bereits in Obersekunda und Unterprima, wirksam sein.

Eine solche Disposition, die der eigenen Vorbereitung gleichkommt, kann der Deutschlehrer nur leisten, wenn er die Gewißheit hat, daß er drei Jahre der Ober= stufe mit einer Klasse arbeiten darf. Mit der Obersekunda übernimmt er seine spätere Abiturklasse. Der Deutschunterricht der Oberstufe gehört in *eine* Hand!

Fehlt die Breite einer Planung für die Oberstufe, muß ein Lehrer einmal eine neue, ihm fremde Oberklasse übernehmen, dann wird er jedenfalls nicht den „Faust" am Anfang des Schuljahres abtun, um sich nachher Geringerem zuzuwen= den, er wird dann innerhalb dieses letzten Jahres Gleichwertiges wenigstens in

Andeutungen zum „Faust" hin anlegen und so nicht nur eine Fülle des Wissens bieten, sondern den Blick weiten und das Gültige würdig zu Wort bringen, weil es sonst in manchem Leben wohl nicht mehr gehört wird.

Das Verstehen des „Faust" ist ein Ziel der Interpretation und des literarischen Unterrichts der höheren Schule. Seine Deutung muß ein Höhepunkt der geistigen und methodischen Leistung des Lehrers sein.

Keinesfalls wird man mit „Faust" in einer Woche „fertig": Die Versuchung da= zu ficht sicher sehr viel weniger Deutschlehrer an als die andere: „Faust" ein halbes Jahr oder länger zu „behandeln". Von beiden Gefahren wirkt die zweite tödlich, während die erste zwar an viel Schönem und Wesentlichem vorbeirennt und den Ort des „Faust" kaum aufzeigen kann, aber doch wenigstens nichts zerstört. Es gilt ein Zeitmaß für die Interpretation zu finden, das dem Wert dieses Kunstwer= kes angemessen ist und doch schädliche Zerdehnung und tödliche Langeweile aus= schließt. Das wenigste, was für eine Interpretation des „Faust" beansprucht wer= den kann, sind wohl zwölf Stunden, also drei Wochen des Deutschunterrichts, das höchste etwa dreißig Stunden, also sieben bis acht Wochen. Im Zweifelsfalle wird der kürzere Weg der fruchtbarere sein.

Wechsel in Ansatz, Blickwinkel und Unterrichtsmethode wird desto wichtiger, je länger die Zeit der „Faust"=Interpretation bemessen wird. Keinesfalls kann man Szene für Szene vorgehen oder sie gar in ihrer Folge im Unterricht lesen. Da wird es nötig sein, einmal einen Monolog oder eine entscheidende Dialogstelle sorgfäl= tig auszudeuten, dort wieder können die Ergebnisse eines Aktes zusammengefaßt werden, bald wird ein Menschenprofil hervortreten, dann wieder eine geheime Wirkkraft durch das Stück hindurch gezeigt werden müssen. Es gilt, von immer neuen Gesichtspunkten immer neue Seiten ein= und desselben unermeßlichen Kunstwerkes zu zeigen. Lehrvortrag ist dabei ebenso nötig wie Arbeitsunterricht, Schülerreferate oder das Anspielen einzelner Szenen. Der Mangel des Schülers an Übersicht wird eine Gesamtinterpretation der Dichtung verwehren, während die rein szenenweise Durchnahme andererseits beim Schüler einen Mangel an Sicht entstehen ließe. So muß man Szenen und Bilder verklammern, Szenenkerne und Kernszenen nach vorwärts und rückwärts ausweiten, Schichten aufdecken und ab= heben, Durchblicke schaffen und aufzeigen. Jede Stunde muß anders sein: gemäß dem ihr eigenen, einmaligen Gehalt.

Soll der „Faust" wirklich verstanden werden, kann man dem Schüler die genaue Aufgabe nicht ersparen. Das Werk kann nur begriffen werden, wenn es ergriffen ist: es muß in seiner Ganzheit möglichst zweimal mit Muße und Sorgfalt gelesen sein, so daß es überschaut wird. Die Einzelstunde wiederum wird nur gelingen, wenn die Stelle, Szene oder Schicht, auf die es ankommt, erarbeitet ist.

Um vor der häuslichen Lektüre und der Interpretation im Unterricht den gan= zen „Faust" zu erleben und zu überschauen, muß jedes Mittel genützt werden. Man wird die Aufführung eines der beiden Teile in einem Theater nicht versäu=

men und nicht nur für die Oberklasse, sondern für jede Oberstufenklasse einen gemeinsamen Besuch durchführen; denn der „Faust" wird nicht jedes Jahr gespielt. Ein Satz Langspielplatten etwa der Gründgens=Aufführung bereitet eine ähnliche Verwirklichung der Dichtung oder Tonbandstudien einer Schülerspielgruppe, er= arbeitet und aufgenommen außerhalb der Unterrichtszeit. Auch die wohl vorbe= reitete Lesung mit verteilten Rollen stimmt ein oder rundet ab.

Diese Mittel bereiten nicht nur vor, sie fügen sich teilweise gut in den Unter= richt ein oder schließen die Interpretation ab und steigern sie, indem sie zu der Dichtung zurückführen.

Das erste und letzte ist das Kunstwerk. Von seiner Ganzheit geht die Deutung aus, zu ihr kehrt sie wieder, weil Deutung am Ziel ist, wenn sie recht am Text ist. Interpret und Interpretation treten zurück, wenn der Weg freiliegt.

„Vergessen wir nie", sagt Friedrich Gundolf, „daß all unsere Methoden nur Mittel sind und daß auch in der Literaturgeschichte das Beste die Ehrfurcht und der En= thusiasmus bleiben, den sie erweckt. Hüten wir uns vor dem Dünkel zu meinen, mit dem Verstehen, der Kennerschaft und dem Beherrschen der Methode an sich sei schon viel erreicht, man habe dann den Dichter in der Tasche, sei gewisser= maßen Herr über ihn, oder er sei nur Material für unsere Forschung. Das kleinste Meistergebild ist immer unendlich mehr als der weiseste Traktat darüber. Was die Brücke zwischen uns und dem Genius schlägt, ist die ehrfürchtige Liebe, die uns treibt, uns in seine Äußerungen mit Fleiß, Ernst und Gewissen zu senken, nicht die Gescheitheit, die aus beruflichen oder anderen Zwecken uns veranlaßt, uns mit ihm auf Grund vorgegebener Methoden oder Kenntnisse zu befassen."

Das Buch will bei der schweren Aufgabe helfen, indem es durch die Dichtung thematisch Bögen entwirft, die jeweils in einer Unterrichtsstunde verwirklicht wer= den können, indem es Material bereitlegt und Aufgaben vorschlägt.

Was not tut, ist nicht so sehr Wissen und Einblick, sondern Durchblick, das Er= lebnis des Kernes und der Gestalt: der Formung einer Welt im Wort.

Vorbereitung für Kap. „Fauststoff":

nötig: Lesen des gesamten Dramas.
Studium des 16. Jahrhunderts in der Literaturgeschichte und der allgemeinen Geschichte.

möglich: Kurzreferate: Marlowe „Dr. Faustus", Volksbuch vom Faust, Hans Sachs, Para= celsus, Helena und Mephisto in den Faustbüchern, Lessings Faust=Versuche im 17. Literaturbrief, Klingers Faust=Roman.

Den Zitaten aus „Faust" liegt Band III der Hamburger Ausgabe 1949[1], herausgegeben von Erich Trunz, zugrunde.

Der Fauststoff

Zwischen Mittelalter und Neuzeit bricht die abendländische Welt von Grund aus um. Während Kopernikus die Erde aus der Mitte des Weltalls rückt, einen Stern wie viele Millionen, rückt sich der Mensch, mündigen Geistes, in die Mitte der Welt. Er ist ihr Maß. Glaubenssätze nimmt er nicht mehr einfach gläubig hin, er hegt Fragen und Zweifel, forscht aus eigener Vollmacht: nichts, das nicht er= schüttert würde. Textkritik leitet die Stürme der Reformation ein, die wiederum soziale Bewegungen auslösen: Ritteraufstand, Bauernkrieg, Zunfterhebungen, Wiedertäufer. Druckschriften verbreiten die erregten Stimmen rasch über Land, in einem Augenblick, in dem sich die alte bekannte Welt um Kontinente erweitert, die Erforschung der Natur aufbricht, neue Waffen wirken, neue wirtschaftliche Formen und Mächte aufstehen, neue nationale Staaten hervortreten, indes die ord= nende Kraft des Alten versiegt.

Das Volk ist ungeheuer erregt.

1506 taucht Faust auf. Johannes Trithemius von Sponheim, der gelehrte Abt, begegnet ihm beinahe in einer Schenke bei Gelnhausen und berichtet davon 1507 dem Johannes Virdungus aus Haßfurt, dem Hofastrologen des Pfalzgrafen, auf dessen Anfrage. Er nennt „Georgius Sabellicus, Faustus junior", einen völlig un= gelehrten Toren („qui vere omnium bonarum literarum ignarus *fatuum* se potius appellare debuisset quam magistrum"). Dann fährt er fort:

„Cum anno priore de Marchia Brandenburgensi redirem, hunc ipsum hominem apud Geilenhusen oppidum inveni, de quo mihi plura dicebantur in hospitio frivola, non sine magna eius temeritate ab eo promissa. Qui mox ut me adesse audivit, fugit de hospitio, et a nullo poterat persuaderi, quod se meis praesentaret aspectibus. . . . Referebant mihi quidam in oppido sacerdotes, quod in multorum praesentia dixerit, tantam se omnis sapientiae consecutum scientiam atque memoriam, ut si volumina Platonis et Aristotelis omnia cum tota eorum philosophia in toto perisset ab hominum memoria, ipse suo ingenio ... restituere universa cum praestantiore valeret elegantia. Postea ... Herbipolim venit, eademque vanitate actus in plurimorum fertur dixisse praesentia, quod Christi Salvatoris miracula non sint miranda, se quoque omnia facere posse quae Christus fecit quoties et quandocunque velit. In ultima quoque huius anni quadra= gesima venit Stavronesum, et simili stultitiae gloriosus de se pollicebatur ingentia, dicens se in Alchimia omnium qui fuerint unquam esse perfectissimum, et scire atque posse quicquid homines optaverint. Vacabat interea munus docendi scholasticum in oppido memorato, ad quod ... fuit assumptus, qui mox nefandissimo fornicationis ge=

nere cum pueris videlicet voluptari coepit, quo statim deducto in lucem fuga poenam declinavit paratam. Haec sunt quae mihi certissimo constant testimonio de homine illo, quem tanto venturum esse desyderio praestolaris. Cum venerit ad te, non philosophum, sed hominem *fatuum* et nimia temeritate agitatum invenies."

(Als ich im vergangenen Jahre aus der Mark Brandenburg zurückkehrte, begegnete ich bei der Stadt *Gelnhausen* diesem Mann selbst, von dem man mir vielerlei Abge= schmacktes im Wirtshaus erzählte, das von ihm nicht ohne große Verwegenheit prophe= zeit worden war. Als er aber erfuhr, ich sei da, verließ er sogleich fluchtartig die Schenke und niemand konnte ihn überreden, sich meinen Blicken zu stellen. . . . In der Stadt be= richteten mir einige Priester, er habe in Gegenwart vieler Leute behauptet, er habe ein so großes Wissen und Gedächtnis in jeglicher Weisheit erreicht, daß, wenn alle Werke Platos und Aristoteles' mit all ihrer Philosophie der Kenntnis der Menschen völlig ver= loren gingen, er selbst sie aus seinem Genie . . . in hervorragenderem Geschmack völlig wiederherzustellen vermöchte. Später kam er . . . nach *Würzburg* und soll, von gleicher Eitelkeit getrieben, in Gegenwart sehr vieler Leute behauptet haben: Christi, unseres Heilands, Wunder brauche man nicht bewundern; auch er könne alles, was Christus konnte, wie oft und wann immer er wolle. Am Ende der Fastenzeit dieses Jahres kam er nach *Kreuznach* und versprach in ähnlicher Tollheit prahlend Ungeheuerliches von sich, indem er erklärte, er sei in der Alchemie von allen seit je der vollkommenste und wisse und vermöge alles, was die Leute wünschten. Es war aber inzwischen das Amt des Schulmeisters in der erwähnten Stadt frei, zu welchem er . . . angenommen wurde; er trieb aber bald in der ruchlosesten Weise, wie nicht anders zu erwarten, mit den Knaben Unzucht. Als man dies sogleich entdeckte, entging er durch Flucht seiner Strafe. Das ist es, was für mich auf Grund höchst zuverlässiger Zeugen feststeht von diesem Menschen, auf dessen Kommen du mit so großer Erwartung harrest. Wenn er bei dir eintrifft, wirst du keinen Philosophen, sondern einen albernen und von allzu großer Frechheit getriebenen Menschen finden.)

1513 findet sich Faust in *Erfurt.* Der berühmte Humanist Conrad Mutianus Rufus erwähnt ihn in einem Brief:

„Venit octavo abhinc die quidam Chiromanticus Erphurdiam nomine Georgius Faustus, . . ., merus ostentator et *fatuus*. Eius et omnium divinaculorum vana est professio, et talis physiognomia levior typula. Rudes admirantur, in eum theologi insurgant. . . . Ego audivi garrientem in hospitio. Non castigavi iactantiam. Quid aliena insania ad me?"

(Vor nunmehr sieben Tagen erschien zu Erfurt ein gewisser Chiromant namens Georg Faust, . . ., nichts als ein Aufschneider und alberner Tor. Sein wie aller Weissager Ge= werbe ist betrügerisch und sein Gesicht ist leerer und oberflächlicher als das einer Was= serspinne (tippula). Das rohe, ungebildete Volk bewundert ihn, die Theologen aber sollten ihn bekämpfen . . . Ich selbst hörte ihn in einer Schenke aufschneiden. Sein Prah= len wies ich nicht zurecht. Was geht mich fremde Tollheit an?)

1520 erscheint Faust in *Bamberg.* Im Rechnungsbuch des Bischofs steht unter dem 12. Februar 1520:

„Item X guld geben vnd geschenckt Doctor Faustus pho zuuererung hat m g Herrn ein nativitet (= Horoskop d. H.) oder Indicium gemacht."

1528 wird Faust vom Rat aus *Ingolstadt* verwiesen:

„Am Mitwoch nach viti (= St. Veit = 15. Juni) 1528 ist einem der sich genannt Dr. Jörg Faustus von Heidelberg gesagt, daß er seinen Pfennig anderswo verzehre . . ."

6

1532, am 10. Mai, muß er *Nürnberg* verlassen, weil er

„ein Nigromant und großer Sodomiter" sei, also Geister beschwöre und widernatür= liche Unzucht treibe, wie der jüngere Bürgermeister notiert.

1536 schreibt der *Tübinger* Professor Camerarius, er sei durch Faust „abergläu= bisch und ängstlich" geworden.

1540 berichtet Philipp von Hutten aus Venezuela,

„daß es der Philosophus Faustus schier troffen hat, dann wir ein fast (= fest, sehr) böses Jahr antroffen haben".

Der „Philosophus Faustus" erlebt diese Anerkennung nicht mehr.

1539 stellt Philipp Begard, „der zeit der Löblichen Keyserlichen Reichsstatt *Wormbs* Physicus und Leibartzet", in seinem „Index Sanitatis", einer Gesund= heitslehre, gute und schlechte Ärzte gegenüber. Im vierten Kapitel „Von den bö= sen / vngeschaffnen / vntrüglichen / trügkhafftigen / vnnützen / vnd auch unge= lerten ärtzten" heißt es:

„Es wirt noch eyn namhafftiger dapfferer mann erfunden: ich wolt aber doch seinen namen nit genent haben / so wil er auch nit verborgen sein / noch vnbekant. Dann er ist vor etlichen jaren vast durch alle landtschafft / Fürstenthuomb vnnd Königreich ge= zogen / seinen namen jederman selbs bekant gemacht / vnd seine grosse kunst / nit alleyn der artznei / sonder auch Chiromancei / Nigramancei / Visionomei / Visiones imm Cristal / vnd dergleichen mer künst / sich höchlich berümpt. Vnd auch nit alleyn berümpt, sonder sich auch eynen berümpten und erfarnen meyster bekant vnnd ge= schriben. Hat auch selbs bekant / vnd nit geleugknet / daß er sei / vnnd heyß Faustus, domit sich geschriben Philosophum Philosophorum etc. Wie vil aber mir geklagt haben, daß sie von jm seind betrogen worden, deren ist eyn grosse zal gewesen. Nuon sein verheyssen ware auch groß / wie des Tessali: dergleichen sein rhuom / wie auch des Theophrasti: aber die that / wie ich noch vernimm, vast kleyn vnd betrüglich erfunden: doch hat er sich imm gelt nemen, oder empfahen (das ich auch recht red) nit gesaumpt / vnd nachmals auch imm abzugk / er hat / wie ich beracht / vil mit den ferßen gesegnet. Aber was soll man nuon darzuothuon, hin ist hin / ich wil es jetzt auch do bei lassen / luog du weiter / was du zuschicken hast."

„Hin ist hin": nach den Zeugnissen muß Faust *zwischen 1536 und 1539 ge= storben* sein.

Wer war Faust?

Philipp Begard räumt ihm den gleichen Ruhm ein wie einem Paracelsus; der Wormser Physikus weiß aber wohl davon die Tat zu unterscheiden. Denn wäh= rend Paracelsus durch die Lande wandert und aus einer neuen, echten Verbindung zur Natur Wundertaten wirkt, die ihn mit dem Geheimnis besonderer Kräfte um= geben, zieht Faust von Schenke zu Schenke, rühmt und brüstet sich, weissagt und prophezeit, was auch immer. Ohne wirkliche Kenntnisse, ohne Willen zur Tätig= keit, weicht er jedem Beweise seiner Fähigkeiten aus, es seien denn Unzucht und Betrug. Er ist ein ungelehrter Quacksalber, ein Astrolog der Gasse, ein Gaukler und Gauner, der nirgends Bleibe findet, ein Renommist und Atheist, von solchen

Graden aber, daß ihm das aufgewühlte Volk das zutraut, dessen er sich frech rühmt, verachtet und doch bewundert, unheimlich und doch bestaunt, gefürchtet und doch beäugt und belauscht, unerschöpfliche Quelle immer neuer Fabeln, bekannt bald in allen deutschen Landen.

1561 berichtet Conrad Gesner in den „Epistolae Medicinales":

„Ex illa schola prodierunt, quos vulgo scholasticos vagantes nominabant, inter quos Faustus quidam non ita pridem mortuus, mire celebratur."

(Aus jener Schule gingen die hervor, die man im Volk fahrende Scholaren nannte; unter ihnen wurde ein gewisser Faustus, der noch nicht lange tot ist, hoch gefeiert.)

Dr. Georg Faustus junior ist nicht der einzige, aber der berühmteste aus dieser Zunft.

1513 wandert *Hans Sachs* (1494—1576) als junger Schuhknecht über Braunau, Ried, Wels, Salzburg und Innsbruck. 1515 erlebt er in Wels einen Venediger Goldmacher, aus welchem Begegnis dann das Gedicht „Die geschicht keiser Maximilians löblicher gedechtnus mit dem Alchemisten" erwächst. 1518 erfährt er, immer noch in Wels, wo ihn zarte Bande festhalten, ein Nekromant habe in Innsbruck vor dem Kaiser Hektor und Helena beschworen und klingenden Lohn erhalten, was später eingeht in „Ein wunderbarlich Gesicht keiser Maximiliani löblicher gedechtnus von einem Nigromanten". Auch das Bild der Sorge begegnet Sachs in dem Umkreis des magiegläubigen Kaiserhofes. Sein Dialog „Die unnütz Fraw Sorg" beginnt:

> „Weil ich war ein weydman
> bey Maximilian
> an keyserlichem hof
> zu Inssbruck . . ."

Später, nach dem Tode Kaiser Maximilians I. — „löblicher gedechtnus" mahnen beide Überschriften — hat Hans Sachs, wieder in Nürnberg, jene Erlebnisse mit dem Alchemisten und dem Totenbeschwörer niedergeschrieben. Sollte ihn Fausts Auftreten in Nürnberg 1532 dazu angeregt haben?

Das Volk redet überall vom Dr. Faust, vereinigt auch andere Erzählungen auf ihn, fabelt und flunkert um so phantastischer, je ferner des Schwarzkünstlers leibhaftiges Dasein rückt. So entsteht unmerklich aus Gerücht und Gerede die Sage.

Selbst am Tische des Reformators zu *Wittenberg* spricht man von Faust.

„Da vber Tisch zu abends eines Schwartzkünstlers Faustus genant gedacht ward / saget Doctor Martinus ernstlich / der Teufel gebraucht der / zeuberer dienst wider mich nicht / hette er mir gekont vnd vermocht schaden zu thun / er hette es lange gethan." (Tischreden. Eisleben 1566.)

Während Fausts Name in Luther sofort und ganz selbstverständlich die Verbindung mit dem Teufel aufruft, vor dessen Wirkung er sich sicher weiß, kann der gelehrte, abergläubige Melanchthon in seinen Predigten (zwischen 1550 und 1560) und Gesprächen (1563 durch Manlius ediert) mehr erzählen:

Faust stamme aus Kundling (nach E. Beutler wohl Knittlingen nahe Melanchthons Heimat), habe in Krakau studiert, sei auch in Wittenberg gewesen, wo ihn Kurfürst Johann habe festsetzen wollen, er aber entwichen sei. In Venedig habe Faust das Fliegen versucht, in Wien einen anderen Schwarzkünstler verschlungen; stets habe ihn ein Hund begleitet, der der Teufel gewesen sei. Faust habe sich gerühmt, seine Kunst habe Karls V. Siege in Italien errungen. Schließlich sei Faust in einem Bauernhaus im Schwäbischen des Morgens mit umgedrehtem Halse aufgefunden worden, nachdem um Mitternacht das Haus in seinen Grundfesten erschüttert worden sei.

So zeichnet der große Wittenberger Humanist leibhaftig die Macht des Teufels. Dem lutherischen Prediger wird die Gestalt des Dr. Faustus zum Symbol der Verbindung mit dem Bösen. Schon 1548 weiß der Pfarrer Johannes Gast zu *Basel* in seinen „Sermones convivales" Zaubergeschichten:

Faust sei in Basel gewesen in Begleitung eines Hundes und Pferdes; das sei der Teufel gewesen, wodurch Faust alles vermocht habe. Der Hund, verwandelbar, habe öfters als Diener serviert. In ein ungastliches Kloster habe Faust Spuk gezaubert, daß die Mönche es räumen mußten. Schließlich habe ihn der Teufel kalt gemacht und man habe fünfmal vergeblich versucht, das Gesicht des Toten von der Erde wegzuwenden.

Von Fausts Ende berichtet auch die *Zimmernsche Chronik* (um 1565):

„Es ist auch umb die zeit der Faustus zu oder doch nit weit von Staufen, dem stetlin im Breisgew, gestorben. Der ist bei seiner zeit ein wunderbarlicher nigromanta gewest, als er bei unsern zeiten hat mögen . . . erfunden werden, der auch sovil seltzamer hendel gehapt hin und wider, das sein in vil jaren nit leuchtlichen wurt vergessen werden. Ist ain alter mann worden und, wie man sagt, ellengclichen gestorben. Vil haben allerhandt anzeigungen und vermuetungen noch vermaint, der bös gaist, den er zu seinen lebzeiten nur sein schwager genannt, habe ine umbbracht."

Zu Geschichten verdichten sich die Erzählungen von Faust in *Nürnberg*. Christoff Roshirt der Elter, der 1536 bis 1542 in Wittenberg studierte, schreibt *um 1570* Luthers Tischreden auf und fügt Historien „Vom Doctor Georgio Faust dem Schwartzkünstler und Zauberer" an.

In Ingolstadt habe Faust Speisen vom Hochzeitsmahl des englischen Königs herbeigezaubert, sei mit seinen Freunden auf einem „Hantzwehl" (= Handtuch d. H.) zum Hochzeittanz nach London und zurück geflogen, habe in Frankfurt einen Juden betrogen, in Bamberg eine Herde Schweine vorgezaubert und sich mit der Kaufsumme nach Nürnberg davongemacht.

Etwa zehn Jahre später, *um 1580,* berichtet Zacharias Hogel in seiner handschriftlichen „Chronica von Thüringen und der Stadt *Erffurth"* von einer Homervorlesung Fausts, wobei die antiken Helden leibhaftig erschienen seien, von seinem Anerbieten, die verlorenen Komödien des Terenz und Plautus herbeizuschaffen. Auf die Nennung seines Namens hin sei Faust von Prag auf einem Zauberpferd zum Gelage für eine Nacht herbeigeeilt.

„D. Fausten fragt der Juncker bald, wie er so geschwinde wiederkommen sey. Da ist mein Pferd gut dazu, sagt D. Faust: weil mich die herrn Gäste so sehr begehrt, und mir geruffen, hab ich ihnen wilfahren und erscheinen wollen, wiewol ich noch vor morgen wieder zu Prag seyn muß. drauf trincken sie ihm einen guten rausch zu, und, wie

9

er sie fragt, ob sie auch gern einen frembden Wein mögen trincken, sagen sie, Ja. Er fragt, ob es Rheinfal, Malvasier, Spanischer oder Frantzenwein seyn solle. Da spricht einer, Sie sind alle gut. Bald fordert er ein börl, macht damit in dz Tischblat vier löcher, stopft sie alle mit pflöcklein zu, nimmt frische gläser, und zäpft aus dem tischblatt jener= ley Wein hinein, welchen er nennet, und trinckt mit ihnen darvon lustig fort."

Wieder in Erfurt, habe Faust eine üppige Mahlzeit herbeigezaubert, nachdem er sich zuvor den Diener ausgewählt:

„Er aber klopft mit einem meßer an den tisch. Bald tritt einer hinein, und sagt: herr, was wolt ihr? Er fragt: Wie behende bistu? Jener antwortet: Wie ein Pfeil. O nein, sagt D. Faust, du dienst mir nicht. gehe wieder hin, wo du bist herkommen. Darnach klopft er aber, und wie ein ander diener hineintritt, und fragt gleichfals, spricht er: wie schnell bistu denn? Wie der Wind, sagt jener. Es ist wol etwas, spricht D. Faust, läst ihn aber auch wieder hinausgehen. Wie er aber zum drittemal klopfte, da trat einer hinein, und sagte, als er auch so gefragt wird, er were so geschwinde, als der Menschen Gedancken weren. da recht, sagte D. Faust, du wirsts tun ..."

Fausts Einfluß sei bedrohlich geworden:

„Es machte der mann der poßen so viel, dz die Stadt und dz land von ihm schwatzte, und manche vom Adel auf dem lande ihm gen Erffurt nachzogen, und begunte sich die sorge zu finden, es möchte der Teufel die zarte jugent und andere einfeltige verführen, dz sie auch zur Schwartzen kunst lust bekämen, und sie vor eine geschwindigkeit nur halten möchten."

Deswegen habe der letzte Mönch in Erfurt, für den protestantischen Chronisten ein Kuriosum wie Faust, der Franziskaner D. Klinge († 1556), den Schwarzkünstler be= kehren und retten wollen:

„D. Faust sagte: Mein lieber Herr, ich erkenne, dz ihrs gerne gut mit mir sehen möchtet: weiß auch dz alles wol, was ihr mir ietzt vorgesagt habt: Ich hab mich aber so hoch verstiegen, und mit meinem eigenen blut gegen den Teufel verschrieben, dz ich mit leib und Seel ewig sein seyn will: wie kan ich denn nu zurück? oder wie kan mir geholfen werden?

D. Klinge sprach: Dz kan wol geschehen, wann ihr Gott umb gnade und barm= hertzigkeit ernstlich anruft, wahre rew und buß thut, der Zauberey und gemeinschaft mit den Teufeln euch enthaltet, und niemanden ärgert, noch verführt: wir wollen in unserm Kloster vor euch Meß halten, dz ihr wol solt des Teufels loßwerden.

Meß hin, Meß her, sprach D. Faust: meine zusage bindet mich zu hart: so hab ich gott muthwillig verachtet, bin meineydig und trewloß an ihm worden, dem Teufel mehr gegläubet und vertrawt, denn ihm: darumb ich zu ihm nit wieder kommen, noch seiner gnaden, die ich verschertzt, mich getrösten kann: zu dem were es nicht ehrlich: noch mir rühmlich nachzusagen, dz ich meinen brief und Siegel, dz doch mit meinem blut gestellet, wiederlauffen solte: so hat mir der Teufel redlich gehalten, wz er mir hat zugesagt, darumb wil ich ihm auch wieder redlich halten, wz ich ihm hab zugesagt und verschrieben habe.

Ey, sagt der mönch, so fahre immerhin, du verfluchtes Teufelskindt, wenn du dir ie nicht wilt helfen laßen und es nicht anderst haben.

Gieng drauf von ihm zum magnifico Rectore und zeigte es ihm an. Hierauf ward der Rath auch von der sachen berichtet, und von ihm verschaffung gethan, dz D. Faust den stab förder setzen musste, und ward also Erffurt des bösen Menschen loß."

Man weiß jetzt schon vom Teufelspakt zu berichten. In der Chronik des Michael Sachse (1606 in Magdeburg) ist es dann Faust, der in Innsbruck vor dem Kaiser Alexander den Großen beschwört.

Die Faust=Fabel und die Geschichten, die Hans Sachs erzählt, sind zusammen= geflossen. Allein, das ist damals schon nicht mehr neu. Denn bereits *1587* war bei Johann *Spieß* zu Frankfurt das erste *Volksbuch* erschienen: „Historia Von D. Jo= hann Fausten, dem weitbeschreyten Zauberer vnnd Schwartzkünstler, Wie er sich gegen dem Teuffel auff eine benandte zeit verschriebe, Was er hierzwischen für seltzame Abentheuwer gesehen, selbs angerichtet vnd getrieben, bisz er endtlich seinen wol verdienten Lohn empfangen. Allen hochtragenden, fürwitzigen und Gottlosen Menschen zum schrecklichen Beyspiel, abscheulichen Exempel, vnd treuwhertziger Warnung." Das Buch — auf seiner Titelseite stand: „Widerstehet dem Teuffel!" — halb Tragödie des Teufelsbündlers, halb Schwankbuch, wurde ein reißender Erfolg. Die erste Auflage war sofort vergriffen.

Im ersten Teil disputiert Faust mit Mephostopholis über Himmel und Hölle, über das Sein vor Erschaffung und nach Untergang der Welt. Zuerst wendet er sich der Welt zu: „...wollte sich hernach keinen Theologen mehr nennen lassen, ward ein Weltmensch, nandte sich D. Medicinae, ward ein Astrologus vnnd Mathematicus, vnd zum Glimpff ward er ein Artzt..." Er will den Kern der Welt erforschen. „Dem trachtet er Tag und Nacht nach, nahme sich Adlerflügel, wollte alle Gründ am Himmel vnd Erden erforschen." Der Abfall von Gott wird mit dem der Titanen und luziferischen Engel verglichen. Mepho= stopholis leugnet die Schöpfung Gottes. „Die Welt, mein Fauste, ist unerboren und unsterblich. So ist das menschliche Geschlecht von Ewigkeit gewest." Im zweiten Teil fliegt Faust durch alle Länder der alten Erde. „Keyser Carolus der Fünfft dieses Namens, war mit seiner Hoffhaltung gen Inssbruck kommen, dahin sich D. Faustus auch ver= füget." Am Kaiserhof läßt er antike Gestalten erscheinen, zeigt Studenten die griechi= sche Helena, mit der er dann zusammenlebt. Beider Sohn weiß Künftiges zu erzählen. Ein dritter Teil bringt Schwänke. Vor seinem Ende aber wird Faust von Reue geplagt. „Ach Leyd vber Leyd, Jammer vber Jammer, Ach vnd Wehe, wer wird mich erlösen? wo sol ich mich verbergen? wohin sol ich verkriechen oder fliehen? Ja, ich seye wo ich wölle, so bin ich gefangen. Darauff sich der arme Faustus bekümmerte, daß er nichts mehr reden konte." ... „Also muß ich armer vnnd die Verdampten einen vnerforsch= lichen Grewel, Gestank, Verhinderung, Schmach, Zittern, Zagen, Schmertzen, Trübsall, Heulen, Weinen und Zähneklappern haben." ... „Daher ich auch mich dem Teufel ver= sprechen müssen, nemlich in 24 Jaren, mein Leib und Seel. Nu sind solche Jar biss auff diese Nacht zum Ende gelauffen, vnd stehet mir das Standtglass vor den Augen." ... „Dann ich sterbe als ein böser vnnd guter Christ, ein guter Christ, darumb daß ich eine hertzliche Reuwe habe, vnd im Hertzen jmmer umb Gnade bitte, damit meine Seele errettet möchte werden, ein böser Christ, daß ich weiß, daß der Teuffel den Leib wil haben, vnnd ich wil jhme den gerne lassen, er lass mir aber nur die Seele zufrieden." Bücher und Vermögen vermacht er dem Famulus Wagner. Der Teufel holt ihm um Mit= ternacht — „Es geschahe aber zwischen zwölff und ein Uhr in der Nacht" — und Helena und Fausts Sohn sind am Morgen verschwunden.

Diese „Historia" ist der Grund aller folgenden Volksbücher. *1599* erscheint in Hamburg eine breit ausgewalzte Umarbeitung Georg Rudolf *Widmanns*, die, wie= derum stoffreich und lehrhaft, der Nürnberger Arzt Nikolaus *Pfitzer 1674* neu bearbeitet.

Die Gelehrtentragödie wird nun hervorgehoben.

... „daher dieser gute Geistliche bey sich selbst geschlossen, daß es fast mißlich seyn würde mit dem D. Fausto, seiner Bekehrung halber, denn er gebe seiner Vernunfft zu viel Raum und Statt, daß ihn daher der Teuffel leichtlich gefangen nemen könte . . ."

„ . . . daß ich von Gott mit einem so herrlichen Ingenio bin begabet gewesen . . . dieses alles war meinem ehrgeitzigen Sinn nicht genugsam, ich wolte viel größer werden, und höher ankommen, da habe ich mich an diesen Gaben Gottes nicht begnügen lassen, sondern ich tobet und wütete wie ein Most im Faß . . . also war mir auch, ich hatte nicht Ruhe noch Rast . . . ich bringe davon auch einen nagenden Wurm und ein böses Gewissen . . ."

Die Reue wird breit ausgemalt in einem Traum von der Hölle. „ . . . aber tausenderley verzweiffelte Gedancken betrübten seine Seele, die ihn den so bald, als ob ers schon gewünschet, nicht einschlafen ließen, noch die Ruhe gönneten: Ach, sprach er ganz wehmütig, ich armseliger Mensch, o du unseliger Fauste, du bist wohl mit allem Recht mit unter den Unseligen . . . Ach Vernunfft, ach Mutwill, Vermessenheit und freyer Will! O du Blinder und Unverständiger, der du deine Glieder, Leib und Seele so blind machest, blinder als blind! O zeitliche Wollust, in was Verderben hast du mich geführet, daß du mir meine Augen so gar verblendet und verdunckelt hast! Ach mein schwaches Gemüte, O du betrübte Seele, wo ist, wo bleibet deine Erkäntniß? O erbärmliche Mühseligkeit, O verzweiflete Hoffnung, da deiner nimmermehr gedacht wird! Ach Leid über Leid, Jammer über Jammer, wer wird mich daraus erlösen? Wo soll ich mich verbergen? wohin soll ich mich verkriechen oder fliehen? ja, ja, ich sey gleich wo ich wolle, so bin ich gefangen." „ . . . alldieweil er sich in dieser Einsamkeit allzuviel vertiefft, voller Schwermut und Hertzens=Bangigkeit war, auch keines Trostes fähig werden kunte, daß er nach dem Messer grieffe, sich damit zu entleiben . . ."

Um Mitternacht holt ihn Mephostophiles: „Und ob du schon ein Verdammter stirbst so bist dus doch nicht allein, bist auch der Erste nicht."

1725 endlich streicht der *„Christlich Meynende"* das Moralisieren und bringt das Volksbuch, auf 48 Seiten gekürzt, neu heraus. Die Aufklärung verdünnt den handfesten barocken Aberglauben nimmt die barocke Gebärde. *Gottsched* wettert *1730* gegen das „Märchen von D. Faust, das lange genug den Pöbel belustigt" habe, aber doch allmählich von der Bühne verschwinde.

Von der Bühne?

Auch die hatte sich Doktor Faust inzwischen erobert. Das Volksbuch von 1587 war schnell nach England gekommen. Auf solchen Stoff hatte ein Mann wie *Christopher Marlowe* (1564—1593), gebildet, leidenschaftlich, zweimal in Atheismus=prozesse verwickelt und angeklagt, gerade gewartet. Er erlebt Faust als den großen Empörer, als dämonischen Menschen, dessen Gegenspieler nur Mephisto sein kann. Helena ist nur eine, wenn auch die größte Versuchung. Die *„Tragical History of Doctor Faustus"* verrät den Wurf der großen dramatischen Situation: der Anfangsmonolog, der die Fakultäten verwirft und sich der Magie zuwendet, Beschwörung von Geistern, der Pakt, Flug in die hohe Politik (Papstkurie, Kaiserhof zu Innsbruck), Beschwörung der Helena und zu späte Reue.

Faust wendet sich im Anfangsmonolog von der Logik und Philosophie zur Medizin, zur Juristerei und schließlich zur Theologie.

„What will be, shall be? Divinity, adieu!
These metaphysics of magicians,

And negromantic books are heavenly;
Lines, circles, scenes, letters, and characters;
Aye, these are those that Faustus most desires.
O, what a world of profit and delight,
Of power, of honour, of omnipotence,
Is promis'd to the studious artizan!
All things that move between the quiet poles
Shall be at my command: emperors and kings
Are but obeyed in their several provinces,
Nor can they raise the wind, or rend the clouds;
But his dominion that exceeds in this,
Stretcheth as far as doth the mind of man;
A sound magician is a mighty god:
Here, Faustus, tire thy brains to gain deity!"

Schließlich wacht Faust die letzte Stunde heran. Die Uhr schlägt elf. Reue hat Faust erfaßt. Dann:

„(The clock strikes the half=hour)
Ah, half the hour is past! 'twill all be past anon.
O God,
If thou wilt not have mercy on my soul,
Yet for Christ's sake, whose blood hath ransom'd me,
Impose some end to my incessant pain;
Let Faustus live in hell a thousand years,
A hundred thousand, and at last be sav'd!
O, no end is limited to damned souls!
Why wert thou not a creature wanting soul?
Or why is this immortal that thou hast?
Ah, Pythagoras' metempsychosis, were that true,
This soul should fly from me, and I be chang'd
Unto some brutish beast! all beasts are happy,
For, when they die,
Their souls are soon dissolv'd in elements;
But mine must live still to be plug'd in hell.
Curs'd be the parents that engender'd me!
No, Faustus, curse thyself, curse Lucifer
That hath depriv'd thee of the joys of heaven.
                              (The clock strikes twelve)

O, it strikes, it strikes! Now, body, turn to air,
Or Lucifer will bear thee quick to hell!
                              (Thunder and lightning)

O soul, be change'd into little water=drops,
And fall into the ocean, ne'er be found!
                              (Enter Devils)

My God, my God, look not so fierce on me!
Adders and serpents, let me breathe a while!
Ugly hell, gape not! come not, Lucifer!
I'll burn my books! — Ah, Mephistophilis!
                              (Exeunt Devils with Faustus)."

Marlowes Stück, geschrieben zwischen 1587 und 1593, soll schon 1588 in London auf der Bühne gewesen sein, ist aber als Aufführung erst am 30. September 1594 belegt. Zwischen 1594 und 1597 finden in London 23 Vorstellungen statt.

Englische Komödianten bringen das Spiel im Anfang des 17. Jahrhunderts nach Deutschland, wo Aufführungen 1608 in Graz und 1626 in Dresden belegt sind. Es gehört bald zum *Repertoire der Wanderbühnen*. Das barocke Theater erweitert die Rolle des Hanswurst und fügt Effekte ein. Gegen dieses Spiel wettert Gott= sched. Es verschwindet langsam von der großen Bühne, wird *Puppenspiel* auf Jahr= märkten und belustigt die Kinder. *1846* zeichnet es *Simrock* auf.

Lessing, auch hier in Opposition zu Gottsched, versucht den Fauststoff für das Drama seiner Zeit zu retten. Aber der dünne, wesentlich undramatische Geist der Aufklärung läßt nicht mehr als ein paar Bruchstücke zu (1759 im 17. Literaturbrief). Es geht Lessing vor allem um die göttliche Herkunft der Vernunft. „‚Triumphiert nicht‘, ruft ihnen der Engel zu, ‚ihr habt nicht über Menschheit und Wissenschaft gesiegt; die Gottheit hat dem Menschen nicht den edelsten der Triebe gegeben, um ihn ewig unglücklich zu machen‘“, berichtet 1784 Blankenburg aus Lessings ver= lorenem „Faust“.

Die neue irrationale Bewegung, der Sturm und Drang, schafft Raum für Ko= lossalfiguren wie Prometheus und Mahomet, für Titanen und ihre Probleme. 1776 und 1778 veröffentlicht der *Maler Müller* Teile eines ausladenden Faust=Dramas, 1791 *Klinger* seinen Faust=Roman. Ihre Gestaltungen sind angeregt durch *Goethe*, der Volksbuch und Puppenspiel in der Jugend erlebte. Seit 1773 wußte man von ihm, daß ein Faustdrama entstand, von dem der oder jener Bruchstücke kannte.

Vorbereitung für Kap. „Das Hauptgeschäft“:

nötig: Erstelle eine Übersicht zu „Faust“! Teile, Akte und Szenen.
            Studium von Goethes Leben in der Literaturgeschichte.

möglich: Lektüre von Goethes Shakespeare= und Münster=Aufsatz.
            Skizze des alten Frankfurt als Kurzreferat.
            Arbeitsgemeinschaften: Vergleich von Urfaust und Fragment.
            Vergleich von Urfaust und Faust I (Inhalt).
            Die Sprachformen im Urfaust und Faust I.

Das Hauptgeschäft

„Faust“ begleitet Goethe durch das Leben. Fünf Tage vor dem Tode bekennt es der Greis zum letzten Male.

„Es sind über sechzig Jahre, daß die Konzeption des ‚Faust‘ bei mir jugendlich von vorne herein klar, die ganze Reihenfolge hin weniger ausführlich vorlag.“

(An Wilhelm von Humboldt, 17. 3. 1832)

Alle Lebensalter haben dies Lebenswerk mit gestaltet, das Goethe seit 1827 in Tagebüchern und Briefen immer wieder „das Hauptgeschäft“ nennt. Das ganze

Leben: überbrausende Jugend, gemessene Lebensmitte, dem Ewigen offenes Alter — Unmittelbarkeit und Bewußtheit, Überdrang und Besorgen. In allen Phasen aber war Goethes Leben ein Formen und Bilden; sein „Faust" enthält es als Form und Gebild.

Aus einem Erlebnis als Ganzes erwachsen, in einem ganzen Leben verwirklicht: nach dem Gesetz, das Goethe heißt, ist „Faust" eine große, umfassende Einheit.

Urfaust

„Es sind über sechzig Jahre": noch vor 1772 muß die Konzeption des Ganzen entstanden sein. Vermutlich gehörte das Volksbuch vom Dr. Faust neben anderen Volksbüchern des ausgehenden Mittelalters, deren Kenntnis Goethe selbst be= zeugt, zur Lektüre des Jungen; das Puppenspiel hat er sicher gekannt.

In Leipzig spielt der junge Student, ein Stutzer, noch ohne ernstliches Bemühen mit allem möglichen Wissen; Erlebnis wird ihm nur Oesers Unterweisung in der Malerei und die Dichtung Wielands. Sein eigenes dichterisches Wort geht noch im überkommenen Rokoko=Gewand einher. Goethe ist noch nicht zu sich selbst durch= gebrochen. Gefühl der Leere fällt ihn an: „Einsam, einsam, ganz einsam. Bester Riese, diese Einsamkeit hat eine gewisse Traurigkeit in meine Seele geprägt", schreibt er schon am 28. 4. 1766 (WA IV, 1, 44) und ein Jahr später (10. 9. 1767) an Behrisch: „Wir sind unsere eigene Teufel, wir vertreiben uns aus unserem Pa= radiese" (WA IV, 1, 140). In dieser Zeit wird Goethe mit der 1765 erschienenen Sachs=Biographie des Gottsched=Schülers Ranisch bekannt und benutzt sie: hier schon mochte der wohlbekannte und der inneren Situation so nahe Fauststoff durch die erste Berührung mit Sachsens Knittelvers zu einer ältesten Schicht der Konzeption geronnen sein, die sich hauptsächlich um den Kaiserhof Maximilians zu Innsbruck und um Helena gruppiert habe (Hermann Schneider, Urfaust? 1949). Zum erstenmal erlebt nun Goethe Trennung und das Gefühl des Todes.

> „Tod ist Trennung!
> Dreifacher Tod
> Trennung ohne Hoffnung
> Wiederzusehn."   (3. Ode an Behrisch, 1767)

„Und ich gehe nun täglich mehr bergunter. Drei Monate und darnach ists aus" (An Behrisch, Mai 1768. WA IV, 1, 160). So reißt er sich von Kätchen Schönkopf, der Geliebten, los und stürzt in eine lebensgefährliche Krankheit.

Das Erlebnis des Todes ist fortan der Grund der Goetheschen Existenz. Es ist ihm bis zur Umsiedlung nach Weimar besonders nahe und gipfelt in der Zeit von Sommer 1772 bis Frühjahr 1773, der Zeit des „Werther".

Der junge Goethe ist sich selbst voraus. Das Wesen der Zeit und der Sorge wird ihm verwandt: „Schwager Chronos." Er ist reif zum Erlebnis der Schuld, ohne

doch je der Liebe zu entraten. Er setzt den Mächten der Zerstörung seine Schöpfer=
kraft entgegen, seinen Genius oder Daimon, und dann jene Beharrung, die „vis
zentripeta", wie er sie Herder gegenüber nennt (21. 8. 1790 und 11. 9. 1790.
WA IV, 9, 220 und 224). Die wunderbare Magie der Liebe und des Schaffens
überdecken weithin die Grundbefindlichkeit der Sorge, die in den großen Krisen
immer wieder hervorbricht, um seit Marienbad (1823) immer unverhüllter da=
zusein.

Es ist die Faustsituation der Verzweiflung, mit der Goethe aus Leipzig zurück=
kehrt, der Stoff ist ihm näher als je, er hat ihn erlebt. Und so beginnt und endet
auch die Faustdichtung in Zweifel und Sorge, dem Wesen dieses Daseins gemäß.

Goethe aber überwindet die frühe Krise, indem er sie gutheißt. „Unglück ist
auch gut", schreibt er am 30. 12. 1768 aus Frankfurt an Kätchen Schönkopf. „Ich
habe viel in der Krankheit gelernt, das ich nirgends in meinem Leben hätte ler=
nen können" (WA IV, 1, 183). Durch Susanne von Klettenberg kommt ihm wäh=
rend der Krankheit die Welt des Pietismus und der Mystik nahe; er beschäftigt
sich lebhaft mit „Chymie" und studiert dann in Straßburg Werke des Paracelsus:
Wege, unmittelbar und intuitiv das Ganze, die Einheit der Welt zu erfassen, Ver=
suche magischer Schau und Weltaneignung.

Voll gärender Probleme und Stoffe kommt Goethe nach Straßburg, wo er
Herder trifft. Und obwohl Herder die entscheidende Wende bedeutet, verbirgt
Goethe vor ihm, dem wegen eines Augenleidens Bitteren und Allzu=Scharfen,
das, was ihn am tiefsten berührt.

Über die Zeit zwischen Herbst 1770 und April 1771 heißt es im 10. Buche von
„Dichtung und Wahrheit":

„Am sorgfältigsten verbarg ich ihm das Interesse an gewissen Gegenständen, die sich
bei mir eingewurzelt hatten und sich nach und nach zu poetischen Gestalten ausbilden
wollten. Es war Götz von Berlichingen und Faust ... Die bedeutende Puppenspielfabel
des andern klang und summte gar vieltönig in mir wider. Auch ich hatte mich in allem
Wissen umhergetrieben und war früh genug auf die Eitelkeit desselben hingewiesen
worden. Ich hatte es auch im Leben auf allerlei Weise versucht, und war immer unbe=
friedigter und gequälter zurückgekommen. Nun trug ich diese Dinge, so wie manche
andere, mit mir herum und ergötzte mich daran in einsamen Stunden, ohne jedoch
etwas davon aufzuschreiben. Am meisten aber verbarg ich vor Herdern meine mystisch=
kabbalistische Chemie."

Und doch nimmt Herder auch auf den „Faust" entscheidenden Einfluß: er schafft
erst das Verständnis des Göttlichen und des Naturhaften der Poesie als eines
Werdens und Wachsens (Volkslied, Shakespeare), das Gefühl für das Ursprüng=
liche der Vergangenheit (Straßburger Münster). Anderseits kommt Goethe ge=
rade in Straßburg durch die Vielfalt seiner Studien — Juristerei, Anatomie, Gynä=
kologie, Kunstwissenschaft, Chemie, Theologie — dem grundsätzlichen Zweifel
an allem Wissen nahe. So wachsen die Keime der Faust=Konzeption fort, „ohne
jedoch etwas davon aufzuschreiben".

Der Höhepunkt der Straßburger Zeit ist die Begegnung in der Idylle des Pfarr=
hofes von Sesenheim, die Liebe zu Friederike Brion. Und gerade da fühlt Goethe
sich unbefriedigt in der Erfüllung: „Sind das nicht die Feengärten, nach denen
du dich sehntest. Sie sinds, sie sinds! Ich fühl es, lieber Freund, und fühle, daß
man um kein Haar glücklicher ist, wenn man erlangt hat, was man wünschte"
(An Salzmann, Juni 1771. WA IV, 1, 259). Er verläßt Friederike. Den Fluch, den
er einst selbst ausgesprochen — „Fluch sei auf dem, der sich versorgt, eh das Mäd=
gen versorgt ist, das er elend gemacht hat" (An Behrisch, März 1768. WA IV, 1,
157) — lädt er nun auf sich: „Die Antwort Friederikens zerriß mir das Herz . . .
Hier war ich zum erstenmale schuldig", beichtet er im 12. Buche von „Dichtung
und Wahrheit".

So kehrt Goethe, nachdem er am 6. August 1771 zum Lizentiaten promoviert
war, nach Frankfurt zurück und beantragt am 28. August beim Magistrat seine
Zulassung zur Advokatur. In der Straßburger Disputation hatte seine 55. These
gelautet: „An foemina partum recenter editum trucidans capite plectenda sit,
quaestio est inter doctores controversa" (Ob eine Kindsmörderin noch mit dem
Tode zu bestrafen sei, ist heute eine Streitfrage der Gelehrten geworden). Juri=
stische Theorie — plötzlich wird sie blutige Wirklichkeit.

Ernst Beutler entdeckte diesen „Frankfurter Faust". Er schreibt in der Artemis=
Ausgabe 5, 704—706:

„Eine Magd, mit Namen Susanna Margarethe Brandt — Rufname Susanne — hatte
im Gasthof zum Einhorn in der Klostergasse ein Kind geboren und um der Schande
und des Vorwurfs der Leute willen getötet. Sie war 25 Jahre alt; ein Bruder war Sergeant,
ein Vetter Ordonnanz. Das Mädchen entwich zunächst aus der Stadt über Höchst nach
Mainz, kehrte mittellos nach Frankfurt zurück, wo der Steckbrief durch Trommelschlag
bereits ausgegeben war, ward am 3. August von der Wache am Bockenheimer Tor ge=
faßt und in das Frauengefängnis, den 1790 niedergelegten Torturm über der Katha=
rinenpforte, gebracht.

Merkwürdig, wie sich nun ihr Schicksal in engster Fühlung mit dem Familienkreis
des jungen Advokaten vollzog. Der Turm, in dem die Unglückliche lag, stand am Ende
des kleinen Hirschgrabens, nur etwa 200 Meter von Goethes Elternhaus, hinter der
Katharinenkirche, die die Familienkirche der Goethes war. Die Untersuchung leiteten
unter anderm der Bruder von Goethes Mutter, der Schöff Johann Jost Textor, und aus
der Familie der Großmutter der Senator Lindheimer. Die Seelsorge übernahm Pfarrer
Willemer, der Oheim des späteren Gatten der Marianne Willemer. Als Ärzte zugezogen
waren der Doktor Metz, der Goethe 1768 behandelt hatte, wovon er noch in Dichtung
und Wahrheit erzählt, und Doktor Burggrave, der Hausarzt der Familien Textor und
Goethe. Den Steckbrief schrieb Johann Henrich Thym, der 1756 bis 1765 Hauslehrer
von Wolfgang und Cornelia Goethe gewesen war. Für den Scharfrichter zeichnete feder=
führend Johann Georg Schlosser, Goethes Freund und vom Sommer 1772 an Cornelias
Gatte. Im Verhör sagte die Angeklagte aus, sie sei durch einen Schlaftrunk willig ge=
macht worden. Das Kind habe sie auf Einflüsterungen des Satans hin getötet. Das
Urteil ward auf dem Römer am 11. Januar 1772 in Gegenwart des Senators Textor ver=
lesen, die Hinrichtung am 14. d. M. auf einem Schafott am Brunnen vor der Hauptwache
vollzogen.

Es ist selbstverständlich, daß das unselige Schicksal, das sich hier vor aller Augen abspielte, wie es jeden in der Stadt ergriff, so auch Goethe auf das Tiefste erregte. Vielleicht eben darum hat sich der Rat Goethe oder der Dichter selbst aus den Protokollen eine Teilabschrift der Schuld der Angeklagten fertigen lassen. Diese Abschrift befindet sich noch heute in den Papieren des Johann Caspar Goethe; die Handschrift ist die von Liebhold, ‚dem trefflichen Kopisten‘, dessen Leben und Naturell Goethe im 16. Buch von Dichtung und Wahrheit liebevoll würdigt, und der seine rechte Hand bei den Geschäften seiner Advokatur war. Ein Eintrag von zwei Zeilen über dieser Abschrift Liebholds ist von Goethes Vater eigenhändig.“

Die gewaltige Erschütterung durch das Schicksal der öffentlich mit dem Leben sühnenden Kindsmörderin trifft das Schuldgefühl in des Dichters Brust. *„Sie wäre die erste nicht“*: mit diesen Worten, die in der Verhandlung wieder= und wiederkehren, drängt eine andere Magd die Unglückliche zum Geständnis. Dieses Wort löst die Gestaltung aus, wird der Angelpunkt der Gretchentragödie.

„Faust: Und mich wiegst du indes in abgeschmackten Zerstreuungen, verbirgst mir ihren wachsenden Jammer und lässest sie hülflos verderben.
Mephisto: *Sie ist die Erste nicht!*
Faust: ... Wandl' ihn wieder in seine Lieblingsgestalt, daß er vor mir im Sand auf dem Bauche krieche, ich ihn mit Füßen trete, den Verworfenen! — *die Erste nicht!* — Jammer! Jammer! von keiner Menschenseele zu fassen, daß mehr als ein Geschöpf in die Tiefe dieses Elends versank ...“

Hier tritt der Urgrund zutage: Wortfetzen, Prosa, gestammelt, geschrieen, Sprache eines Verzweifelten.

Das Gretchendrama überströmt, hervorbrechend mit „Trüber Tag. Feld“ und „Kerker“, die Fausthandlung. Nun war aber zu jener Zeit der „Götz“ ebenfalls konzipiert. Warum verband sich das Gretchendrama mit dem Fauststoff und nicht mit Götz?

Es ist doch Mephisto und nicht etwa Lieschen oder eine andere Magd, der dieses „Sie ist die Erste nicht!“ ausspricht. Und zwar, genau so wie bei Widmann=Pfitzer — „bist auch der Erste nicht“ — Faust gegenüber, hier nur nicht auf Faust, sondern auf Gretchen bezogen!

Dieses Wort „Sie ist die Erste nicht!“ hat solche Wucht, daß es bis in den „Clavigo“ (1774, „Sie ist nicht das erste verlassene Mädchen...“, WA I, 11, 51), ja bis in Wagners „Kindsmörderin“, aufgenommen vielleicht in Gesprächen mit Goethe, fortwirkt (Ausgabe Hempel II, 478: „Du bist ja nicht die Erste“).

In diesem Wort „Die Erste nicht“ fließen die Dramen von Gretchen und Faust ineinander. Das brennende Erleben der Gretchen=Gestalt reißt den Magus=Stoff mit seiner Sorge=Gestimmtheit mit sich fort und in sich hinein. Vielleicht wäre ohne diesen Springquell der „Faust“ ein zweiter „Götz“ geblieben. Ein weiteres Band zum Fauststoff bildet die Aussage der Susanne Margarethe Brandt, *„der Teufel habe sie verführt“*.

18

Ungeheuer bricht die Dichtung auf, eine Befreiung vom Gefühl der Schuld durch Gestaltung der schuldhaften Verzweiflung im Wort. „Dichtung und Wahrheit" berichtet zum Frühjahr 1772 (12. Buch):

„Faust war schon vorgerückt, Götz von Berlichingen baute sich nach und nach in meinem Geiste zusammen, das Studium des fünfzehnten und sechzehnten Jahrhunderts beschäftigte mich, und jenes Münstergebäude hatte einen sehr ernsten Eindruck in mir zurückgelassen, der als Hintergrund zu solchen Dichtungen gar wohl dastehen konnte."

In Wetzlar, in der Liebe zu Charlotte Buff, durchlebt Goethe eine neue Krise; mit Mühe bewahrt er sich vor Schuld. „Ich weiß recht gut, was es mich für Entschlüsse und Anstrengungen kostete, damals aus den Wellen des Todes zu entkommen", schreibt er 1812 (3. 12.) an Zelter (WA IV, 23, 185).

Wieder in Frankfurt, befreit er sich in „Die Leiden des jungen Werthers" von jenem äußersten Erlebnis und stürmt einen Titanismus aus, der notwendig Fragment bleibt: Prometheus. „Heilige Musen, reicht mir das Aurum potabile, Elixier vitae aus euren Schalen, ich verschmachte" (An Kestner, Mitte Juli 1773).

In eben dieser Zeit findet Goethe im Hans Sachs=Vers des 16. Jahrhunderts die dem Fauststoff gemäße Form.

Nachweislich hat Goethe das Werk des *Hans Sachs* vor dem 26. April 1773 kennengelernt; an diesem Tage schreibt er Sachs=Verse in ein Stammbuch. In Darmstadt war ihm durch Merck die Kemptener Quartausgabe von 1612 zugänglich geworden. Goethes Hans Sachs=Periode — wenn man sie so nennen will — hält an bis „Hans Sachsens poetische Sendung" 1776. In dieser Zeit, wahrscheinlich Anfang 1773, ist darum auch das Bekanntwerden mit den weiteren Dichtungen des Sachs anzunehmen, vor allem auch mit den Dialogen „Die unnütze Fraw Sorg" (Band I) und die „Faulkeyt und die Sorg kempffen miteinander" (Band IV der Kemptener Quartausgabe 1612—1616). Wiederum ist es ein Satz, sind es drei „Schlagworte", die den Anschluß an den Fauststoff (am Kaiserhof Maximilians zu Innsbruck) herstellen. Die ersten Zeilen von „Die unnütze Fraw Sorg" lauten:

„Weil ich war ein weydman
bey Maximilian
am keyserlichen Hof
zu Innsbruck ..."   (I, 789)

Jetzt, im Frühjahr 1773, steht die große Konzeption fast greifbar da, ein Lauf Fausts durch alle Höhen des Lebens von Sorge zu Sorge, jetzt entsteht das Drama, shakespearehaft wie der „Götz", doch im Maße des Hans Sachs, des Zeitgenossen Fausts. „Der Faust entstand mit meinem Werther", sagte Goethe am 10. 2. 1829 zu Eckermann, „ich brachte ihn im Jahre 1775 mit nach Weimar". Bruchstücke wurden einzelnen Freunden vorgelesen oder mitgeteilt: 1773 Gotter, 1774 Boie und Knebel, 1775 Klopstock. Am 6. Dezember 1775 berichtet Friedrich Leopold Graf zu Stolberg seiner Schwester Henriette: „Einen Nachmittag las Goethe seinen halbfertigen Faust vor. Die Herzoginnen waren gewaltig gerührt von einigen Szenen."

Das Hoffräulein Luise von Göchhausen aber schrieb die Faustdichtung von 1775 ab. 1887 entdeckte Erich Schmidt diese Handschrift und gab sie als „Urfaust" heraus.

Geschrieben sind 1775 die Szenen: „Nacht" (erster Teil des Monologs), die Schülerszene, „Auerbachs Keller" (in Prosa), alle Gretchenszenen („Trüber Tag. Feld" und „Kerker" in Prosa). Die Gretchentragödie überwiegt das Magusdrama weit; beide Pole stehen fast unverbunden nebeneinander.

Dann hörte man lange nichts mehr vom „Faust".

Faustfragment

Goethe ist jetzt in Weimar. Das Leben am großherzoglichen Hof nimmt ihn gefangen. Der Herzog, sein Freund, häuft Ämter auf ihn, denen er gewissenhaft dient. Er gewinnt den Blick für die große Welt und tiefe Einsichten in die irdischen Ordnungen.

„Ich hab die Hofleute bedauert, mich wundert, daß nicht die meisten gar Kröten und Basilisken werden." (An Charlotte von Stein, 12. 9. 1776, WA IV, 3, 107.)

„Hier will das Drama (Iphigenie d. V.) gar nicht fort, es ist verflucht, der König von Tauris soll reden, als wenn kein Strumpfwirker in Apolda hungerte." (An Charlotte von Stein, 6. 8. 1779, WA IV, 4, 18.)

„So steig ich durch alle Stände aufwärts, sehe den Bauersmann der Erde das Not= dürftige abfordern, das doch auch ein behäglich Auskommen wäre, wenn er nur für sich schwitzte. Du weißt aber, wenn die Blattläuse auf den Rosenzweigen sitzen und sich hübsch dick und grün gesogen haben, dann kommen die Ameisen und saugen ihnen den filtrierten Saft aus den Leibern. Und so geht es weiter, und wir habens so weit gebracht, daß oben immer in einem Tage mehr verzehrt wird, als unten in einem bei= gebracht werden kann." (An Knebel, 17. 4. 1782, WA IV, 5, 312.)

Goethe erfährt, daß er seine Pflichten nur in Selbstbeschränkung erfüllen kann. Er rät einem jungen Dichter: „Schränken Sie sich alsdann ein: Das Muß ist hart, aber beim Muß kann der Mensch allein zeigen, wie's inwendig mit ihm steht. Willkürlich leben kann jeder." (An Kraft, 31. 1. 1781, WA IV, 5, 44)

Es ist vor allem Charlotte von Stein, deren Wesen und Dasein den Dichter den Weg zum Maß weist. Noch aus Venedig (5. 10. 1786) schreibt er ihr: „Denn die Zeit des Schönen ist vorüber, nur die Not und das strenge Bedürfnis erfordern unsere Tage." (WA IV, 1, 266)

Goethe ist dem Sturm und Drang, ist dem Titanismus seiner Jugend fremd geworden. „Faust" sinkt weit zurück. Andere Gestalten und andere Gestaltungen werden notwendig: Egmont, Iphigenie, Tasso. Aber der Wille zu Pflicht und Maß in tätigem Leben hindert und hemmt gerade die Formung des neuen Erlebens im Wort. Leise Töne der Sorglichkeit klingen in Briefen an die Frau von Stein an: „ . . . und ich weiß nicht warum, seit einiger Zeit bin ich in Sorgen. Wie wunder= sam, wenn des Menschen ganzes schweres Glück an so einem einzigen Faden hängt" (4. 5. 1783. WA IV, 6, 158). Goethe fühlt den Kern bedroht, den Dichter in ihm. Er beginnt fluchtartig die Italienische Reise und findet im klassischen Land Sprache und Maß zu klassischer Dichtung: Iphigenie, Tasso. Und seltsam — in dem Augenblick, in dem Goethe der gegenwärtigen Notwendigkeit dieser klas= sischen Schicht genügen kann, steht die ältere Dichtung, einem Grundgestein vergleichbar, mit älterem Recht dringlich an.

„Um das Stück zu vollenden, werd' ich mich sonderbar zusammennehmen müssen. Ich muß einen magischen Kreis um mich ziehen . . ." (An Herzog Carl August, Rom, 8. 12. 1787.)

„Nun steht mir fast nichts mehr als der Hügel Tasso und der Berg Faustus vor der Nase. Ich werde weder Tag noch Nacht ruhen, bis beide fertig sind." (An Herzog Carl August, Rom, 16. 2. 1788.)

„Zuerst ward der Plan zu Faust gemacht, und ich hoffe, diese Operation soll mir ge= glückt sein. Natürlich ist es ein ander Ding, das Stück jetzt oder vor fünfzehn Jahren ausschreiben; ich denke, es soll nichts dabei verlieren, besonders da ich jetzt glaube, den Faden wiedergefunden zu haben. Auch was den Ton des Ganzen betrifft, bin ich getröstet; ich habe schon eine neue Szene ausgeführt, und wenn ich das Papier räuchre, so dächt' ich, sollte sie mir niemand aus den alten herausfinden." (Italienische Reise, Rom, 1. 3. 1788.)

Goethe schreibt in Rom die „Hexenküche". Diese Szene verbindet das Drama um den Magus mit der Gretchentragödie, der innere Zusammenhang ist hergestellt. Goethe kann den „Faust" in die Ausgabe seiner Werke aufnehmen. Er gibt der Schülerszene die endgültige Fassung, formt „Auerbachs Keller" in Verse um und fügt neben der „Hexenküche" die Szene „Wald und Höhle" neu ein. Noch fehlt der Pakt mit dem Teufel. Widersprachen die Szenen „Trüber Tag. Feld" und „Kerker", die Ursprungsszenen, dem neuen Stilgefühl oder rührten sie zu tief an das Urerlebnis: jetzt bleiben sie weg; die Dichtung endet mit der Szene „Dom". 1790 erscheint die neue Stufe als „Faust. Ein Fragment".

Der Tragödie Erster Teil

Mit Mühe hat Goethe in Italien die Schalen seines Daseins ins Gleichmaß ge= setzt. Die Harmonie zerbricht der elementare Einbruch der Großen Revolution in Frankreich. „Daß die Französische Revolution auch für mich eine Revolution war, kannst du dir denken. Übrigens studiere ich die Alten . . ." (An Jacobi, 3. 3. 1790. WA IV, 9, 184). Er erfährt während des Feldzuges in der Champagne 1792 „mehr Mühseligkeit, Not, Sorge, Elend und Gefahr als in unserem ganzen Leben" (An Voigt, 10. 10. 1792. WA IV, 10, 32). „Ich konnte kein Freund der Französischen Revolution sein", sagt er am 2. 1. 1824 zu Eckermann. „Ebensowenig war ich ein Freund herrischer Willkür." Goethe flüchtet aus der Realität der Geschichte in die Idealität der Natur und der Antike. „Mein Gemüt treibt mich mehr als jemals zur Naturwissenschaft" (An Knebel, 9. 7. 1790) — und, wie gezeigt, zu den

„Alten". Sein Inneres heißt Goethe ausweichen. Denn dem Kerne seiner Persön=
lichkeit, der sich in Dichtung offenbart, gelingt die gültige Gestaltung der Revo=
lution nicht, so oft er dazu ansetzt. Jetzt muß er die „vis zentripeta" den Elemen=
ten der Auflösung entgegensetzen, jetzt muß er sich mehr denn je binden im
Freundeskreis. Goethe war *Schillers Freundschaft*, war des Atems der Idealität,
ebenso bedürftig, wie umgekehrt Schiller, auf dem Wege zu echter Realität, ihm
zustreben mußte. „Wie groß der Vorteil Ihrer Teilnehmung für mich sein wird,
werden Sie bald selbst sehen, wenn Sie, bei näherer Bekanntschaft, eine Art Dun=
kelheit und Zaudern bei mir entdecken werden, über die ich nicht Herr werden
kann, wenn ich mich ihrer gleich sehr deutlich bewußt bin" (An Schiller, 27. 8.
1794). Der Umgang mit Schiller bereitet in Goethe ein Bewußtwerden in der
Theorie der Dichtung, der Kulturmorphologie, im Erleben des Sentimentalischen
und Modernen, im Erfassen des Symbols, im Erwachen des Gefühls für die eigent=
liche Zeit: „Wenn ich Zeit und Stunde zusammennehme und abteile: so kann ich
dieses Jahr viel beiseitebringen" (An Schiller, 11. 3. 1795). „Jeder Zeitverlust wird
mir immer bedenklicher" (An Schiller, 19. 6. 1799). „Es ist der Faust und die
Farbenlehre, an beiden ist so viel vorgearbeitet, daß ich nur Zeit zusammengeizen
muß, um sie los zu werden" (An Cotta, 6. 8. 1800).

Schiller, der — gewissermaßen — „die Poesie kommandieren" konnte, drängt
Goethe zur Weiterarbeit am „Faust". Zunächst weicht Goethe aus — „Von Faust
kann ich jetzt nichts mitteilen, ich wage nicht das Paket aufzuschnüren, das ihn
gefangenhält" (An Schiller, 2. 12. 1794) — 1797 endlich nimmt er die Arbeit wie=
der auf.

„Da es höchst nötig ist, daß ich mir in meinem jetzigen Zustand etwas zu tun gebe,
so habe ich mich entschlossen, an meinen Faust zu gehn und ihn, wo nicht zu vollenden,
doch wenigstens um ein gut Teil weiter zu bringen, indem ich das, was gedruckt ist,
wieder auflöse und mit dem, was schon fertig war oder erfunden ist, in große Massen
disponiere, und so die Ausführung des Plans, der eigentlich nur eine Idee ist, näher vor=
bereite." (An Schiller, 22. 6. 1797.)

Die Dichtung wird jetzt bewußt gestaltet, wird geplant. „Ausführliches Schema
zum Faust", heißt es im Tagebuch zum 23. 6. 1797. Lücken werden geschlossen,
die dramatischen Zusammenhänge hergestellt, die Einheit des Ganzen gewonnen.

Im Juni 1797 entsteht „Oberons goldene Hochzeit" und die „Zueignung"
(24. 6. 1797):

> „Ihr naht euch wieder, schwankende Gestalten,
> Die früh sich einst dem trüben Blick gezeigt."

Ein halbes Jahr später (15. 12. 1797) erwähnt Schiller die Fabeln des Hyginus,
die ihm Goethe tags darauf übersendet. Eine dieser Fabeln, die von der Sorge,
hatte Herder bereits in den 70=er Jahren ins Gedicht gefaßt. Goethe kannte den
Hyginus; 1806 jedenfalls ist die Sorge im Faustmonolog „Nacht" angesiedelt
(Vers 640—651).

In den Jahren der Freundschaft mit Schiller entstehen der zweite Teil des großen Eingangsmonologes, die Szenen „Vor dem Tor" (Osterspaziergang), „Studierzimmer" (Auftreten Mephistos), „Studierzimmer" (Teufelspakt), „Nacht" (Valentinszene) und „Walpurgisnacht". Schon Ende der 90=er Jahre kommt das „Vorspiel auf dem Theater" dazu. Das klassische Stilgefühl, das auf größere dramatische Geschlossenheit und auf klaren Bau drängt, fordert auch ein ausgeglichenes Maß.

„Einige tragische Szenen waren in Prosa geschrieben, sie sind durch ihre Natürlichkeit und Stärke, in Verhältnis gegen das andere, ganz unerträglich. Ich suche sie deswegen gegenwärtig in Reime zu bringen, da denn die Idee wie durch einen Flor durchscheint, die unmittelbare Wirkung des ungeheuren Stoffes aber gedämpft wird." (An Schiller, 5. 5. 1798.)

Die Kerkerszene erhält ihre endgültige Gestalt in Reimen, nicht aber „Trüber Tag. Feld", jener ungeheure Ausbruch, die Quellstelle des Dramas. Hat Goethe nicht gewagt, jenes Grunderlebnis anzurühren? Nicht „gedämpft", unverändert wie im „Urfaust" erscheint die Szene im ersten Teil, ein Relikt, Urgestein.

Die klassische Haltung aber entwirft den Bogen größer und weiter. Nicht nur, daß der „Prolog im Himmel" (um 1800) dem Drama eine neue, höhere Ebene öffnet und es auf einen neuen, gültigen Ton stimmt, er weist voraus auf den Ausgang. Die Konzeption des zweiten Teils regt sich und das zentrale Geschehen, die Begegnung mit Helena, drängt im Jahr 1800 — Höhepunkt der klassischen Epoche — zur Formung im Wort. (Niedergelegt werden die Verse 8489—8515, 8524—8559, 8569—8590, 8638—8802).

Die Zeit der bewußten, planenden Gestaltung ist voll von Bedrohungen. Im Januar 1801 bringt eine Gesichtsrose Goethe an den Rand des Abgrunds. „Arbeiten möcht' und könnte ich wohl, besonders auch Ihnen zur Freude, wenn nicht mein zerrißner Zustand mir fast alle Hoffnung und zugleich den Mut benähme" (An Schiller, 18. 3. 1801). „Fast verzweifle ich daran", berichtet Schiller am Ende dieses Jahres an den Verleger Cotta, „daß er seinen Faust noch vollenden wird." Nachdem 1803 Herder für immer geschieden ist, verliert Goethe, der im Frühjahr 1805 in einer Krankheit „sich selbst zu verlieren dachte", mit Schiller „einen Freund und in demselben die Hälfte . . . des Daseins" (An Zelter, 1. 6. 1805). Goethe fällt in neue Übel. Er bewahrt sich vor dem Anblick des Toten: „Nein! Die Zerstörung!" (Bericht Karls von Stein, 11. 5. 1805).

Mit Mühe macht Goethe das Manuskript zum ersten Teil druckfertig. Es ist unterwegs, da bricht Napoleon wie eine Naturgewalt auf Preußen herein und die Katastrophe in der Schlacht bei Jena (14. 10. 1806) wirft ihre Wellen auch über das nahe Weimar. Erst 1808 erscheint bei Cotta in Stuttgart „Faust. Der Tragödie erster Teil" in der endgültigen Fassung.

Der zweite Teil

Goethe beginnt zu altern. Es vollzieht sich in ihm eine Wende zur Geschichte, zur Biographie. Die Dichtungen dieser Jahre, „Pandora sowohl als die Wahlver= wandtschaften drücken das schmerzliche Gefühl der Entbehrung aus" (Tag= und Jahreshefte 1807. WA I, 36, 29). Es tritt ein die „Zeit des Bewahrens" (An Klinger, 1. 12. 1811. WA IV, 22, 206), in der es gilt, „wenigstens nichts zu ver= lieren" (An Alexander von Humboldt, Juli 1809). Noch aber ist die magische Kraft der Liebe in Goethe wirksam: 1807/8 Minna Herzlieb, 1814/15 Marianne von Willemer. Er flieht aus den gegenwärtigen Wirren der napoleonischen Kriege in die reine Luft des Ostens („West=östlicher Divan"), erweitert sein Ich zum Kos= mos, den er mit neuer All=Liebe umfängt, und erreicht das Gefühl der Identität mit dem Universum, die Zeitlosigkeit.

> „Du zählst nicht mehr, berechnest keine Zeit,
> Und jeder Schritt ist Unermeßlichkeit."
> (Prooemion 1816)

Da breitet Christianes Tod (1816) „Leere und Totenstille" um ihn.

Der „Faust" von Marlowe, den Goethe 1818 kennenlernt, wirkt vielleicht auf die spätere Formung des Schlusses, ohne jedoch zunächst die Gestaltung des „Faust" neu in Fluß zu bringen. Wichtiger wird *Byron*. Auf seinen „Faust", den „Manfred", weist Goethes Rezension in „Kunst und Altertum" 1817 nachdrück= lich hin. „Er hat die seinen Zwecken zusagenden Motive auf eigene Weise be= nutzt, so daß gar keines mehr dasselbe ist und gerade deshalb kann ich seinen Geist nicht genugsam bewundern."

In den Jahren 1823/24 gelangt der Vierundsiebzigjährige an die entscheidende Schwelle.

> „Die Stunde fällt immer schneller wie der Stein im Fallen." (An Zelter, 16. 9. 1822, WA IV, 36, 164)
> „ . . . die historische Neigung nimmt mit den Jahren immer mehr in uns überhand." (An Nees von Esenbeck, 1822, WA IV, 36, 167)
> „ . . . der Tod steht in allen Ecken und breitet seine Arme nach mir aus." (Zu Caro= line von Egloffstein, 23. 3. 1823)
> „Es ist ein Hindernis in mir zu leben wie zu sterben, mich soll wundern, wie es wer= den wird." (Zu v. Müller, 24. 2. 1823)

Dieser Goethe kommt nach *Marienbad*. Hier versagt die Magie der Liebe. „Keine Liebschaft war es nicht!" sagt später Ulrike von Levetzow. Goethe erkennt seine Stunde.

> „Mir ist das All, ich bin mir selbst verloren." (Elegie, September 1823)

„Eine schwere Krankheit erfolgte im Spätherbst 1823 und die Ärzte erwarteten Goethes Tod", notiert Zelter in sein Tagebuch. Goethe ist ins Greisenalter ein= getreten, voll „innerer Desperation", wie Kanzler von Müller berichtet. Am

19. 4. 1824 fällt Byron vor Missolunghi. Noch im Sommer schlägt Goethe jegliche „Trostgründe wegen Ulrike und auch wegen Schillers Verlust" aus: „Verloren ist verloren" (v. Müller, 13. 6. 1824).

Goethes letztes Jahrzehnt vertieft dieses Erlebnis. Kritik an der Zeit, in welcher er letzten Endes eine „religiöse Krisis" (v. Müller, 6. 6. 1830) spürt, drängt ihn zu „letzten Formeln" (Zu Eckermann, 11. 3. 1828). Im Dämonischen erlebt er, daß der Mensch „wieder ruiniert werden muß" (20. Buch von „Dichtung und Wahr= heit", 1828). Dem sucht er den Glauben an eine fortwirkende Kraft der „entelechi= schen Monade" (An Zelter, 19. 3. 1828) entgegenzusetzen. Der Tod des Groß= herzogs Carl August (14. 6. 1828) nimmt eine „Hälfte seines Daseins" (Zu Ecker= mann, 11. 9. 1828) und die Nachricht vom Tod des einzigen Sohnes (27. 8. 1830) wirft ihn, als sie in Weimar eintrifft, mit einem Blutsturz nieder. Was Goethe hochhält und ausharren läßt, ist die Vollendung seines „Hauptgeschäftes": „Faust".

Ein einsamer Überlebender aus einer anderen Zeit, sich selbst fremd und ge= schichtlich geworden, fern und objektiv einer objektiven Welt gegenüber: das ist der Goethe, der reif ist, die unpersönliche Welt des zweiten Teiles und zugleich das persönlich=subjektive wie objektive Ende zu gestalten.

Goethe findet einen Helfer am Werk: *Eckermann*. Unablässig drängt und mahnt er, behutsam, immer wieder lenkt er das Gespräch auf den „Faust". Es entspricht durchaus seinem Anteil, daß er zusammen mit Riemer 1832 nach Goethes Tod den zweiten Teil als Band I der „Nachgelassenen Werke" herausgibt.

Seit dem 24. Februar 1825 hält Goethe fast täglich Bemerkungen über „Faust" in seinem Tagebuch fest. Die erste Szene, deren Gestaltung nunmehr dringlich und notwendig wird, ist die Begegnung mit der Sorge. Sie entsteht zwischen 25. Februar und 22. Mai 1825; der Auftritt der vier grauen Weiber wird ein Jahr später (12. 3.—18. 4. 1826) eingefügt. Dann nimmt Goethe die Helena=Handlung wieder auf und vollendet 1826 den III. Akt, den er 1827 gesondert veröffentlicht im Band 4 der Ausgabe letzter Hand. Wiederholt äußert sich der Greis über diese Dichtung.

„Erinnern Sie sich wohl noch, mein Teuerster, einer dramatischen Helena, die im zweiten Teil von Faust erscheinen sollte? ... Es ist eine meiner ältesten Konzeptionen, sie ruht auf der Puppenspiel=Überlieferung, daß Faust den Mephistopheles genötigt, ihm Helena zum Beilager heranzuschaffen. Ich habe von Zeit zu Zeit daran fortgearbei= tet, aber abgeschlossen konnte das Stück nicht werden..." (An Wilhelm von Hum= boldt, 22. 10. 1826)

„... und zwar gerade dahin, wo er, aus der antiken Wolke sich niederlassend, wie= der seinem bösen Genius begegnet ... daß ich von diesem Punkt an weiter fortzuschrei= ten und die Lücke auszufüllen gedenke zwischen dem völligen Schluß, der schon längst fertig ist..." (An Zelter, 24. 5. 1827)

„Dann brachte mir die Zeit dieses mit Lord Byron und Missolunghi, und ich ließ gern alles übrige fahren." (Zu Eckermann, 5. 7. 1827)

„Da dieses Werk (Helena d. V.), ein Erzeugnis vieler Jahre, mir gegenwärtig ebenso wunderbar vorkommt als die hohen Bäume in meinem Garten am Stern, welche, doch noch jünger als diese poetische Konzeption, zu einer Höhe herangewachsen sind, daß ein Wirkliches, welches man selbst verursachte, als ein Wunderbares, Unglaubliches, nicht zu Erlebendes erscheint ..." (An Knebel, 14. 11. 1827)

Die tragenden Pfeiler sind nun gegründet und aufgeführt, in der Mitte und am Schluß. Jetzt gilt es die Lücken zu füllen und die Zusammenhänge herzustel= len. Es entstehen 1827 die Szenen am Kaiserhof, der I. Akt (1828 veröffentlicht in Band 12 der Ausgabe letzter Hand). 1830 wird mit dem II. Akt (Homunculus, klassische Walpurgisnacht) die Brücke zur Helena=Tragödie geschlagen. Dann baut sich um die fertige Sorge=Szene der V. Akt auf und als letztes leitet der IV. Akt von der Helena= zur Herrschertragödie über.

Groß und schwierig war die Aufgabe. Goethe weist darauf selbst immer wie= der hin.

„Da die Konzeption so alt ist", sagte Goethe, „und ich seit fünfzig Jahren darüber nachdenke, so hat sich das innere Material so sehr gehäuft, daß jetzt das Ausscheiden und Ablehnen die schwere Operation ist. Die Erfindung des ganzen zweiten Teiles ist wirklich so alt, wie ich sage. Aber daß ich ihn erst jetzt schreibe, nachdem ich über die weltlichen Dinge so viel klarer geworden, mag der Sache zugute kommen ..." (Zu Eckermann, 6. 12. 1829)

„Es ist keine Kleinigkeit, das, was man im zwanzigsten Jahre konzipiert hat, im zwei= undachtzigsten außer sich darzustellen ... damit alles zusammen ein offenbares Rätsel bleibe ..." (An Zelter, 1. 6. 1831)

„Ich wußte schon lange her, was, ja sogar, wie ich's wollte, und trug es als ein inneres Märchen seit so viel Jahren mit mir herum, führte aber nur die einzelnen Stellen aus, die mich von Zeit zu Zeit näher anmuteten ..." (An Meyer, 20. 7. 1831)

„Die Schwierigkeit des Gelingens bestand darin, daß der zweite Teil des Faust ... seit fünfzig Jahren in seinen Zwecken und Motiven durchdacht und fragmentarisch — wie mir die eine oder andere Situation gefiel — durchgearbeitet war, das Ganze aber lücken= haft blieb." (An Wilhelm von Humboldt, 1. 12. 1831)

Im August 1831 versiegelt der Zweiundachtzigjährige das Werk. „Mein ferne= res Leben kann ich nunmehr als ein reines Geschenk ansehen, und es ist jetzt im Grunde ganz einerlei, ob und was ich noch tue", berichtet Eckermann vom 6. 6. 1831. Im Januar 1832 erbricht Goethe das Paket und geht die Dichtung mit seiner Schwiegertochter Ottilie noch einmal durch. Er hat jetzt Abstand zum eigenen Werk gewonnen, das, von ihm abgelöst, ein eigenes Dasein lebt. Es sind für ihn nun „ernst gemeinte Scherze", wie er an Sulpiz Boisserée schreibt (24. 11. 1831), ein Erheben über Werk und Leben wie das letzte Selbstbildnis eines Rem= brandt. Fünf Tage vor seinem Tod gibt er eine letzte Rechenschaft über den „Faust".

„Es sind über sechzig Jahre, daß die Konzeption des Faust bei mir jugendlich von vorne herein klar, die ganze Reihenfolge hin weniger ausführlich vorlag. Nun hab' ich die Absicht immer sachte neben mir hergehen lassen und nur die mir gerade inter= essantesten Stellen einzeln durchgearbeitet, so daß im zweiten Teil Lücken blieben, durch ein gleichmäßiges Interesse mit dem übrigen zu verbinden. Hier trat nun freilich die große Schwierigkeit ein, dasjenige durch Vorsatz und Charakter zu erreichen, was eigentlich der freiwillig tätigen Natur allein zukommen sollte. Es wäre aber nicht gut, wenn es nicht auch nach einem so lange tätig nachdenkenden Leben möglich geworden wäre ...

Ganz ohne Frage würd' es mir unendliche Freude machen, meinen werten, durchaus dankbar anerkannten, weitverteilten Freunden auch bei Lebzeiten diese *sehr ernsten Scherze* zu widmen, mitzuteilen und ihre Erwiderung zu vernehmen. Der Tag aber ist wirklich so absurd und konfus, daß ich mich überzeuge, meine redlichen, lange verfolgten Bemühungen um dieses seltsame Gebäu würden schlecht belohnt und an den Strand getrieben wie ein Wrack in Trümmern daliegen und von dem Dünenschutt der Stunden zunächst überschüttet werden. Verwirrende Lehre zu verwirrtem Handel waltet über die Welt, und ich habe nichts angelegentlicher zu tun, als dasjenige, was an mir ist und geblieben ist, womöglich zu steigern und meine Eigentümlichkeiten zu kohobieren ..." (An Wilhelm von Humboldt, 17. 3. 1832)

Mit diesen Worten nimmt Goethe Abschied von seinem Hauptwerk, es nicht dem Tag und der Stunde, sondern einem größeren Bemühen anvertrauend.

Vorbereitung für Kap. „Die Komposition":

nötig: Trage die Entstehungszeiten in die Übersicht ein!
         Prüfe die Längenverhältnisse der Szenen und Akte zueinander!
möglich: Arb.=Gem.: Ist Auftritt oder Bild das Baugesetz des „Faust"?
         Die dramatische Zeit im „Faust".
         Personen, Personifikationen, Allegorien?
         Der Einsatz der Monologe und Dialoge.
         Sinn und Ort der Großszenen.
         Die Versmaße im „Faust".

Die Komposition

Das Werden selbst ist das Gesetz des Bauens in Goethes Welt. Nicht Plan und Ausführung sind die Akte dieses Schaffens, sondern Aufstau und Ausbruch, ein Gestalten mit dem Herzen, dann bewußteres, planendes Fügen, und doch immer wieder genährt aus dem Ursprung, der Herzgestalt. Wuchs und Prägung, fühlend Erfahrenes und sorglich Bedachtes, Herz und Geist gehen in dem Werk eine unlösbare Verbindung ein, geformt von einer Kraft, die Goethe in der Jugend Genius, im Alter Daimon nennt.

> „Wie an dem Tag, der dich der Welt verliehen,
> Die Sonne stand zum Gruße der Planeten,
> Bist alsobald und fort und fort gediehen
> Nach dem Gesetz, wonach du angetreten.
> So mußt du sein, dir kannst du nicht entfliehen,
> So sagten schon Sibyllen, so Propheten,
> Und keine Zeit und keine Macht zerstückelt
> Geprägte Form, die lebend sich entwickelt."
>   (Urworte Orphisch)

Als Ganzes keinem Drama der Weltliteratur vergleichbar, gesellt sich „Faust" den großen Epen eines Homer und Dante, dem „Parzifal" eines Wolfram von Eschenbach. Die Grenzen der Gattung überschreitend, entlädt das Werk dramatisches Weltspiel, wie jene Epen Weltsein enthalten.

Ursprünglichkeit und helle Bewußtheit schaffen die Dichtung, leihen ihr Tiefe und Glanz. An den *Proportionen* wird es deutlich. Während der „Urfaust" (1441 Verse und 161 Zeilen Prosa) noch das Maß eines abendfüllenden Dramas hat, sprengt schon der erste Teil (4259 Verse) diesen Rahmen; die doppelte Länge des zweiten Teiles (7498 Verse) stellt vollends einer Aufführung unlösbare Aufgaben. Dazu kommen „Vorspiel" und „Prolog" (mit „Zueignung" 354 Verse). Das Drama ist weder um der Aufführbarkeit noch um der Bühnenwirksamkeit willen geschrieben. Es ist ein Drama in dem Sinne, der uns das Leben selbst ein Drama nennen läßt.

Der „Urfaust" entsteht als ein Bündel von Bildern, kurzen Szenen, shakespearehaft — „Die erste Seite, die ich in ihm las, machte mich auf Zeitlebens ihm eigen, und wie ich mit dem ersten Stücke fertig war, stund ich wie ein Blindgeborener, dem eine Wunderhand das Gesicht in einem Augenblicke schenkt", sagt Goethe 1771 (Zum Shakespeares=Tag) — shakespearehaft im Verständnis des Sturmes und Dranges, lockere, offene Form, hingeworfene Sprache. Die Szenen, die zum Faust I dazukommen (Monolog zweiter Teil, Osterspaziergang, zweimal Studierzimmer, Hexenküche und Walpurgisnacht) sind breiter angelegt, haben längeren Atem, mehr Gedanke als Bild. Im zweiten Teil weiten sich schließlich die Szenen, unvermeidlich wird die Gliederung in Akte, deren jeder ein abendfüllendes Drama ist (I. Akt = 1952 Verse, II. Akt = 1922 Verse, III. Akt = 1551 Verse, IV. Akt = 1105 Verse, V. Akt = 968 Verse). Innerhalb dieser Dramen wachsen die Szenen zu umfangreichen Akten an, so besonders deutlich im III. (Vor dem Palast = 640 Verse, Innerer Burghof = 547 Verse, Schattiger Hain = 474 Verse) und IV. Akt (Hochgebirg = 307 Verse, Auf dem Vorgebirg = 438 Verse, Des Gegenkaisers Zelt = 259 Verse). Der zweite Teil enthält nur wenige bildhaft kurze Szenen, so etwa die Elfenszene (Anmutige Gegend, 4613—4727), die Mütterszene (Finstere Galerie, 6173—6306), die Szene mit Erichtho (Pharsalische Felder, 7005—7079), meistens Szenen, die unmittelbar auf den Kern des Dramas zurückweisen. Das verdeutlichen insbesondere die ersten Szenen des V. Aktes bis zum Tode Fausts; sie sind aus dem Geist des „Urfaust" gestaltet. So rundet sich der Kreis der Komposition und mündet mit der Schlußszene „Bergschluchten" in den Rahmen, den der „Prolog im Himmel" entwarf.

Das *Bild* erhält in einigen Szenen des V. Aktes die ursprüngliche Bedeutung wieder, die ihm als Baugesetz im „Urfaust" zukommt: Handlung und Bild decken sich, es sind entscheidende Augen=Blicke. Unverkennbar tritt hier Goethes Gestaltung hervor: nicht der Gedanke, nicht die Handlung und das Auftreten von Schauspielern (Auf=Tritte) bauen, im Innersten komponiert das Gesicht, das

Schauen, das Auge. Handlung spricht sich in Bildern aus, ein Erleben und Ge=
stalten, fähig zum Symbol.

Notwendig benennt Goethe fast alle Szenen nach dem *Raum,* in dem sie sich
ereignen. Nur selten weicht er davon ab („Nacht": Anfangsmonolog, Valentin=
szene; „Tiefe Nacht": Vernichtung von Philemon und Baucis; „Mitternacht":
Sorge=Szene), offenbar dann, wenn der Außenraum sich ausweglos verengt, wenn
mit der Helle auch der Raum genommen, wenn es Nacht im Inneren geworden ist.

Die Orte im ersten Teil spiegeln den menschlichen Bereich, die kleine Welt.
Aber die Welt der Universität — Studierzimmer, Spaziergang vor dem Tor, Auer=
bachs Keller — wird durch einen Ort wie „Hexenküche" jäh aufgerissen und zu=
gleich auch magisch überdreht und verkehrt, ebenso wie die umfriedete, klein=
bürgerliche Welt Gretchens — Straße, Stube, Marthens Haus, Garten, Brunnen,
Zwinger, Dom — von Orten der Ausgesetztheit, wie „Wald und Höhle", dem
Blocksberg und „Trüber Tag. Feld", zerbrochen wird von Urgewalten. „Kerker"
ist zuletzt der Ort, wo sich beide Bereiche in äußerster Spannung schneiden.

Im zweiten Teil sind die Orte weniger handlungsverhaftet und =gestaltend.
Sie werden Ebene großen Spiels, Weltbühne, auf der sich Leben objektiv zuträgt.
Auch „Studierzimmer" und „Laboratorium" gehören nun zu den Räumen inne=
ren Unbeteiligtseins — wie „Rittersaal", „Vor dem Palast", „Burghof", „Peneios",
„Arkadien", „Hochgebirg", „Vorgebirg", „Zelt", „Offene Gegend", „Anmutige
Gegend", „Bergschluchten" — die mehr mit Da=sein als mit Handlung identisch
sind.

Im zweiten Teil verliert auf weite Strecken die *Zeit* ihre gestaltende Kraft. Die
Tageszeit wird am Kaiserhof mit seinen „hell erleuchteten Sälen" gleichgültig,
ebenso unter der griechischen Sonne, wo ihr Wandel nicht mehr die Seelenstim=
mungen anzeigt, sondern Nacht Bereiche vorklassischen Chaos', Tag die Klarheit
und Dauer gültiger Gestalt bedeuten. So mag allein der Tag des Helena=Aktes
3000 Jahre umspannen.

„Ich habe von Zeit zu Zeit daran fortgearbeitet, aber abgeschlossen konnte das Stück
nicht werden als in der Fülle der Zeiten, da es denn jetzt seine vollen 3000 Jahre spielt,
von Trojas Untergang bis zur Einnahme von Missolunghi." (An Wilhelm von Hum=
boldt, 22. 10. 1826)

Auch über den IV. Akt spannt sich Tag, der noch handeln läßt, bis es schließlich
über Fausts Leben Abend wird und sein Erdendasein nach Mitternacht hintritt.
Hier bleibt der große Entwurf wirksam, der das Dasein beständig von Nacht zu
Mitternacht führt, unterbrochen vom Licht des Ostertages, vom Morgen der Be=
gegnung mit Gretchen, vom Sonnenaufgang im Schoße der Natur — Intervalle
des Lebens im Licht, aber diesseitig, kommend aus Nacht und kehrend zu Nacht.

Die *Personen* fügen sich zu einem Kosmos menschlicher, geistiger und seelischer
Kräfte. Eine Seele streitet mit sich selbst, so daß zwei Figuren, Faust und Me=
phisto, „sein böser Genius", (Goethe an Zelter, 24. 5. 1827), das innere Wider=

spiel darstellen müssen. Faust und Mephisto durchschreiten darum alle Akte. Dem Manne, dem stürmische Jugend (Schüler, Baccalaureus, Verjüngungstrank), weit= sichtige Mannheit (Lynkeus) und tiftelige Pedanterie (Wagner) beigesellt werden, dessen Werk als Gelehrter oder Herrscher an ihm selbst scheitert, tritt die Frau erhebend und lösend gegenüber, Gretchen, Helena und Maria, Mädchen der kleinen, Herrin der großen und Königin der himmlischen Welt. So gleicht sich das Ganze aus. Nachbarin und Bruder, Mägde und Damen, Soldaten und Studenten, Bürger und Bauern gehören auch mit ihrer ihnen nur eigenen Sprache ebenso zu diesem Ganzen wie Kaiser, Kanzler und Hof, wie antike Philosophen und der Chor der Dienerinnen Helenas, wie Hexen, Elfen, Sirenen, Sphinxe und wie die heiligen Anachoreten. Zu diesem Kosmos gehören aber auch die geistigen Gestalten und Wirklichkeiten, denkbar und gedacht, auftretend als Personifikatio= nen wie Homunculus, Euphorion, Sorge, verkörpert in Allegorien — Darstellun= gen eines Begriffes — wie im Walpurgisnachtstraum, in Ariel, den drei Gewaltigen und den Lemuren, weiter am Rande noch wirksam als Stimmen des Weltgeistes, der Insekten und kleinen Geister. Der Kosmos ist nicht im Menschlichen beschlos= sen, sondern offen für das Oben und Unten, für Beter und Sünder, Engel und Gespenster, für Gott und Teufel.

Um Faust geht das Ringen. Deswegen steht er, solange die dramatischen Kräfte in Personen wirken, stets unmittelbar und fast ununterbrochen auf der Bühne, sein Dabeisein wird seltener und weniger notwendig, sobald Personifika= tionen und Allegorien Kräfte der geistigen Welt vor=stellen.

Der inneren Situation entsprechend vollzieht sich die *Handlungsführung* des ersten Teiles wesentlich *in Monolog* (Faust, Gretchen — bezeichnenderweise ver= fügt Mephisto nicht eigentlich über einen Monolog) *und Dialog* (Faust=Wagner, Faust=Mephisto, Mephisto=Schüler, Faust=Gretchen, Gretchen=Lieschen). Hinzu= treten zu den Dialogen als Dritte Marthe, Valentin, für Augenblicke auch Me= phisto. Szenen mit mehr Schauspielern sind selten (Auerbachs Keller, Hexen= küche), Massenszenen wohl nur im Osterspaziergang und auf dem Blocksberg. Fast umgekehrt scheint das Verhältnis im zweiten Teil: große Massenszenen (Kaiserhof, Mummenschanz, klassische Walpurgisnacht, Burghof, Euphorion= szene, Grablegung, Schlußszene) nehmen breiten Raum ein, bisweilen unter= brochen vom Dialog (Faust=Mephisto, Mephisto=Famulus, Mephisto=Baccalaureus, Mephisto=Wagner=Homunculus, Faust=Chiron, Helena=Phorkyas), der im V. Akt, vor allem in der Sorge=Szene, seinen Charakter als Auseinandersetzung im Wort voll erweist. Im Monolog Fausts endet das Erdendrama so wie es begonnen.

Die Handlungsführung rundet ein Ganzes, erkennbar an Proportionen, Räu= men, Zeiten und Personen. Von den *Einheiten* der Zeit, des Ortes und der Hand= lung kann nicht die Rede sein und doch ist alles bezogen auf die Existenz Fausts, auf die Existenz des suchenden Menschen. In seinem Leben stellt sich die Einheit der Zeiten, Orte und Handlungen her, in einem höheren und weiteren Sinne.

Einheit gründet auch der *Vers*, der die ursprüngliche Prosa überwindet, der Knittelvers des Hans Sachs, schmiegsam gemeistert, aber auch Raum und Rahmen für höchst kunstvolle Rhythmen und Versgebilde.

Schwer hätte es eine *Vertonung* gehabt, die Goethe einem Mozart als kongenial zutraute (Zu Eckermann, 12. 2. 1829), die ungeheuere, kosmische Weite des Werkes einzufangen in die Welt der Töne. Denn das Sangbare, das Liedhafte („Meine Ruh' ist hin", „Es war ein König in Thule", „Zum Sehen geboren" oder die Euphorionszene beispielsweise) ist ebenso wesenhaft erwirkt wie erschütternde Prosa und Verse im klassischen Hexameter oder modernen Blankvers. So wachsen gegensätzliche Elemente zu einem höheren Ganzen zusammen. Goethe betrachtet Begriffe zweier Epochen geradezu als Bausteine seines Werkes, wenn er sagt:

„... daß schon immer in diesen früheren Akten das Klassische und Romantische anklingt und zur Sprache gebracht wird, damit es, wie auf einem steigenden Terrain, zur Helena hinaufgehe, wo beide Dichtungsformen entschieden hervortreten und eine Art von Ausgleichung finden." (Zu Eckermann, 16. 12. 1829)

Auch die *Standpunkte* und Bezugsorte des Dichters und damit des Lesers und Zuschauers wechseln, ergänzen und gleichen sich aus. In einem Paralipomenon heißt es:

„Lebensgenuß der Person von außen gesucht: in der Dumpfheit Leidenschaft: erster Teil.

Tatengenuß nach außen und Genuß mit Bewußtsein, Schönheit: zweiter Teil."

Am 17. Februar 1831 sagt Goethe zu Eckermann:

„Der erste Teil ist fast ganz subjektiv. Es ist alles aus einem befangenern, leidenschaftlichern Individuum hervorgegangen, welches Halbdunkel den Menschen auch so wohltun mag. Im zweiten Teile aber ist fast garnichts Subjektives, es erscheint hier eine höhere, breitere, hellere, leidenschaftslosere Welt, und wer sich nicht etwas umgetan und einiges erlebt hat, wird nichts damit anzufangen wissen."

Lebensgier und Werkwille, dumpfe Leidenschaft und ästhetische Bewußtheit, Unbedingtheit und Ironie, Anraffen „von außen" und „Wirkung nach außen" treten zueinander in Polarität. Die Welt des Innen und des Außen, des Ich und des Es, beide Bereiche erst sind das Reich dieser Dichtung.

Ein Kunstwerk, das Mensch und All in seinem Kosmos aufnimmt und darstellt, kann das nie leisten durch Vollständigkeit der Handlung, sondern nur durch Bild und Zeichen, als „einander gegenübergestellte und sich gleichsam ineinander abspiegelnde Gebilde" (An Iken, 23. 9. 1827). Eine Welt von *Symbolen* erfüllt seinen Raum, wie es selbst Bild und „Abglanz" (4727) des Lebens, das Leben aber „Gleichnis" (12105) eines Höheren ist. Es bedarf nicht allein des logischen Verständnisses, sondern vor allem eines schauenden Erfahrens.

„Wenn es noch Probleme genug enthält, indem — der Welt- und Menschengeschichte gleich — das zuletzt aufgelöste Problem immer wieder ein neues aufzulösendes darbietet, so wird es doch gewiß denjenigen erfreuen, der sich auf *Miene, Wink und leise Hindeutung* versteht. Er wird sogar mehr finden, als ich geben konnte." (An H. Meyer, 20. 7. 1831)

Faust scheint keinem Drama der Weltliteratur vergleichbar, weiter als das griechische und französische Drama, weiter als Shakespeare, wenn auch unter Verlust von dramatischer Kraft, epischer, aber Gestalt und vollendet im Wort. So darf es stehen neben der „Ilias" und „Odyssee", der „Göttlichen Komödie" und „Parzifal" als eines der wenigen, sich an Gehalt und Gestalt ebenbürtigen großen Gelingen der Weltliteratur.

Vorbereitung für Kap. „Die Ebenen des Spiels" :

nötig: Studiere Vers 1—353!
Überlege (schriftlich oder mündlich): Wie verhalten sich die drei Vorspiele zueinander und was bedeuten sie für das ganze Drama?

möglich: „Zueignung" auswendig lernen!
Gesang der Erzengel auswendig lernen!
Arb.=Gem.: Die Komponenten des Theaters. Lesung „Prolog im Himmel" mit verteilten Rollen vorbereiten!

Die Ebenen des Spiels

1797 endlich, unter dem Drängen Schillers, wagt Goethe wieder, „das Paket aufzuschnüren, das Faust gefangen hält". „Da es höchst nötig ist, daß ich mir in meinem jetzigen unruhigen Zustand etwas zu tun gebe, so habe ich mich ent=schlossen, an meinen Faust zu gehn . . .", schreibt er am 22. Juni an Schiller. Tags darauf vermerkt er in sein Tagebuch: „Ausführliches Schema zum Faust", und am 24. Juni: *„Zueignung an Faust"*.

Die Aufgabe des Dichters „war die Schwierigkeit, den alten geronnenen Stoff wieder ins Schmelzen zu bringen" (An Charlotte Schiller, 21. 4. 1798). Er macht sich bewußt ans Werk, löst das Fertige auf und verbindet es mit Neuem zu einer weiterspannenden Komposition. Mit dem neuen Beginnen wachen die alten, ver=sunkenen Gestalten wieder auf, treten aus dem Nebel der Vergangenheit hervor.

> „Ihr naht euch wieder, schwankende Gestalten,
> Die früh sich einst dem trüben Blick gezeigt."

Ein Gefühl des Wehs, der Selbstentfremdung, überkommt den Dichter, nicht dra=matischer Drang, vielmehr elegisches Empfinden, lyrische Klage. Das neue dra=matische Schaffen hebt an mit einem elegischen Gedicht; es erhebt sich über einen nur=dramatischen Zweck.

Streng hält der Dichter die Form der Stanzen ein: achtzeilige Strophen, deren erste sechs Verse sich im Kreuzreim verklammern — klingende und stumpfe

Endungen alternieren —, während ein klingender Paarreim einen kraftvollen Schlußakkord setzt (abababcc). In dem sorgsamen Klanggeflecht wirkt besonders der Lautwert des Reimes: in der ersten mit dritten Strophe trägt ein kraftvolles A den Reimklang, wird abgespielt mit EI (I), mit AU (II), mit langem E (III), in der vierten bleibt das lange E, das sich nun verbindet mit EI und das Gedicht weich ausklingen läßt. Der getragene Rhythmus stützt sich auf fünfhebige Jamben, die aber nirgends pedantisch geregelt sind. Die elegische Gestimmtheit erfüllt eine große Form und durch diese Form gewinnt sie Halt.

Organisch fügt sich der Satz in das Maß. Am Anfang, wo Fragen herandrängen, faßt er kürzere Perioden, dann schwingt er als Gedankenbogen über halbe und ganze Strophen, in sich jedoch so gegliedert, daß die Zeilen rhythmische und syntaktische Einheiten bilden, Verse, die nur selten über ihre Grenzen im Enjam=bement hinwegfließen. Nirgends verliert sich die lyrische Stimmung vage in Form=losigkeit, der Gedanke verfestigt das Gefühl zu klar geformter Aussage, fühlen=des Erleben und gestaltendes Wollen sind ebenbürtig. Zwanglos verfügt dieses Sagen über das gemäße Wort: nicht nackt und roh, nicht wuchtig und monumen=tal, es ist gedämpft, von Füllungen gemildert, vielsagend und vielschichtig in sei=nen vorsichtigen Komposita und Abstraktionen, geheimnisvoll verbergend in sei=nen Bedingnissen, flüsternd dringlich.

Die Strophen steigen thematisch auf vom Zudrang und Einlaß des Vergangenen über das Lebendigwerden gewesener Bilder zur Trauer über den Verlust der alt=vertrauten Freunde und der Bange vor den Unbekannten, um auszuklingen in einer fast selbstfremden Ergriffenheit.

Schauplatz ist das Herz. Es ist Mitte und Sitz des Lebens; alle Kräfte und Er=fahrungen sind dorthin bezogen.

„Fühl ich mein *Herz* noch jenem Wahn geneigt?"

Die Erschütterung des geistigen Lebens trifft das Zentrum des Organischen.

„Mein Busen fühlt sich jugendlich erschüttert..."

Das Herz wird beklommen, weil das Sagen seines Leidens nicht mehr verstan=den wird.

„Mein Leid ertönt der unbekannten Menge,
Ihr *Beifall* selbst macht meinem *Herzen* bang."

(Ein schönes Beispiel übrigens auch dafür, wie die Alliteration den Vers zusam=menhält.)

Und es ist das Herz, dessen Strenge und Starre schmelzen.

„Das strenge *Herz*, es fühlt sich mild und weich."

Es löst sich in Tränen. Sie zeigen, immer bei Goethe, den Wandel an, daß eine vergessene oder verleugnete Schicht durchbricht und das Leben erneuert. Unter Tränen wird der Mensch seines „labyrinthisch irren Laufes" inne.

Aus dem Kern dieses Lebens steigen jene „schwankenden Gestalten" auf, die „früh" und „einst" einem noch nicht geklärten, einem noch „trüben Blick" be= gegnet waren, verworren und unausgegoren, ein jugendlicher, gefährlicher „Wahn". Aber sie sind Teil jenes Herzens, sie kommen nicht von außen, ihr Zu= drang kann gar nicht abgewiesen werden, ihr „Zug" erneuert die Erschütterungen einer Jugend. Wie eine „alte, halbverklungene Sage" ziehen die Bilder vorüber und mit und in ihnen das Erleben „erster Lieb' und Freundschaft". Das Herz ent= läßt seine Geheimnisse, bang vor dem Eigensten, in „Schmerz" und „Klage", nicht begreifend

> „Des Lebens labyrinthisch irren Lauf."

Das Herz erkennt den Sinn nicht des täuschenden Glücks, daß „die Guten" fort= mußten, daß die „hinweggeschwunden" sind, für die der Gesang des Dichters anhob, daß ihr „Widerklang" ausbleibt, ihr Mitschwingen, ihr verstehendes Echo. Hier, wie immer an zentraler Stelle der Goetheschen Dichtung, bricht das Herz auf zu einem grundtiefen „Ach". Der Schmerz wird Laut. Das Leid befreit sich im Sagen. Denn jetzt tritt „Beifall" einer anonymen Menge an die Stelle des „Widerklangs" der Freunde.

> „Und was sich sonst an meinem Lied erfreuet,
> Wenn es noch lebt, irrt in der Welt zerstreuet."

Das Leben ist ein Irren, in dem die Verstehenden weit ab von dem „irren", was ihrem Wesen zugehört. Das Gefühl der Verlassenheit inmitten des Beifalls, der Fremde inmitten der Menge, es weckt Sehnsucht nach jenem Reich des Geistes und der Geister, „still" und „ernst". Der Dichter spürt den „Zauberhauch", ihn rührt geheimnisvolles Wehen, er selbst dichtet nicht, er ist nur Instrument, „Äols= harfe", Windspiel, und leiht jenem Wehen aus anderem Bereich menschlichen Laut.

> „Es schwebet nun in unbestimmten Tönen
> Mein lispelnd Lied, der Äolsharfe gleich."

Im Erfahren des Selbstverlustes zerbricht die Kruste des Herzens, ein Leben löst sich in Tränen — der große Akt der Erneuerung.

Gegenwart und Besitz sind ferne, unwirklich und unwichtig, sie sind nicht we= sentlich der ganz inwendigen Existenz. Das Gewesene und Erlebte hingegen, das Erfahrene und Längstvergangene, es ist vielschichtig mächtig wie der Plural „Wirk= lichkeiten", es ist Herzblut, aus dem dieses Leben lebt.

> „Was ich besitze, seh' ich wie im Weiten,
> Und was verschwand, wird mir zu Wirklichkeiten."

Mit der „Zueignung" gewinnt Goethe seiner Dichtung die innerste, entschei= dende Ebene, die Bühne des Herzens, den Raum der letzten Figuration eines Spiels, das sich, fern von Gegenstand oder Gattung, ausspielt in gültiger Form.

*

Daß die dichterische Welt, die Welt im Herzraum, in der Welt der Gegen=Stände verwirklicht werden muß, ist das Problem jeder Darstellung. Der Innenraum muß nach außen gewendet, will Vor=Stellung werden, der Geist bedarf des Körpers, das Wort des Fleisches.

Das Drama muß die Seelenkräfte, die im lyrischen Ich eins werden mit der Welt, objektivieren und als Funktionen gegeneinander setzen. Gegenpolig zur „Zueig=nung" verschwindet im *„Vorspiel auf dem Theater"* das dichterische Ich, wird han=delnde Person, ein Er, der „Theaterdichter".

Dichter und Dichtung sind nicht mehr das Ganze, nur noch Teil davon, der Dichter verficht die Idee, den Geist, das Wort, und seine unbedingten Forderungen kommen aus dem Wesen des Schöpferischen und des Werkes. Er verwirft jedes Zugeständnis an die Menge, weil er eine göttliche Gnade rein bewahren muß.

> „Der Dichter sollte wohl das höchste Recht,
> Das Menschenrecht, das ihm Natur vergönnt,
> Um deinetwillen freventlich verscherzen!"

Noch mehr: der Dichter bewahrt das Göttliche selbst.

> „Wer sichert den Olymp? Vereinet Götter?
> Des Menschen Kraft, im Dichter offenbart."

Um das Heilige empfangen und die Menschen bewegen zu können, fordert er stürmisch die Jugend zurück, Zeit und Zustand heiliger Begeisterung:

> „So gib mir auch die Zeiten wieder,
> Da ich noch selbst im Werden war,
> Da sich ein Quell gedrängter Lieder
> Ununterbrochen neu gebar."

Dabei spricht der Dichter zuerst feierlich in Stanzen wie in der „Zueignung", dann geht er auf die Reimform der Gesprächspartner ein, den Madrigalvers, braucht zuerst umfassende, auf dem Höhepunkt seiner Erregung schließlich kreu=zende Reime — sein Vers ist Spiegel seiner Gestimmtheit.

Dem Dichter, dem Idealisten und Verwalter des reinen Geistes, leistet der „Di=rektor", der Theaterintendant, Widerpart. Er ist der Realist, der reine Praktiker, der homo oeconomicus, der auf volle Kassen sieht und deswegen seine Forderung erhebt:

> „Ich wünschte sehr der Menge zu behagen."

Er hat das erste und das letzte Wort, an der geistigen Auseinandersetzung aber nimmt er kaum teil:

> „Der Worte sind genug gewechselt,
> Laßt mich auch endlich Taten sehn!"

Er fordert, fast wie von einem Handwerker, ein Machen auf Bestellung:

> „Gebt ihr euch einmal für Poeten,
> So kommandiert die Poesie."

Die Spanne zwischen Ideal und Wirklichkeit überbrückt die „lustige Person",
der Schauspieler, der Mime. Er lebt der Gegenwart, dem Augenblick, der Gunst
der Menge, die er zu lenken weiß. Zwischen dem Poeten und dem Ökonomen
errichtet der homo ludens sein Reich, das Gegensätze ausgleicht und versöhnt:
dichterische Visionen in volksnahen Bildern.

So fesselt der Schauspieler den Inspirator und den Organisator an die Bühne;
denn die Kräfte aller drei erst machen das Theater, was keiner besser wußte als
Goethe, der wiederholt diese Funktionen in sich vereinigen und mit sich austragen
mußte. Alle drei dienen dem Theater. Auch der Direktor ist vollblütiger Theater=
mann, der den Erfolg will und darum bereit ist, das große Spiel groß zu spielen:

> „Drum schonet mir an diesem Tag
> Prospekte nicht und nicht Maschinen.
> Gebraucht das groß' und kleine Himmelslicht,
> Die Sterne dürfet ihr verschwenden;
> An Wasser, Feuer, Felsenwänden,
> An Tier und Vögeln fehlt es nicht.
> So schreitet in dem engen Bretterhaus
> Den ganzen Kreis der Schöpfung aus
> Und wandelt mit bedächt'ger Schnelle
> Vom Himmel durch die Welt zur Hölle."

Das „Vorspiel auf dem Theater" ruft aus der inneren in die äußere Ebene, zur
Verwirklichung auf die Bühne. Das Drama des Innenraumes, die dramatische
Dichtung wird Sprache, Gebärde, Bild, wird Theater.

*

> „Vom Himmel durch die Welt zur Hölle."

Der Schlußvers des „Vorspiels auf dem Theater", das die Welt des Dramas
öffnet, weist dem dramatischen Spiel die Ebenen zu.

> „Da kommen sie und fragen, welche Idee ich in meinem ‚Faust' zu verkörpern ge=
> sucht. Als ob ich das selber wüßte und aussprechen könnte! Vom Himmel durch die
> Welt zur Hölle, das wäre zur Not etwas; aber das ist keine Idee, sondern der Gang der
> Handlung." (Zu Eckermann, 6. 5. 1827)

Das irdische Drama beginnt und endet vor Gott. Der *Prolog im Himmel* ent=
wirft den weiten Rahmen.

Feierlich nennt der Gesang der Erzengel das Dauernde: den Weg der Sonne, den
drehenden Lauf der Erde, Stürme der Elemente und Stille Gottes. Das Nennen
stiftet im Wort das Sein neu. Ewig jung ist die Schöpfung, „herrlich wie am ersten
Tag". Sie klingt, nach alter Vorstellung, in unendlichen kosmischen Harmonien,

> „In Brudersphären Wettgesang",

ihre Bewegung ist „Sphärenlauf". Denn alles Dasein ruht in der ewigen Ordnung Gottes. Das Sein, das Faust ersehnt, hier *ist* es und es ist gültig ausgesagt. Die gemessene Sprache regelmäßig=vierhebiger Jamben verleiht eine langsame rhyth= mische Steigerung zum Dreigesang der Erzengel.

> „Der Anblick gibt den Engeln Stärke,
> Da keiner dich ergründen mag,
> Und alle deine hohen Werke
> Sind herrlich wie am ersten Tag."

Im Gesang wird der Schöpfungstag erneuert. Aus dem Anschauen der Schöp= fungen Gottes leben die Engel, nicht aus dem Begreifen und „Ergründen" Gottes selbst; denn Gott allein ist Grund und Ursprung. In ihm ist alles Weltspiel in allen Sphären beschlossen. 1827 faßt es Goethe so:

> „Wenn im Unendlichen dasselbe
> Sich wiederholend ewig fließt,
> Das tausendfältige Gewölbe
> Sich kräftig ineinander schließt,
> Strömt Lebenslust aus allen Dingen,
> Dem kleinsten wie dem größten Stern,
> Und alles Drängen, alles Ringen
> Ist ewige Ruh' in Gott dem Herrn."

Der „Prolog im Himmel" wirkt über das ganze Drama. Eine heilende Sphäre besteht über jedem irdischen Geschick und wird in Augenblicken äußerster Be= drohung wirksam: als Ostergesang im Studierzimmer (Faust nennt ihn „Himmels= töne" und „Himmelslieder". 763 und 783), als „Stimme von oben" im Kerker, als wirkende und erhebende Liebe im Mysterium des Schlusses.

Welt und Mensch ruhen in Gottes Hand. Das weiß Mephistopheles sehr wohl, als er naht. Mit ihm setzt ein ganz anderes Element ein, schon im Vers, der sich zu fünf Hebungen verbreitet, in dem die Reime zunächst noch kreuzen wie die der Erzengel, um sich bald auf einfachere Weise, paarig, zu fügen. Mephisto spricht seine eigene Sprache, wie er auch sogleich sein eigenstes Thema anschlägt. Er, der gefallene Engel, zählt sich dem „Gesinde" Gottes zu, den paradiesischen Engeln, den „echten Göttersöhnen", wenn er auch vom Ewigen, dessen Nennung ihm „hohe Worte" und „Pathos" sind, „nichts zu sagen weiß". Er weiß aber auch, daß sein Versuch Gott nicht einmal zum Lachen brächte.

Er kennt nur das Vergängliche, den Menschen.

> „Ich sehe nur, wie sich die Menschen plagen."

Sein Bericht gibt sich als Anklage gegen Gott. Denn der gewährte mit der „Ver= nunft" nur den „Schein des Himmelslichts", eine Täuschung, wodurch der Mensch sich gottgleich dünkt. —

> „Der kleine Gott der Welt bleibt stets von gleichem Schlag" —

in Wahrheit aber nur seine Tierheit raffiniert vervollkommnet. Das Bemühen des

Menschen vergleicht er mit dem Hüpfen und Fliegen von „Zikaden", die immer wieder ins Gras, auf die Erde ohnmächtig zurückfallen. Die „Jammertage" des Menschen erwecken sogar des Teufels Mitleid.

Mag Mephisto mit allgemeinen Worten die besondere Lage Fausts absichtlich berührt haben, nicht er, der Herr selbst gibt das Stichwort: „Kennst du den Faust?" Er nennt ihn sogleich: „Meinen Knecht". „Den Doktor?" beeilt sich Me= phisto dazwischenzurufen. Er hat nur auf das Stichwort gewartet, um sofort das Wesen Fausts sehr genau zu kennzeichnen: Torheit, Gärung, Tollheit, die Maß= losigkeit, von Himmel und Erde das Schönste und Höchste zu fordern. Mephisto erkennt, daß Faust nicht in eigener Mitte ruht, daß er in sich keinen Frieden hat.

> „Und alle Näh' und alle Ferne
> Befriedigt nicht die tiefbewegte Brust."

Mephisto weiß, daß Faust sich selbst verlieren muß, wenn er ihn noch mehr in die Weite treibt. Er überhört, vielleicht auch: verwirft die Worte des Herrn, er werde Faust „bald in die Klarheit führen". So bietet Mephisto eine Wette dem an, den er doch erst um „Erlaubnis" fragen muß.

> „Was wettet Ihr? den sollt Ihr noch verlieren,
> Wenn Ihr mir die Erlaubnis gebt,
> Ihn meine Straße sacht zu führen!"

Es ist eine Scheinwette, wie die Freiheit Mephistos Scheinfreiheit ist. Denn der Herr gibt die Erlaubnis, indem er es nicht verbietet —

> „Solang' er auf der Erde lebt,
> So lange sei dir's nicht verboten" —

ohne die „Wette" auch nur zu erwähnen, und setzt hinzu:

> „Es irrt der Mensch, solang' er strebt."

Wieder schlägt der Herr das Leitmotiv an, daß mit Leben Streben, mit Streben aber Irrtum, die Möglichkeit und das Offensein für das Böse, unlösbar zusammen= hängen. Er begrenzt aber diese Möglichkeit mit dreimaligem „Solang". Der Mensch muß das Streben abtun, wenn er den Irrtum abtun will. Der Herr wiederholt die Erlaubnis, Faust „von seinem Urquell", von sich, von seinem gottgegebenen We= sen, also auch von Gott „abzuziehen". Das Wort setzt eine Ordnung, die den Aus= gang bereits bestimmt.

> „Ein guter Mensch, in seinem dunklen Drange,
> Ist sich des rechten Weges wohl bewußt."

Voraussetzung ist, daß der Mensch das Gute wahre, ein reiner Tor bleibe. Viel= leicht gibt diese Einschränkung Mephisto schon das Gefühl des Triumphes in seiner „Wette".

> „Mir ist für meine Wette gar nicht bange."

Den Sieg wird er kosten, den Menschen tiefer ducken als je vorher. Das Böse erlaubt kein Höher=kommen, keine Steigerung.

> „Staub soll er fressen, und mit Lust."

Nachdem der Herr den Teufel für die Dauer eines Erdenlebens in die „Freiheit" gesetzt hat, klärt er die Existenz des Bösen. Es ist nur ein „Frei=erscheinen", kein Frei=sein, wie überhaupt der Teufel nur den Schein, Gott aber das Sein hat. Das Böse selbst erfüllt einen göttlichen Auftrag, ist Funktion der Weltordnung: den Menschen unablässig anzutreiben zu immer neuer Anstrengung. Leben heißt Tä= tigsein. Das Böse ist der Stachel zur Leistung. „Das was wir bös nennen, ist nur die andere Seite vom Guten", sagt Goethe 1771 in der Rede „Zum Shakespeares= Tag".

Alle Existenz ruht in Gottes Hand: Engel, Mensch, Teufel. In der letzten Ord= nung ist der Mensch, trotz der Möglichkeit zu irren, so wenig frei wie der Teufel, trotz der Möglichkeit zu versuchen. Gott wirkt in allem. „Nemo contra deum, nisi deus ipse", setzt Goethe als Motto vor den vierten Teil von „Dichtung und Wahr= heit". Er führt seine Anschauung breiter aus am Schluß des achten Buches:

„Ich mochte mir wohl eine Gottheit vorstellen, die sich von Ewigkeit her selbst pro= duziert; da sich aber Produktion nicht ohne Mannigfaltigkeit denken läßt, so mußte sie sich notwendig sogleich als ein Zweites erscheinen, welches wir unter dem Namen des Sohnes anerkennen; diese beiden mußten nun den Akt des Hervorbringens fort= setzen und erschienen sich selbst wieder im Dritten, welches nun ebenso bestehend, lebendig und ewig als das Ganze war. Hiermit war jedoch der Kreis der Gottheit ge= schlossen, und es wäre ihnen selbst nicht möglich gewesen, abermals ein ihnen völlig Gleiches hervorzubringen. Da jedoch der Produktionstrieb immer fortging, so erschufen sie ein Viertes, das aber schon in sich einen Widerspruch hegte, indem es, wie sie, unbedingt und doch zugleich in ihnen enthalten und durch sie begrenzt sein sollte. Dieses war nun Luzifer, welchem nun an die ganze Schöpfungskraft übertragen war und von dem aller alles übrige Sein ausgehen sollte. Er bewies sogleich seine unendliche Tätigkeit, indem er die sämtlichen Engel erschuf, alle wieder nach seinem Gleichnis, unbedingt, aber in ihm enthalten und durch ihn begrenzt. Umgeben von einer solchen Glorie, vergaß er seines höhern Ursprungs und glaubte ihn in sich selbst zu finden, und aus diesem ersten Undank entsprang alles, was uns nicht mit dem Sinne und den Absichten der Gottheit übereinzustimmen scheint. Je mehr er sich nun in sich selbst konzentrierte, je unwohler mußte es ihm werden, sowie allen den Geistern, denen er die süße Erhebung zu ihrem Ursprung verkümmerte. Und so ereignete sich das, was uns unter der Form des Abfalls der Engel bezeichnet wird. Ein Teil derselben konzen= trierte sich mit Luzifer, der andere wendete sich wieder gegen seinen Ursprung. Aus dieser Konzentration der ganzen Schöpfung, denn sie war von Luzifer ausgegangen und mußte ihm folgen, entsprang nun alles das, was wir unter der Gestalt der Materie gewahr werden, was wir uns als schwer, fest und finster vorstellen, welches aber, indem es, wenn auch nicht unmittelbar, doch durch Filiation vom göttlichen Wesen herstammt, ebenso unbedingt mächtig und ewig ist als der Vater und die Großeltern. Da nun das ganze Unheil, wenn wir es so nennen dürfen, bloß durch die einseitige Richtung Luzifers entstand, so fehlte freilich dieser Schöpfung die bessere Hälfte: denn alles, was durch Konzentration gewonnen wird, besaß sie, aber es fehlte ihr alles, was durch Expansion allein bewirkt werden kann; und so hätte die sämtliche Schöpfung durch immerwährende Konzentration sich selbst aufreiben, sich mit ihrem Vater Luzifer ver= nichten und alle ihre Ansprüche an eine gleiche Ewigkeit mit der Gottheit verlieren können. Diesem Zustand sahen die Elohim eine Weile zu, und sie hatten die Wahl, jene Äonen abzuwarten, in welchen das Feld wieder rein geworden und ihnen Raum zu einer neuen Schöpfung geblieben wäre, oder ob sie in das Gegenwärtige eingreifen und dem Mangel nach ihrer Unendlichkeit zu Hilfe kommen wollten. Sie erwählten nun das letztere und supplierten durch ihren bloßen Willen in einem Augenblick den ganzen Mangel, den der Erfolg von Luzifers Beginnen an sich trug. Sie gaben dem unendlichen Sein die Fähigkeit, sich auszudehnen, sich gegen sie zu bewegen; der eigentliche Puls des Lebens war wieder hergestellt, und Luzifer selbst konnte sich dieser Einwirkung nicht entziehen. Dieses ist die Epoche, wo dasjenige hervortrat, was wir als Licht kennen, und wo dasjenige begann, was wir mit dem Worte Schöpfung zu bezeichnen pflegen. So sehr sich auch nun diese durch die immer fortwirkende Lebenskraft der Elohim stufenweise vermannigfaltigte, so fehlte es doch noch an einem Wesen, welches die ursprüngliche Verbindung mit der Gottheit wieder herzustellen geschickt wäre, und so wurde der Mensch hervorgebracht, der in allem der Gottheit ähnlich, ja gleich sein sollte, sich aber freilich dadurch abermals in dem Falle Luzifers befand, zugleich unbedingt und beschränkt zu sein; und da dieser Widerspruch durch alle Kategorien des Daseins sich an ihm manifestieren und ein vollkommenes Bewußtsein sowie ein entschiedener Wille seine Zustände begleiten sollte, so war vorauszusehen, daß er zugleich das vollkommenste und unvollkommenste, das glücklichste und unglücklichste Geschöpf werden müsse. Es währte nicht lange, so spielte er auch völlig die Rolle des Luzifer. Die Absonderung vom Wohltäter ist der eigentliche Undank, und so ward jener Abfall zum zweitenmal eminent, obgleich die ganze Schöpfung nichts ist und nichts war als ein Abfallen und Zurückkehren zum Ursprünglichen."

Die Grundsituation ist erhellt: der Mensch ist auf den Weg des Abfalls zu eigner Konzentration gewiesen, aus der er zurückkehren muß „zum Ursprünglichen". Notwendig geht irdisches Drama von Gott aus und mündet wieder in ihm. Das Irdische bleibt einbezogen in die ewigen Ordnungen. Nachdem darin auch dem Teufel seine Aufgabe erteilt ist, wendet sich der Herr wieder den Erzengeln, den „echten Göttersöhnen" zu, sich allem „Werdenden" in Liebe zu verbinden und dem Schwankenden durch die Kraft des Logos Dauer zu geben.

„Der Himmel schließt", endet die Szenenanweisung.

Erst jetzt macht sich Mephisto groß, als ob das Gespräch bei ihm läge, und ist doch glücklich, daß Gott mit ihm so „menschlich" sprach. Dann steigt er auf die Erde herab und sucht Faust.

*

Das Spiel umfaßt alle Ebenen. Die Mächte der Übernatur stoßen auf der Erde zusammen. Leben ist Drama, der Mensch das Feld der Entscheidung zwischen Geist und Materie, Licht und Finsternis.

Vorbereitung für Kap. „Verzweiflung":

nötig: Studiere Verse 354—807, 1011—1177, 1530—1867!
          Überlege: Das Ringen der Seelenkräfte in Faust vom Monolog bis zur Wette.
möglich: Teile des Monologes „Nacht" auswendig lernen!
          Faust und Wagner (Die Personen und ihr Verhältnis).
          Referat: Der neue Mensch des Humanismus.
          Arb.=Gem.: Vorbereiten Wagner=Szene und Wette mit verteilten Rollen.

DER TRAGÖDIE ERSTER TEIL

Verzweiflung

Die erste Szenenanweisung umreißt die Situation: „Nacht. In einem hochge=
wölbten, engen gotischen Zimmer Faust, unruhig auf einem Sessel am Pulte".

Der Raum ist spätmittelalterlich, „gotisch", erbaut aus einem Weltgefühl, aus
dem der Mensch diesseitig wenig Platz benötigte, viel dagegen für den Ausdruck
seiner aus der kleinstädtischen Enge aufstrebenden, inbrünstigen Glaubenssehn=
sucht. Die Pfeiler streben empor wie in einem Dom, heben das Gewölbe hoch hin=
auf, gotische Frömmigkeit bricht durch bunte Glasmalereien („bemalte Scheiben")
das einfallende Licht zu mystischem Dämmer, in dem die Bilder der Heiligen auf=
leuchten. Die Kirche steht nahebei; man hört die Glocken, man vernimmt die
Chöre. Das Zimmer gehört einer Welt zu, die den Blick andächtig erhob, der das
Jenseits mehr galt als das Diesseits. Der unbedingte Glaube ließ die Enge ver=
gessen.

Jetzt aber ist der Raum — vielleicht in einem durch die Reformation aufgeho=
benen Kloster — säkularisiert und wohl einer der neuen Humanisten=Universitä=
ten zur Nutzung zugewiesen. Es wird in ihm nicht mehr gebetet, sondern geforscht.
Bücher füllen das Gewölbe, aber nicht mehr die Vulgata und die Kirchenväter,
sondern Werke der magischen Naturlehre. Nicht mehr Kruzifix und Kultgerät
bestimmen den Raum, sondern alchemistisches Laborgerät wie Gläser, Büchsen,
Phiolen (=kugelförmiges Glas mit langem Hals), anatomische Präparate wie Tier=
gerippe und Totenschädel. In der Mitte steht ein Studierpult, kein Betschemel. Des
Menschen Geist ist angetreten, selbst durch Kenntnis der Schöpfung die Erkennt=
nis des Schöpfers zu gewinnen —

> „Daß ich erkenne, was die Welt   (382)
> Im Innersten zusammenhält" —

zu forschen aus eigener Vollmacht und nicht mehr demütig die Offenbarung auf=
zunehmen. Der suchende Blick schweift in die Weite, nicht in die Höhe. Die Theo=
logie wird hintangesetzt:

> „Und *leider* auch Theologie..."   (356)

Der geistige Raum ist säkularisiert. Ihm fehlt die Mitte des Glaubens.

> „Die Botschaft hör' ich wohl, allein mir fehlt der Glaube."   (765)

Das neue renaissancehafte Lebensgefühl muß, ohne den vertrauenden Aufblick, den Raum „eng" empfinden, ein „Mauerloch" ohne Helle und Klarheit der Er= kenntnis, „dumpf, trüb, verflucht", ein „Kerker". (Erschütternd symbolisch, wie sich dies Wort wiederholt: Vers 2694, 4404, 4472).

Faust ist „unruhig". Die Welt, die ihn gefangenhält, ist nicht die seines Wollens. In ihm ist grundsätzlich Unruhe. Man möchte an Augustinus denken — „Cor meum inquietum est, donec requiescat in te" — aber Fausts Unruhe fehlt die Ge= wißheit, sie hat aus sich selbst kein Ziel. Kein Mittel genügt seinem „übereilten Streben" (1858) und die Ungenüge an seinem Forschen, das die Beschränktheit erst fühlen läßt, wird zur Ungenüge und Qual an der Enge des Lebens.

> „In jedem Kleide werd' ich wohl die Pein   (1544)
> Des engen Erdelebens fühlen."

Auch die Wege der neuen Wissenschaft versagen, nicht an Menge der Kennt= nisse —

> „Zwar bin ich gescheiter als alle die Laffen,   (366)
> Doktoren, Magister, Schreiber und Pfaffen" —

aber am Maße der Erkenntnis:

> „Und sehe, daß wir nichts wissen können."   (364)

Zehn Jahre schon gibt der Gelehrte das Stückwerk seines Wissens an seine Stu= denten weiter. Nun empfindet er es als ein Herumführen an der Nase, als Gau= kelei. Wissen wird Überdruß. Aussichtslos ist die Situation der Glaubensferne, weil ohne Erkenntnis, ausweglos der Raum säkularisierten Daseins, das sich zu Schein und Täuschung hergibt. „Nacht" ist nicht nur außen. So bricht die Unruhe auf in einem tiefen „Ach", das den ersten Vers spaltet. In ihm wird die verzwei= felte innere Lage Laut:

> „Habe nun, ach! Philosophie,   (354—359)
> Juristerei und Medizin
> Und leider auch Theologie
> Durchaus studiert, mit heißem Bemühn.
> Da steh' ich nun, ich armer Tor,
> Und bin so klug als wie zuvor."

Verzweiflung ist die Ausgangssituation des Dramas. „Heißes Bemühen" hat sich übereilt. Unbedingt war der Erkenntnisdrang, grenzenlos ist die Verzweiflung. Der Verzweifelte hat alle Bedenken, „Skrupel und Zweifel" abgetan, er hat ein= gebüßt alle unmittelbare Freude, den Glauben an das Recht, an das Gute, an den Menschen.

> „Bilde mir nicht ein, was Rechts zu wissen,   (371)
> Bilde mir nicht ein, ich könnte was lehren,
> Die Menschen zu bessern und zu bekehren."

Die Ehrfurcht vor dem Numinosen ist verloren.

"Fürchte mich weder vor Hölle noch Teufel." (369)

Es ist bezahlt mit der Freude, von der Schiller als dem „edlen Götterfunken", der „Tochter aus Elysium" („An die Freude") singt.

"Dafür ist mir auch alle Freud' entrissen." (370)

Faust ist dem Bösen offen, weil er dem Guten nicht mehr allein Raum gibt. Zu seinem unbedingten Streben tritt noch unbefriedigter Ehrgeiz, unbefriedigter Machtwille.

"Auch hab' ich weder Gut noch Geld, (374)
Noch Ehr' und Herrlichkeit der Welt."

Überdruß und Ekel werden Zeichen der Verzweiflung. Später wiederholt er es —

"Mir *ekelt* lange vor allem Wissen" — (1749)

und gesteht ein, daß er die Richtung verloren hat:

"O glücklich, wer noch hoffen kann, (1064)
Aus diesem *Meer des Irrtums* aufzutauchen."

Das Leben scheint sinnlos, weil es Lüge wird. Es ist wert, weggeworfen zu werden.

"Es möchte kein Hund so länger leben!" (376)

Der Griff nach der Magie geschieht aus Verzweiflung. Wenn er versagt, wird die Not bedrohlich, weil die Existenz Fausts der Fähigkeit des Glaubens und des Vertrauens entbehrt, des Grunds der Seelenmächte und Vernunftkräfte. Magie ist Ausflucht. Mühelos soll durch Zauber gewonnen werden, was „saurer Schweiß" nicht erwarb. „Geistes Kraft und Mund" sollen „Geheimnisse" offenbaren, sollen letzte, absolute Einsichten in die Schöpfung schenken.

Der Schein des Vollmondes macht den Verzweifelten spüren, was ihm fehlt: unmittelbares Leben mit der Natur. Wie soll aber magischer Zauber das Unmittelbare bannen?

Gott spiegelt sich in der Seele (Mikrokosmos) und im Weltall (Makrokosmos). Beide Sphären stehen als Schöpfungen Gottes in tiefem Bezug und beider Harmonie finden heißt, Gottes Ordnung und Sein erkennen. Auf dem Wege dieser Pansophie eines 16. und 17. Jahrhunderts, den Paracelsus wies, will Faust teilhaben am Geheimnis der Schöpfung. Erkennen, wie alles mit allem zusammenhängt, sich einfühlen in die Gesetze des Kosmos, heißt das nicht, sich einfügen in Gottes Plan? Paracelsus kannte neben dem christlichen „Licht der Gnade" auch ein offenbarendes „Licht der Natur" („Philosophia sagax" 1537). Auch dem Sturm und Drang war die Natur unmittelbare Offenbarung, ein Sakrament. Mit gläubiger Inbrunst wurde die Natur wie eine Religion verehrt, so wie sich jetzt Faust in ihren Arm wirft.

"Und wenn Natur dich unterweist, (423)
Dann geht die Seelenkraft dir auf."

Das große Wechselspiel der Kräfte —

> „Wie Himmelskräfte auf und nieder steigen (449)
> Und sich die goldnen Eimer reichen" —

erspürt er im Zeichen des Makrokosmos und fühlt *„das Ganze"*.

> „Wie alles sich zum Ganzen webt, (447)
> Eins in dem andern wirkt und lebt!"

Er fühlt sich Gott gleich.

> „Bin ich ein Gott? Mir wird so licht!" (439)

Allein das hohe Gefühl schwindet, wie alles Gefühl. Es kann das All nicht fassen.

> „Wo faß' ich dich, unendliche Natur?" (455)

Der Zurückgestoßene wendet sich der Sphäre des Erdgeistes zu.

> „Du, Geist der Erde, bist mir näher." (461)

Dem Wesen der Erde fühlt er sich gewachsen.

> „Ich fühle Mut, mich in die Welt zu wagen, (464)
> Der Erde Weh, der Erde Glück zu tragen,
> Mit Stürmen mich herumzuschlagen
> Und in des Schiffbruchs Knirschen nicht zu zagen."

So trotzig=kühn Faust das Wagnis des Erdenlebens ergreift, so sicher weiß sein fühlend verzweifeltes Herz das Ende der Fahrt — „Schiffbruch". Deswegen setzt er alles ein, die Teilhabe am Ganzen, das Menschliche überschreitend, magisch zu erzwingen.

> „Ich fühle ganz mein Herz dir hingegeben! (480)
> Du mußt, du mußt! und kostet' es mein Leben!"

Aber auch der Erscheinung des Erdgeistes ist Faust, der „Übermensch", nicht gewachsen. Er unterliegt der Angst der Kreatur, wie er

> „In allen Lebenstiefen zittert, (497)
> Ein furchtsam weggekrümmter Wurm",

während der Erdgeist „Lebensfluten" und „Tatensturm", „Geburt und Grab" als die bunten Elemente seines Schaffens nennt, aus denen er die sichtbare Schöpfung, die Außenseite Gottes, „der Gottheit lebendiges Kleid", wirkt. Seine Sphäre ist von der Fausts geschieden.

> „Du gleichst dem Geist, den du begreifst, (512)
> Nicht mir!"

Der Versuch der Magie ist gescheitert.

> „Ich Ebenbild der Gottheit! (516)
> Und nicht einmal dir!"

„Faust zusammenstürzend" — so sagt die Szenenanweisung — empfindet es als „Tod", daß ihn gerade jetzt sein Famulus *Wagner*, „der trockne Schleicher", stören

44

muß. Faust stürzt aus „schönstem Glück", aus der „Fülle der Gesichte", aus dem
Gefühl des Ganzen, in die Leere kümmerlichen Teilwissens, rationalistischer Wort=
klauberei, in die Nichtigkeit geistiger Pedanterie. Der da hereintritt, in „Schlaf=
rock" und „Nachtmütze", trägt, symbolisch für diese geistige Existenz, „eine
Lampe in der Hand". Welch ein Gegen=Satz zu Faust! Welch ein Augenblick!

Mit Wagners Auftreten beginnt die erste der Universitätssatiren, die Ausein=
andersetzung mit der Rhetorik, die der Humanismus, nach des Erasmus Vorbild,
in tiefen Quellenstudien klassischer Autoren aus der Antike hervorhob. Satire —
wie vermöchte Faust den Sturz anders zu bewältigen als „unwillig" und bitter.

Wagner glaubt, Tugend, das Gute, sei lehrbar, wenn man nur klare Begriffe
und die rechten Worte habe. Schöne Darstellung, Beredsamkeit können die Welt
„durch Überredung leiten". Dazu „deklamierte" die humanistische Rhetorik vor
allem antike Trauerspiele. Wagner stützt seine Rede immer wieder auf Autoritä=
ten, so auf Hippokrates' „Ars longa, vita brevis" („Die Kunst ist lang, Und kurz
ist unser Leben", 558).

Der barocken Redekunst und ihren Haupt= und Staatsaktionen, wie sie auch das
barocke Drama forderte, tritt das ganzheitliche Gefühl des Sturmes und Dranges
entgegen, das nicht Worte drechselt, sondern mit dem Herzen spricht, dem kleinen
pedantischen Utilitaristen („... möcht' ich was *profitieren*", 524; „O glücklich, wer
von seinen Gaben / Solch einen *Vorteil* ziehen kann", 1013) tritt das aufs Unbe=
dingte zielende Genie, dem historisierenden „kritischen Bestreben", dessen Sitz
das Hirn ist, das der „Menschheit Schnitzel" — abgeschnittene Zitate und Gedan=
ken aus allen Zeiten — zu einem „Ragout aus andrer Schmaus" zusammenrührt,
tritt selbstherrlich und ganz unhistorisch das Lebensrecht des Gegenwärtigen ent=
gegen, dessen Organ das Herz ist.

> „Wenn ihr's nicht fühlt, ihr werdet's nicht erjagen." (534)

> „Doch werdet ihr nie Herz zu Herzen schaffen, (544)
> Wenn es euch nicht von Herzen geht."

> „Es trägt Verstand und rechter Sinn (550)
> Mit wenig Kunst sich selber vor."

> „Mein Freund, die Zeiten der Vergangenheit (575)
> Sind uns ein Buch mit sieben Siegeln."

Als Wagner nach allem antwortet:

> „Allein die Welt! Des Menschen Herz und Geist! (586)
> Möcht' jeglicher doch was davon erkennen",

fühlt Faust, daß er von Wagner *nie* verstanden werden wird. Ähnlich wie im
Divan=Gedicht „Selige Sehnsucht" —

> „Sagt es niemand, nur den Weisen,
> Weil die Menge gleich verhöhnet..." —

legt er den Finger auf den Mund —

45

> „Ja, was man so erkennen heißt!   (588)
> Wer darf das Kind beim rechten Namen nennen?
> Die wenigen, die was davon erkannt,
> Die töricht gnug ihr volles Herz nicht wahrten,
> Dem Pöbel ihr Gefühl, ihr Schauen offenbarten,
> Hat man von je gekreuzigt und verbrannt" —

und bricht das Gespräch ab. Es ist noch eine letzte, beißende Ironie, wie Wagner ihn verläßt:

> „Zwar weiß ich viel, doch möcht' ich alles wissen."   (601)

Das also ist Wagner, sein Famulus, sein nächster Mitarbeiter. Zu der geistigen Einsamkeit nach dem Versagen der Magie kommt die menschliche Einsamkeit des Nicht=verstanden=werdens.

Dasselbe Nichtverstehen wiederholt sich im Osterspaziergang, in dem Wagner wieder Faust begleitet. Wie zwei fremde Welten gehen sie nebeneinander her.

Angesichts der „Verehrung dieser Menge", die Faust wie das Venerabile, das Allerheiligste, bewundert, preist Wagner ihn glücklich, während Faust erschüttert ist.

> „Der Menge Beifall tönt mir nun wie Hohn."   (1030)

Durch Experiment mit dunkler Kunst weiß er sich als Mörder von Tausenden und — wird dafür gelobt. Nicht nur geistig, auch ethisch ist Wagner ohne Gefühl für Größe und Wert.

> „Wie könnt Ihr Euch darum betrüben!"   (1056)

Faust bleibt unverstanden, vom Volk und vom Famulus. Sein Geist wirft sich in die Höhe und Weite, suchend, während Wagner kopfschüttelnd feststellt:

> „Doch solchen Trieb hab' ich noch nie empfunden."   (1101)

> „Des Vogels Fittich werd' ich nie beneiden."   (1103)

Da fühlt sich Faust gedrungen, sein Wesen zu beschreiben und abzugrenzen.

> „Du bist dir nur des einen Triebs bewußt;   (1110)
> O lerne nie den andern kennen!
> Zwei Seelen wohnen, ach! in meiner Brust,
> Die eine will sich von der andern trennen:
> Die eine hält, in derber Liebeslust,
> Sich an die Welt mit klammernden Organen;
> Die andre hebt gewaltsam sich vom Dust
> Zu den Gefilden hoher Ahnen."

Fausts Wesen widerstreitet sich selbst. Es ist gespalten. Mitten im Vers, wie in der ersten Zeile des Monologs, bricht wieder das „Ach" hervor. Erdenliebe be=schwert den Zug zum Geisterreich. Der Zerfall Fausts mit der Welt zeigt sich als ein Zerfall seiner selbst. Ein Zerrissener, fordert er die Extreme zugleich und wird davon noch tiefer zerrissen, noch unbefriedigter.

46

„Vom Himmel fordert er die schönsten Sterne   (304)
Und von der Erde jede höchste Lust,
Und alle Näh' und alle Ferne
Befriedigt nicht die tiefbewegte Brust."

So kennzeichnet ihn Mephisto vor dem Herrn.

Es ist in Faust eine Kraft, die ihn ebenso erhebt wie zerstört, eine Größe. Wenn man bedenkt, mit welch religiöser Hingabe er das Ganze und das Wesen des Alls erkennen will, mit welcher Schwingungsfähigkeit er lyrische Stimmungen lebt, —

„O sähst du, voller Mondenschein,   (386)
Zum letztenmal auf meine Pein . . ." —

erkennt man als Hauptkraft die Phantasie, das *Gefühl*. Sie ist es, die „Unmög= liches begehrt", wie Manto Faust kennzeichnet (7488). Immer wieder hebt Fausts Selbstaussage an mit „Ich fühle . . ." (464, 475, 480, 627). Das Fühlen ist der ent= scheidende Sensus (534), aus ihm lebt sein Dasein. Fühlen nur ist Leben.

„Die uns das Leben gaben, herrliche Gefühle . . ."   (638)

Fausts Zentrum ist das Gefühl. Das Gefühl aber ist eine unbegrenzte und un= bedingte Macht.

„Gefühl ist alles;   (3456)
Name ist Schall und Rauch."

Der Sitz des Fühlens ist das Herz. Faust lebt aus einer Herzkraft. Aber die Rich= tung seines Fühlens ist bedenklich; denn Faust tritt nicht wie der homo religiosus in ein absolutes Verhältnis zu Gott, sondern zu sich selbst, die Kraft wird dämo= nisch. Der Verzweifelte, dessen Begegnung mit Wagner seiner Verzweiflung nur Aufschub gewährte —

„Du rissest mich von der Verzweiflung los,   (610)
Die mir die Sinne schon zerstören wollte . . ." —

findet nicht Lösung und Weg. Er „vermaß" sich und ist sich seiner Vermessenheit genau bewußt. Jetzt wird ihm sein Sturz „grausam" deutlich.

„Nicht darf ich dir zu gleichen mich vermessen!"   (623)

Aber Faust zieht nicht die Folgerung aus diesem Ver=Messen, dem falschen Maßnehmen. Er weiß nicht mehr, was er soll.

„Wer lehret mich? was soll ich meiden?"   (630)

Sein Inneres lähmt ihn, die Gefühle „erstarren".

„Ach! unsre Taten selbst, so gut als unsre Leiden,   (632)
Sie hemmen unsres Lebens Gang."

Das „Beßre" dieser Welt, das immer zu erstrebende ideale Gut, wird unwahr und unwirklich, wird „Trug und Wahn". Jetzt tritt die *Sorge* hervor.

47

„Wenn Phantasie sich sonst mit kühnem Flug (640)
Und hoffnungsvoll zum Ewigen erweitert,
So ist ein kleiner Raum ihr nun genug,
Wenn Glück auf Glück im Zeitenstrudel scheitert.
Die Sorge nistet gleich im tiefen Herzen,
Dort wirket sie geheime Schmerzen,
Unruhig wiegt sie sich und störet Lust und Ruh;
Sie deckt sich stets mit neuen Masken zu,
Sie mag als Haus und Hof, als Weib und Kind erscheinen,
Als Feuer, Wasser, Dolch und Gift;
Du bebst vor allem, was nicht trifft,
Und was du nie verlierst, das mußt du stets beweinen."

Phantasie, die gestaltfrohe Schöpferfreude, ein wirkend Dämonisches in uns,
ist der Kern von „Hoffnung" und „Sorge". Hoffnung geht voraus als der „kühne
Flug", der den Menschen „glücklich" macht (1064: „O glücklich, wer noch hoffen
kann . . ."), indem sie ihn „zum Ewigen erweitert". Hoffnung ist Phantasie, vom
Ewigen genährt, eine vom Jenseits verliehene Kraft. Vom Wesen des Eros, aber
rein auf Gott gerichtet, ist Hoffnung die Erwartung einer Lösung und Ergänzung,
die erst „drüben" zuteil wird. Sie ist die entscheidende Komponente des Glaubens
— wenn Glaube überhaupt Komponenten hat — ist wie die Brücke des Glaubens
zum Ewigen. Hoffnung gehört zu den vier Kardinaltugenden des Mittelalters, vier
Seiten und vier Namen ein und desselben Wesens: Liebe, Glaube, Hoffnung, Ge=
duld. In dieser bewahrenden Sphäre war Faust *sonst* beheimatet.

„*Nun*" aber hat Phantasie die Bestätigung vom Ewigen her verloren, ist auf
„kleinen Raum" verengt. Das Ankertau der Ewigkeit ist gerissen. Damit muß
sich der Glaube verkehren in Aberglauben, die Liebe aus der Vertikalen in die ho=
rizontale Ebene diesseitig wenden, die Geduld zu Ungeduld umpolen. Verlorene
Hoffnung, Hoffnungslosigkeit aber ist Verzweiflung. Solche Befindlichkeit tritt als
Sorge zutage, in Verzicht auf die Lösung und Ergänzung „drüben". Untrennbar
mit ihr verhaftet sind Aberglaube und Ungeduld. Als Faust dann im „Fluch" den
Heils=Bereich „zerschlägt" (1612), erhält die Geduld den schwersten Schlag:

„Und Fluch *vor allen* der Geduld!" (1606)

Faust ist schlechthin der Ungeduldige. Ihm fehlt die patientia, die Bereitschaft
zu leiden, zu dulden, zu warten und auszuharren. Faust mangelt die patientia des
Christentums, aber auch die nurweltliche, diesseitige Geduld, die Kraft, die in
Shakespeares „Lear" dem geblendeten Gloster, der sein „großes Leid abschütteln"
wollte durch Selbstmord, am Ende zuwächst:

„Ja, das erkenn' ich jetzt. Ich will hinfort
Mein Elend tragen, bis es ruft von selbst:
Genug, genug und stirb!" (König Lear, IV, 5)

Fausts Ungeduld wendet sich nun gegen sein eigenes Leben. Er fühlt sich als
Wurm im Staube, so wie ihn Mephisto haben wollte. Die Welt seines Studierzim=

48

mers empfindet er nun als „Staub", als „Trödel". Er bricht mit seinem bisherigen Ziele —

> „Geheimnisvoll am lichten Tag (672)
> Läßt sich Natur des Schleiers nicht berauben" —

er bricht mit seinem Erbe —

> „Weit besser hätt' ich doch mein weniges verpraßt, (680)
> Als mit dem wenigen belastet hier zu schwitzen!
> Was du ererbt von deinen Vätern hast,
> Erwirb es, um es zu besitzen" —

er bricht mit seinem Leben —

> „Vor jener dunkeln Höhle nicht zu beben, (714)
> In der sich Phantasie zu eigner Qual verdammt...
> Und wär' es mit Gefahr, ins *Nichts* dahinzufließen."

Schon hebt sich die *eine* Seele ab, läßt das Körperliche und die Erde zurück.

> „Zu neuen Ufern lockt ein neuer Tag." (701)

Auf einem „Feuerwagen" beginnt glühend, umschmelzend die Überfahrt. Die Furcht vor dem Tod scheint ihm nun eine „Qual" der „Phantasie", der „Durch= gang" Tod erstrebenswert, auch wenn um sein Tor die „Hölle flammt". Sollte das „Nichts" auch das Ende der „Taten" sein, „Manneswürde beweist", daß der Mensch „heiter" und mit „festlich hohem Gruß dem Morgen" den letzten Weg geht.

Selbstmord ist nicht Lösung. Die Möglichkeiten des Menschen werden nicht ausgeschöpft, der Plan und Weg wird, weil unbegriffen, vorzeitig verlassen. Das Ungelöste bleibt ungelöst zurück. Geht Werther durch eigene Hand zugrunde, so ist doch Goethe der Überlebende, der kritisch von seiner Dichtung Abstand nimmt. Niemals mehr tritt das Phänomen der Selbstzerstörung in den Kreis seiner Ge= staltung. Selbstmord ist Selbsttäuschung. Ihm liegt vor allem die Tatsache der Selbst=Entbindung des Menschen zugrunde, wodurch sich die Kreatur aus ihrem Grunde löst, die prometheische Selbstanmaßung. Faust ver=mißt sich wiederum.

> „Vermesse dich, die Pforten aufzureißen, (710)
> Vor denen jeder gern vorüberschleicht!
> Hier ist es Zeit, durch *Taten* zu beweisen,
> Daß Manneswürde nicht der Götterhöhe weicht."

Trotz überschreit nun einfach die in der Sorge vorwegnehmend auf das Leben bezogene Phantasie und ihre Möglichkeit, sich in der Hoffnung zum Ewigen zu erweitern. Im Innersten indessen waltet noch das Bild einer gläubigen Jugend, bricht, von „Himmelstönen" berührt, hervor und bewährt heilende Kraft.

„Unmögliches" begehrte Fausts zentrale Kraft, die ihn zum „Übermenschen" weitete, die Phantasie. Das ungeduldige Begehren ist Hybris, der sich Glaube, Wissenschaft, Magie inwendig ebenso versagen müssen wie die Menschen außen.

Zurückgeworfen auf sich allein, weiß Faust, in sich gespalten, keinen Weg aus der Einsamkeit, aus Ekel, Überdruß und Sorge als verbissenen Trotz. Faust will in sich selber bleiben. Das ist Verzweiflung. Die letzte Ausflucht, aber eben nur Ausflucht, ist Selbstmord, wie Verzweiflung bereits geistigen Selbstmord voraussetzt. Selbst= mord ist deswegen auch kein Weg, weil der Trotzige sich dann selbst aufhöbe. Das widerspricht dem Wesen des Trotzes. Das aber ist Verzweiflung: weder leben noch sterben können, in sich das Nichts und vor sich das Nichts.

Vorbereitung für Kap. „Ostern":

nötig: Studiere 737—807, 808—1177, 1178—1321!
           Überlege: Der Anruf des Christlichen und Fausts Antwort.

möglich: Osterspaziergang (903—940) auswendig lernen!
           Abendstimmung (1064—1099) auswendig lernen!
           Arb.=Gem.: Die Chöre (inhaltlich und sprachlich) als Gegenwelt.
           Ostererleben einer Kleinstadt.
           Das Verhältnis von Natur und Handlung bis zur Wette.

Ostern

Die Zeit des Monologs, die Zeit der Verzweiflung, steht zwischen Karfreitag und Ostern. „Nacht" ist vor dem Tage der Auferstehung. Die Nacht wiederholt die Zeit, in der Christus „gekreuzigt, gestorben und begraben", aber noch nicht „aufgefahren" ist, jene stumme Zeit der Bange, bis die frohe Osterbotschaft ver= kündet wird.

Faust lebt nicht in christlichem Zeitgefühl. In ihm ist nicht die fromme Stille der Kartage. Er ist ferne dem Gedanken, daß Christus auch sein Leid und seine Verzweiflung am Kreuze auf sich nahm und sühnte. Er lebt vielleicht noch in der Konvention christlicher Festtage, woran ihn Wagner erinnert.

> „Doch morgen, als am ersten Ostertage,   (598)
> Erlaubt mir ein' und andre Frage."

Faust scheint den Hinweis zu überhören, aber offenbar unbewußt will er, auf seine eigene Weise, das Ostergeschehen nachvollziehen, indem er im Selbstmord die Auferstehung des Geistes vom Fleische feiert (690—736). So klingt etwas vor vom Fest des Auferstehungsmorgens, aber in Trotz nachgeahmt, verkehrt, tra= vestiert.

Da hebt Ostern an mit „Glockenklang und Chorgesang". Ein objektives Ge= schehen bricht in Fausts verschlossene Sphäre ein. Wechselgesang der Chöre be= grüßt den hohen Morgen, Chöre, die — ähnlich wie in der Entstehung mittelalter= licher Osterspiele — die Rollen der Verkündigung verteilt darstellen: Engel, Wei= ber, Jünger.

Diese andere Welt lebt in anderer Gebärde: die Rhythmen schwingen in zwei Hebungen, lockernd im Daktylus begonnen, besonders die Engel brauchen das Partizip Präsens. Das Gemeinsame dieser gläubigen Welt ist aber durchaus in sich unterschieden: die Weiber und Jünger kreuzen den Reim (ababab), alternieren zugleich klingend=stumpf, während die Engel klingende Reime weit umfassend brauchen, dann auf ein letztes Reimpaar steigern (abbba und schließlich abab= ccccdd). Eine organisch gegliederte, in hoher Kunst ausgeformte, auf letzte Ver= kündigung angelegte Welt. Erstaunlich, wie Goethe die gegliederte, graduale Ge= schlossenheit des Mittelalters und ihrer Hymnik in Form und Wesen trifft, ohne einfach zu übersetzen.

Der Gesang der Engel ist Verkündigung.

> „Christ ist erstanden!" (737)

Die Weiber dagegen stellen die Grablegung fest.

> „Ach! und wir finden (755)
> Christ nicht mehr hier."

Die Engel wiederholen die Verkündigung. Sie preisen den selig, der als Mensch den „verderblichen, schleichenden, erblichen Mängeln" ausgesetzt war, nun aber die „betrübende, heilsam' und übende Prüfung bestanden" hat. Die Pausen und Zwischenspiele lassen Faust Zeit, die Botschaft zu vernehmen, zu begreifen und zu ergreifen: das Leben sei verderblich und mangelhaft, deswegen aber „heilsame" Prüfung, deren Bestehen zum Heil führt. Hier dringt Wahrheit an des Verzweifel= ten Ohr.

Die Botschaft klingt nicht nur ans Ohr. Die heile Schicht ist ebenso innen. Kein deus ex machina einer Barockbühne greift willkürlich ein. Faust, der ja unbewußt die Auferstehung travestierte, wird durch den Entschluß zum letzten Schritt so erschüttert, daß eine älteste Schicht aufbricht, der christliche Glaube, an den er „von Jugend auf gewöhnt" (769) war. Hat der erste Engelchor verhindert, den Trank zu leeren, den Selbstmord auszuführen, hat er Faust nach dem Objektiven fragen lassen (742—748), so überwältigt ihn jetzt die gläubige, brünstige Sehn= sucht seiner Jugend, obwohl er verzweifelt dagegen trotzt: er sei kein „weicher Mensch", ihm „fehle der Glaube", die Voraussetzung des Wunders (764—766).

> „Und doch, an diesen Klang von Jugend auf gewöhnt, (769)
> Ruft er auch jetzt zurück mich in das Leben."

Ein Größeres übermächtigt Faust.

Das unendliche Gefühl ist wieder da (775, 778, 781), nun aber ursprünglich als religiöse Sehnsucht, die mit Inbrunst betete, voller Ahnungen, stillen Ernstes und erfüllt von Frühling („Der Frühlingsfeier freies Glück", 780.) Die Kindheit, der Bereich der Unschuld und Reinheit, der innigen Gläubigkeit, die verdeckte und vergessene Grund=Lage, wirkt. Faust er=innert sich. Die „Erinnerung", zugleich Reue und Einkehr, löst das verzweifelte, erstarrte Herz. Faust erfährt die Gnade der Lösung. Er kann noch weinen. Tränen entlasten seine Seele. Er ist bereit, die Chöre zu hören. Er ist der Erde wiedergeschenkt.

> „O tönet fort, ihr süßen Himmelslieder! (783)
> Die Träne quillt, die Erde hat mich wieder!"

Nachdem Faust einstimmte, setzen die Chöre zu letzter Steigerung an. Dem „Ach" der zurückbleibenden Jünger antworten die Engel zum drittenmal:

> „Christ ist erstanden!" (797)

Jetzt ist *„Euch"* die Anrede; das sind die Jünger, die Weiber, alle, auch Faust. Dieses „Euch" ist der Bezug, der die folgenden Verse ergänzt (in 802, 803, 805) und in der Summe entscheidend hervortritt.

> *„Euch* ist der Meister nah, (806)
> *Euch* ist er da!"

Die Erde, das Diesseits, hat neues Gewicht. Der Glaube gab ihr wieder Wert. Faust, zum Leben wieder auferstanden, will es als Mensch unter Menschen wiedergewinnen. Er sucht die einfache Freude des Volkes.

> „Hier bin ich Mensch, hier darf ich's sein!" (940)

Die bunten Bilder vor dem Tor, die Handwerksburschen und Schüler, die Mägde und Bürgermädchen, die Bürger und die Alte, die Zukunftsgestalten in einem Kristall erscheinen lassen kann, das mitleidheischende Lied des Bettlers und das kühne der Soldaten, das alles gehört zu dem bunten Strauß des Lebens, das Faust sucht. Dazu gehört auch, was die Kleinbürger bewegt: Liebe, Geld, Politik, Krieg. Trefflich spiegelt das Gespräch der drei Bürger die Haltung der kleinen Welt. Man nörgelt am neuen Bürgermeister, beckmesserhaft auch in der Form (Reime!), stöhnt über Steuern, plaudert behäbig vom Krieg, wenn er nicht zu nah, sieht neugierig zu, wie „alles durcheinandergeht";

> „Doch nur zu Hause bleib's beim alten." (871)

Hier sollte ein Faust sich Mensch unter Menschen fühlen? Er kennt die Kleinbürger wohl und hofft nicht auf ihr Verstehen. Faust strebt weiter hinaus, ins Freie, dorthin, wo die Natur wirklich aufersteht zu neuem Leben, wie er selbst. Frühling in der Flur ist ihm Bedürfnis. Das Bild, das sein Auge faßt, entspricht seiner Gestimmtheit. Und so beschreibt er außen, was er tief innen erlebt. Er spricht sich frei. Frühling ist in seinem Wort.

> „Vom Eise befreit sind Strom und Bäche (903)
> Durch des Frühlings holden, belebenden Blick . . ."

Er bezieht den Naturvorgang auf den Menschen.

> „Sie feiern die Auferstehung des Herrn, (921)
> Denn sie sind selber auferstanden . . ."

Faust begründet das Bedürfnis fast soziologisch: Gewerbesbande, Enge, Dumpf=
heit, niedrige Dächer, dunkle Kirchen. Aber wesentlicher ist der Drang aller ins
Helle. (Vgl. 702, 1070, 1087, 4707.)

> „Sind sie alle ans Licht gebracht." (928)

Das Bild mündet ein in die Freuden des Dorfes, dessen Gesang herüberschallt,
Wagner widerstrebend. Hier ist der genau gebaute Höhepunkt der Szene: Faust
stimmt in sein neues Erdendasein voll ein. Die Bauern danken für vergangene
Wohltat mit sicherer Schlichtheit. Faust steht gerührt und erschüttert, als man sein
Helfen von Gott herleitet, und er verweist bekennend:

> „Vor jenem droben steht gebückt, (1009)
> Der helfen lehrt und Hilfe schickt."

Welch ein Umschwung! Selbstmordender Trotz und Demut so nahe beiein=
ander! Aber wie im Nadir der Karsamstagsnacht, so bricht jetzt im Zenit des
Ostertages die Wahrheit durch und erschüttert.

> „Ich habe selbst den Gift an Tausende gegeben, (1053)
> Sie welkten hin, ich muß erleben,
> Daß man die frechen Mörder lobt."

Die Taten stellen sich in den Weg. Faust ist das Kind nicht mehr, um einfach
kindlich fromm zu sein. Die Hoffnung geht unter. Verzweiflung lauert.

> „O glücklich, wer noch hoffen kann (1064)
> Aus diesem Meer des Irrtums aufzutauchen!
> Was man nicht weiß, das eben brauchte man,
> Und was man weiß, kann man nicht brauchen."

Faust erlebt sein Inneres als Bild in der Natur: den Untergang der Sonne.

> „Betrachte, wie in Abendsonneglut (1070)
> Die grünumgebnen Hütten schimmern.
> Sie rückt und weicht, der Tag ist überlebt,
> Dort eilt sie hin und fördert neues Leben..."

Das Bild wird Sprache. Sehnsucht und Weh strömen elegisch ins Wort. Der
Geist schwebt voraus, auf Flügeln, aus großer Schau über der Welt, der Lerche,
dem Adler, dem Kranich gleich. Immer wieder kehrt als Kennzeichen Fausts das
Bild des Fliegens (393, 702, 1122, 4704, 9711, 9821). Faust objektiviert jetzt sein
Gefühl, befreit sich im Sagen, es gelingt ihm, seines Sehnens Herr zu werden.

> „Ein schöner Traum, indessen sie entweicht. (1089)
> Ach! zu des Geistes Flügeln wird so leicht
> Kein körperlicher Flügel sich gesellen.
> Doch ist es jedem eingeboren,
> Daß sein *Gefühl* hinauf und vorwärts dringt..."

Faust käme zur Ruhe, so wie

> „Der Kranich nach der Heimat strebt", (1099)

wäre Wagner nicht, verstünde der ihn oder könnte er schweigen. So aber fordert sein Dasein, ein Kontrapunkt zu Faust —

> „Des Vogels Fittich werd' ich nie beneiden" — (1103)

Faust zu neuer Setzung seiner Existenz heraus. Der verlangt Geisterleben und Zaubermantel, wiederum magische Kräfte. Und wie nahe der Herr aller Magie, das erkennt nur Faust.

> „Und irr' ich nicht, so zieht ein Feuerstrudel (1154)
> Auf seinen Pfaden hinterdrein."

> „Mir scheint es, daß er magisch leise Schlingen (1158)
> Zu künft'gem Band um unsre Füße zieht."

> „Der Kreis wird eng, schon ist er nah!" (1162)

> „Geselle dich zu uns! Komm hier!" (1166)

Faust erkennt ihn, setzt sich ihm aus, ruft ihn herbei, während Wagner nichts sieht. Gelehrt und furchtsam warnt er vor Geistern und durchschaut doch die magische Hülle nicht.

> „Ich sehe nichts als einen schwarzen Pudel." (1156)

Er empfiehlt ihn sogar noch dem Wohlwollen Fausts.

> „Ja, deine Gunst verdient er ganz und gar, (1176)
> Er, der Studenten trefflicher Skolar."

Faust wäre mit der Stimmung des Sonnenunterganges ruhig geworden, er will es jetzt am Abend werden, ohne Wagners gegenpolige Gegenwart.

> „Entschlafen sind nun wilde Triebe (1182)
> Mit jedem ungestümen Tun;
> Es reget sich die Menschenliebe,
> Die Liebe Gottes regt sich nun."

Er stimmt erneut ein in das Wesen der Liebe zum Nächsten, in die Liebe *von* und *zu* Gott. Nun aber ist der Böse um ihn und stört. Die Unruhe kommt wieder. Faust setzt ein zweites Mal an.

> „Vernunft fängt wieder an zu sprechen, (1198)
> Und Hoffnung wieder an zu blühn,
> Man sehnt sich nach des Lebens Bächen,
> Ach! nach des Lebens Quelle hin."

Wieder mündet der Gedankenbogen in Gott. Schon wird aus dem Ewigen die Phantasie mit Hoffnung gefüllt. Wieder muß der Pudel stören. Sein störendes Dasein wirkt schon mächtiger.

> „Aber ach! schon fühl' ich bei dem besten Willen (1210)
> Befriedigung nicht mehr aus dem Busen quillen."

Die böse Unruhe, die Unruhe des Bösen, hat ihn wieder. Faust fühlt derum zurückgestoßen, wovon er „so viel Erfahrung" hat. Er greift, di endgültig zu überwinden, nach dem Neuen Testament.

> „Mich drängt's, den Grundtext aufzuschlagen,
> Mit redlichem *Gefühl* einmal
> Das heilige Original
> In mein geliebtes Deutsch zu übertragen."

Eine Szene, die an Luther gemahnt — nur, daß hier wieder Fausts „Gefühl", das sich zwar „redlich" gibt, ans Werk geht. Faust übersetzt nach Gefühl. Ἐν ἀρχῇ ἦν ὁ λόγος (Joh. I, 1) überträgt er zuerst wie Luther: „Im Anfang war das Wort." Dann aber wechselt er — Herder erklärt das Wort (Erläuterungen zum Neuen Testament, 1775) mit „Gedanke, Wort, Wille, Tat, Liebe" — hinüber zu „Sinn", „Kraft", „Tat". Die Gefühls=Übertragung ver=wechselt die Begriffe, verkehrt das Wesen des Logos. Das Inwendige des Wortes Gottes ist grob veräußerlicht. Diese Übersetzung führt nicht zu Gott, sondern zu Faust. Wieder gibt sich nur sein Wesen kund. Aber nicht er allein, das Böse ist im Spiel. Es ist in seiner Sphäre.

Ohne Versuch einer vom Ich und dessen intellektueller Entbundenheit unver=färbten Entgegennahme objektiver Offenbarung endet dieses Bemühen egozen=trisch, im unheilvollen circulus vitiosus.

Der heile österliche Bereich versinkt, der große Aufschwung endet in neuer Verkehrung. Der Böse gewinnt Macht.

Vorbereitung für Kap. „Mephisto":

nötig: Studiere 1322—1529, 1530—1867, 11511—11843!
        Überlege: Mephistos Wesen und Rolle im Drama.

möglich: Referat: Die Handlungsimpulse durch Mephisto.
        Arb.=Gem.: Die Beziehung von Fluch und Pakt.
        Verfügt Mephisto über Fausts Zeit?

Mephisto

Wo das Gute nicht walten kann, waltet das Böse. Wo Wahrheit verborgen wird, muß Unwahrheit einziehen.

Das Böse ist um Faust. Noch hält es zurück. Der Geist der Bibel bannt. Für den Teufel ist keine gute Stunde. Er macht sich störend bemerkbar, tritt aber nicht hervor. Faust, der ihn gerufen hat, muß sein Erscheinen erzwingen. Erst vor der Alternative —

> „Einer von uns beiden   (1243)
> Muß die Zelle meiden" —

und nach dringlicher, glühender Beschwörung erscheint er, als „fahrender Schola=
stikus". Wagner hatte diese Gestalt angedeutet (1177), sich der Umgebung an=
passend, dem gelehrten Magier Anerkennung zollend (1325).

Faust fragt nach dem Namen, weil sich durch Nennen Dasein und Wesen mani=
festieren. Mephisto gibt ein Beispiel seines weiteren Bewußtseins, indem er Faust
an die „Verachtung" des Logos erinnert, so wie er ihm später den nicht vollzoge=
nen Selbstmord vorhält (1579). Er nennt sich dabei zwar nicht gottgleich, aber
überlegen an Wissen.

> „Allwissend bin ich nicht; doch viel ist mir bewußt." (1582)

Ein mächtiger, aber nicht schöpferischer Intellekt — denn das All weiß er nicht
(vgl. 279, 1641) — hat Gestalt gewonnen. Mephisto bekennt sich selbst, dem Auf=
treten im Himmel und seinem Verhältnis zum Herrn genau entsprechend, als

> „... Ein Teil von jener Kraft, (1335)
> Die stets das Böse will und stets das Gute schafft."

Er nimmt eindeutig Front gegen eine wertlose Welt.

> „Ich bin der Geist, der stets verneint!" (1338)

> „So ist denn alles, was ihr Sünde, (1342)
> Zerstörung, kurz das Böse nennt,
> Mein eigentliches Element."

Er erinnert sich seines Herkommens als gefallener Engel sehr genau.

> „Ich bin ein Teil des Teils, der anfangs alles war, (1349)
> Ein Teil der Finsternis, die sich das Licht gebar,
> Das stolze Licht, das nun der Mutter Nacht
> Den alten Rang, den Raum ihr streitig macht."

Mephisto ist der Sohn des Chaos, wie ihn Faust erkennt (1384: „Des Chaos
wunderlicher Sohn"); bei den Phorkyaden, „des Chaos Töchtern" (8028) nennt
sich Mephisto selbst

> „Des Chaos vielgeliebter Sohn." (8027)

Man ist erinnert an den Kampf der Erinnyen als den Töchtern der Nacht mit
dem Licht und seinen neuen Göttern in des Aischylos „Orestie". Goethe, der jenes
Drama „das Kunstwerk der Kunstwerke" nannte, lebte stets in der großen Polari=
tät von Licht und Finsternis, aus deren Widerspruch er seine Farbenlehre ent=
wickelte.

Mit unbedingter Einseitigkeit strebt Faust nach Erkenntnis, nach Licht. So setzt
sich nun das unbedingte, einseitige Andere — Nacht, Schwere, Materie — aus ihm
heraus und tritt ihm gegenüber. Mephisto verkörpert die andere Seele Fausts, die
sich „an die Welt mit klammernden Organen" hält (1115). Er ist Fausts „böser
Genius", wie ihn Goethe im Brief an Zelter (24. 5. 1827) nennt. Er ist Komple=
mentärwesen und hat deswegen auch keinen eigentlichen Monolog.

Licht und Finsternis sind innen und außen. Ihre Polarität geht durch die ganze Welt. In magischer Gleichung wie bei Paracelsus, Böhme und Kepler werden Be= griffe der Bibel, der Physik und der Psyche identisch: Gott=Expansion=Geist=Licht= Entselbsten ... dagegen: Luzifer=Konzentration=Materie=Dunkel=Verselbsten.

Mephisto dreht den Mythos um: die Finsternis habe das Licht hervorgebracht, das deswegen abhängig von der Materie, von den „Körpern" bleibe. Fünfmal wie= derholt er das Wort (1354–1358); denn über „Körper" besitzt er ja Gewalt. Alles Gestaltete — Welt, Mensch, Tier — Erscheinung aus Materie, aber Form durch Licht, muß wieder vernichtet werden im Nichts ewiger Nacht (1363). Zerstören ist Mephistos verzweifelter Kampf (1364–1382).

Mephisto ist das Chaotische. Von den Elementen verfügt er nur über die Flamme, das zerstörende Element. In der Natur ist ihm das Vulkanische gemäß, in der Geschichte Krieg und Revolution, im Menschenleben Raub und Piraterie, in der Innenwelt das Nichts, die völlige Leere.

Als Gegenseite des Guten, doch zum Guten notwendig, verkörpert Mephisto das Böse. Als *der* Böse erscheint er in der Hexenküche und auf dem Blocksberg. Dort wird sichtbar, wie er über Gold und Geschlecht, Triebe also im Dienste der Zerstörung, verfügt (vgl. 3932 und 4140). An Gretchen sieht er nur das Ge= schlechtswesen, das Faust befriedigen soll. Um sie zu verführen, hat er Gold zur Hand, ähnlich wie am Kaiserhof, wo der gleißende, trügende Reichtum die Herr= schaft des Kaisers völlig untergräbt. Faust erkennt ihn sofort:

> „So setzest du der ewig regen,   (1379)
> Der heilsam schaffenden Gewalt
> Die kalte Teufelsfaust entgegen ..."

Mephistos Kampf gilt dem Licht.

> „Glaub unsereinem: dieses Ganze   (1780)
> Ist nur für einen Gott gemacht!
> *Er* findet sich in einem ew'gen Glanze,
> *Uns* hat er in die Finsternis gebracht,
> Und *euch* taugt einzig Tag und Nacht."

Mephisto sagt es so deutlich wie der „Prolog im Himmel", daß der Mensch zwi= schen Licht und Finsternis steht und sich entscheiden muß. Um die Entscheidung zugunsten der Finsternis ringt Mephisto, um den Gewinn von Fausts Seele.

Nachdem er sich vorgestellt, will er sich entfernen; denn noch sind die Worte der heiligen Schrift im Raum, noch liegt der Drudenfuß auf der Schwelle und bannt. Das Zeichen, der fünfzackige Stern (Pentagramma), der die fünf Buch= staben des Namens Jesus versinnbildete und mit dem man sich vor Unholden und Hexen (= Druden) schützte, ähnlich wie heute noch mit C + M + B, den Ini= tialen der heiligen drei Könige, hält ihn gefangen. Damit könnte Faust den Teufel beherrschen, mit dem Zeichen Christi. Aus der Überlegenheit, die ihm die gött= liche Sphäre noch verleiht, und weil andererseits in der Hölle auch Gesetze und Rechte herrschen, erwähnt Faust die Möglichkeit eines Paktes.

> „Das find' ich gut, da ließe sich ein Pakt,   (1414)
> Und sicher wohl, mit euch, ihr Herren, schließen?"

Mephisto bestätigt das, aber zunächst will er nur fort, weil er in dieser Lage wohl einen sehr ungünstigen Vertrag eingehen müßte. Faust versucht, seine Macht auszuspielen —

> „Den Teufel halte, wer ihn hält!" —   (1428)

erliegt aber den magischen Kräften Mephistos, der ihm durch einen Geisterchor eine üppige arkadische Welt vorgaukelt, die „Sinne" Fausts fesselt durch „süße Traumgestalten" und „ein Meer des Wahns" (1510/11) und sich als Herr des Un=geziefers mit Hilfe eines Rattenzahns befreit.

> „Du bist noch nicht der Mann, den Teufel festzuhalten!"   (1509)

Wieder stürzt die Welt für Faust zusammen.

> „Bin ich denn abermals betrogen?"   (1526)

Sein Gefühl kann Traum und Wirklichkeit nicht mehr trennen. Jede Hoffnung ist zerbrochen. Nach allen Enttäuschungen herrscht jetzt die Verzweiflung aus=schließlich. Die Zeit für Mephisto ist reif.

> „Und hätt' er sich auch nicht dem Teufel übergeben,   (1866)
> Er müßte doch zugrunde gehn!"

Faust ist wieder in der Angst, Not, Sorge, in der Enge und Lähmung seiner Exi=stenz, in Wunsch und Entbehren, in Erfolglosigkeit außen und Unrast innen (1544—1569).

> „Und so ist mir das Dasein eine Last,   (1570)
> Der Tod erwünscht, das Leben mir verhaßt."

Die Situation des Selbstmordentschlusses will sich wiederholen. Damals hielt ihn das Heile. Jetzt aber bezeichnet er die Rettung damals als Betrug (1583—1586), jetzt entfernt er das Heile, begeht bewußt seelischen Selbstmord, indem er es als „Blend= und Gaukelwerk" verflucht. Er verflucht das Selbstbewußtsein, die Sinn=lichkeit, die Ziele des Menschen, den Besitz, das Gold, die Trunkenheit.

> „Fluch jener höchsten Liebeshuld!   (1604)
> Fluch sei der Hoffnung! Fluch dem Glauben!
> Und Fluch vor allen der Geduld!"

Verzweifelt verflucht Faust, der „Halbgott", die transzendenten Werte. Die Vereinsamung, welche aus der Preisgabe der Phantasie an die Mächte der Sorge und der Schwere stammt, wird durch titanischen Willen verdeckt, der die hinauf=ziehenden Seelenkräfte und damit das Jenseits verdrängt. Und tatsächlich gelingt es der Verabsolutierung dieser einen Kraft, den Teufel zum Dienst herbeizuzwin=gen. Es ist Entbindung und Abfall, wie Mephisto rät:

> „Damit du, losgebunden, frei,   (1542)
> Erfahrest, was das Leben sei."

Jetzt, nachdem Geister „die verlorene Schöne" beklagt und zu „neuem Lebens=
lauf" aufgerufen haben, bietet Mephisto vorsichtig den Pakt an. Faust verlangt
Bedingungen, die Mephisto so umschreibt:

> „Ich will mich *hier* zu deinem Dienst verbinden,   (1656)
> Auf deinen Wink nicht rasten und nicht ruhn;
> Wenn wir uns *drüben* wiederfinden,
> So sollst du mir das Gleiche tun."

Faust sagt erneut dem Jenseits ab.

> „Das Drüben kann mich wenig kümmern."   (1660)

Jetzt spricht nur noch die andere Seele, der Welt verhaftet, der Erde, der Ma=
terie. So erliegt Faust der Sphäre, über die Mephisto Gewalt hat.

> „Aus dieser Erde quillen meine Freuden,   (1663)
> Und diese Sonne scheinet meinen Leiden;
> Kann ich mich erst von ihnen scheiden,
> Dann mag, was will und kann, geschehn."

Und gleichzeitig bekennt Faust, die Erde werde ihn nie befriedigen. Das Gefühl
Fausts bricht in die Extreme aus. Eben verachtet und verflucht er die Welt, dann
wieder klammert er sich verzweifelt an sie, dann fordert er vom Teufel Wider=
sprüchliches (1675—1687). Aus der Verworrenheit der Verzweiflung kommt diese
eigenartige „Wette" zustande: Faust wettet, daß er nie die Welt und den Augen=
blick als das Höchste preisen wird, er wettet, daß er zeitlebens selbst jene Unge=
nüge wahren will. Er wettet also, selbst zu tun, was den eigentlichen Auftrag des
Teufels ausmacht: die Erde nie zum Paradies werden zu lassen. Mephisto dagegen
wettet, daß er Faust, der dem Jenseits absagte, in dieser Welt das Paradies „un=
bedingter Ruh" (341), den vollkommenen Augenblick im Diesseits gewähre.

> „Werd' ich zum Augenblicke sagen: (1699)
> Verweile doch! du bist so schön!
> Dann magst du mich in Fesseln schlagen,
> Dann will ich gern zugrunde gehn."

Faust wettet genau das, was der Schöpfungsplan dem Menschen zuschreibt: zu
suchen und zu irren in dauernder Ungenüge. Mephistos Vorhaben, entgegen sei=
ner Funktion im Weltplan, ist es, Faust an diese Welt zu fesseln, die er selbst
„wie immer herzlich schlecht" fand (296), bis Fausts unendliches Streben und
Suchen ermüdet. Beide wagen viel: Faust wagt seine Seele, Mephisto wagt un=
endliche Mühe, einen „großen Aufwand" (11837). Durch Unterschrift mit Blut
wird darum die Wette ein Pakt. Faust verpfändet seine Seele gegen den Genuß
dieser Welt.

Faust wirft sein bisheriges Dasein weg und wendet sich der Sinnlichkeit zu.

> „Der große Geist hat mich verschmäht, (1746)
> Vor mir verschließt sich die Natur.
> Des Denkens Faden ist zerrissen,
> Mir ekelt lange vor allem Wissen.
> Laß in den Tiefen der Sinnlichkeit
> Uns glühende Leidenschaften stillen!"

Er proklamiert die absolute Tätigkeit zwischen „Schmerz und Genuß, Gelingen und Verdruß" (1756), die Rastlosigkeit ohne Zweck und Ziel. Die selbstlähmende Verzweiflung wird Dauerzustand. Der circulus vitiosus wird Lebensprinzip. „Übereiltes Streben" (1858) und „Unersättlichkeit" (1863), Unrast und Unmaß können nie Frieden und Ruh im Innern gewähren. So klar sich Faust dessen Wagner gegenüber bewußt ist —

> „Erquickung hast du nicht gewonnen, (568)
> Wenn sie dir nicht aus eigner Seele quillt" —

so ferne ist er selbst diesem Zustand.

> „Er wird Erquickung sich umsonst erflehn, (1865)
> Und hätt' er sich auch nicht dem Teufel übergeben,
> Er müßte doch zugrunde gehn!"

Ende ist das Scheitern, Mündung das Nichts.

> „Du hörest ja, von Freud' ist nicht die Rede. (1765)
> Dem Taumel weih' ich mich, dem schmerzlichsten Genuß,
> Verliebtem Haß, erquickendem Verdruß.
> Mein Busen, der vom Wissensdrang geheilt ist,
> Soll keinen Schmerzen künftig sich verschließen,
> Und was der ganzen Menschheit zugeteilt ist,
> Will ich in meinem innern Selbst genießen,
> Mit meinem Geist das Höchst' und Tiefste greifen,
> Ihr Wohl und Weh auf meinen Busen häufen,
> Und so mein eigen Selbst zu ihrem Selbst erweitern,
> Und, wie sie selbst, am End' auch ich zerscheitern."

Faust will geradezu als „Herr Mikrokosmos" (1802) das Geschick der Welt, der Erde, der Materie, fühlend auf sich vereinigen. Er ist Mephisto sicher, nicht wegen des Weges, nicht wegen des Paktes, sondern wegen seines unbedingten, „ungebändigten" (1857) Geistes, der sich nicht zu bescheiden, der nicht zu leben versteht, der auf des „Menschen allerhöchste Kraft", wie es der Teufel sieht, auf die von Gott verliehene Vernunft verzichtet.

> „So hab' ich dich schon unbedingt." (1855)

Faust tritt mit dem „Junker Satan" (2504) den Weg in die kleine, dann in die große Welt an (2052). Der Einsatz ist seine Seele. Mephisto gratuliert ihm zum „neuen Lebenslauf" (2072).

Mephisto muß, seinem Wesen nach, Faust zum Chaos zurückführen, seine Ge=
talt zerstören.

> „Die Elemente sind mit uns verschworen   (11549)
> Und auf Vernichtung läufts hinaus."

> „Vorbei und reines Nicht, vollkommnes Einerlei!   (11597)
> Was soll uns denn das ew'ge Schaffen!
> Geschaffenes zu nichts hinwegzuraffen!"

Mephisto ist der strengsten Gleichmacherin des Gestalteten, der einebnenden,
weil mechanistisch verstandenen *Zeit* nahe. Nach Goethe ist „die Zeit selbst ein
Element" (Maximen und Reflexionen), also Urstoff vom Chaos. Faust, der die
„Elemente an sich heranrafft", steht mit diesem ordnenden und gestaltenden Tun
in genauem Widerspruch zu Mephisto, der die Elemente als „mit *uns* verschwo=
ren" für den Teufel zum Zwecke der Vernichtung beansprucht. Es widerspricht
Mephistos Aufgabe, Faust mit der Magie ein Mittel einzuhändigen, welches die=
sem erlaubte, aus der Zeit herauszutreten. Besieht man sein Handeln näher, wird
klar, daß Mephisto Magie zur Täuschung Fausts benutzen muß, um ihn immer
zwangsläufiger in eine wachsende, unentrinnbare Ent=Täuschung hineinzutreiben.
Gerade die Gewährung vorübergehender Zeitlosigkeit soll den endlichen Um=
schlag in die gestaltauflösende Zeitlichkeit beschleunigen. Solange Fausts zeitliche,
also aufzulösende Gestalt existiert, ist Mephisto *Herr ihrer Zeit.* Jede Gestalt aber
stellt die Aufgabe ihrer Zerstörung neu, ein endloser Kampf des Nichts mit dem
Leben.

> „Wie viele hab' ich schon begraben!   (1371)
> Und immer zirkuliert ein neues, frisches Blut.
> So geht es fort, man möchte rasend werden!"

Der Abbruch einer Gestalt ist meßbar am Stande der ihr verbliebenen Zeit.
Deshalb drängt Mephisto mittels der Magie an das Steuer dieser Zeit. Seit dem
Pakt wickelt er eigentlich Fausts Lebenszeit ab.

Gleich in der Wette treten beide in das neue Zeit=Verhältnis. Faust, der die Zeit
als ein Chaos empfindet, einen „Zeitenstrudel", in dem „Glück auf Glück schei=
tert" (643), sucht aus dieser wertlosen Zeit herauszukommen (auch aus seiner
Sorge, die ja Wesen dieser Zeit ist). Gelänge ihm, den *einen* Augenblick zu er=
reichen, den er anhalten möchte in der Formel „Verweile doch!", gäbe er gerne
seine weitere Zeitlichkeit preis.

> „Dann mag die Totenglocke schallen,   (1703)
> Dann bist du deines Dienstes frei,
> Die *Uhr* mag stehn, der Zeiger fallen,
> Es sei die *Zeit für mich* vorbei!"

Scheint die Bedingung, für einen Augenblick Vollkommenheit die Zeitlichkeit
aufzugeben, für Faust einfach und leicht, so ist sie für Mephisto im Grunde un=
annehmbar. Denn er verfügt weder über die absolute Zeitlosigkeit, noch kann

er zulassen, daß Faust sich seiner eigenen zeitbegrenzten Wirksamkeit in einem Augenblick, der Ewigkeit verkörpert, entzieht. Aufgabe des Teufels ist doch, den Menschen nicht den ewigen Augenblick, nicht die „unbedingte Ruh'" (341) ge= nießen zu lassen, anders ausgedrückt: die metaphysische Unruhe durch Ungenüge an dieser Welt wachzuhalten.

Mephisto muß Faust betrügen. Er treibt den Zeitablauf voran, nimmt vom Persönlichsten, Fausts eigener Zeit, Besitz. Es kann und darf gar nicht seine wirk= liche Absicht sein, den gewünschten Augenblick zu beschwören; er seinerseits geht auf die Bedingung nur ein im Gedanken, durch magisches Spiel mit Zeit und Nicht=Zeit, durch Weltkonsum und Katastrophen Fausts Zielsetzung ins Endliche abzudrängen, um ihn dort, im Reiche der Zeit, durch Erfüllung des Gewünschten, zum Verweilen und Erliegen zu bringen. Faust, haltlos verzweifelt, unweiser Wis= senschaft voll, bietet dazu die Hand:

> „Stürzen wir uns in das *Rauschen der Zeit*,   (1754)
> Ins Rollen der Begebenheit."

Ein wesentliches Mittel, die Zeit verfügbar zu machen, ist den *Raum zu engen*, ihn, soweit möglich, aufzuheben. Mephisto beherrscht es. Über den Zaubermantel und die Feuerluft, den guten Willen des Homunculus, Faust auf seiner Südfahrt mitzunehmen, und über die Tragfähigkeit von Helenas verbliebenem Schleier (9945), auf dem er Faust sich selbst überlassen kann, verfügt er ebenso wie über Siebenmeilenstiefel zum Rückmarsch aus Griechenland oder über vierundzwanzig Beine von sechs Hengsten, die er zahlen kann (1825).

In allen Momenten des drohenden Verliegens Fausts, die doch willkommen sein müßten, wird Mephisto die treibende Kraft, immer unter besonderer Betonung der Zeit. Faust soll seine Verstreutheit zusammenraffen:

> „Die *Zeit* ist kurz, die Kunst ist lang."   (1787)

In der Hexenküche lehnt er ab, den Trunk selbst zu brauen:

> „Das wär' ein schöner *Zeitvertreib!*"   (2368)

Er wird wütend, als Faust mit Geschenken und mit Zeit spielt:

> „So ein verliebter Tor verpufft   (2862)
> Euch Sonne, Mond und alle Sterne
> Zum *Zeitvertreib* dem Liebchen in die Luft."

In „Wald und Höhle" stöbert er Faust auf:

> „Was hast du da in Höhlen, Felsenritzen,   (3272)
> Dich wie ein Schuhu zu *versitzen* ...
> Ein schöner, süßer *Zeitvertreib!*"

(Das Wort „Zeitvertreib", in der Goethezeit zwar schon im Sinne von „Vergnügen", kehrt immer wieder im tadelnden Sinne von „Verschleudern wertvollen Gutes".)

Den Astrologen erinnert er an die Weltzeit:

> „Du kennst den Takt, in dem die Sterne gehn." (6401)

Den Gang zu den Müttern geht Mephisto nicht. Dort ist kein Raum, „noch we=
niger" dessen Funktion Zeit, keine „entstandene", also zeitgebundene Gestalt,
welcher Sphäre des Körperlichen der Zerstörer eben verhaftet bleibt.

> „Göttinnen thronen hehr in Einsamkeit, (6213)
> Um sie *kein* Ort, *noch weniger eine Zeit*,
> Von ihnen sprechen ist Verlegenheit.
> Die M ü t t e r sind es!"

Durch das erschütternde Wort „Mütter" wird in Faust ein schmaler Saum der
Erinnerung an zeitlich Entrücktes frei:

> „Hier wittert's nach der Hexenküche, (6230)
> Nach einer längst vergangnen *Zeit*."

Mephisto sendet Faust zu den „Müttern" (6275). Zweifellos sein schwerster
Entschluß. Er weiß nicht, ob Faust, der Zeitliche, aus dem Zeitlosen und „nie Be=
tretenen" wiederkehren wird. Als er von da zurückkommt, ist Mephisto künftig
sicher. Ruhig läßt er Faust in der „Klassischen Walpurgisnacht" zu Manto, auch
einer Zeitlosen, schweifen —

> „Ich harre, mich umkreist die *Zeit*" — (7481)

um mit deren Rat zu Persephoneia zu streben, indes sich Mephisto selbst bei den
Phorkyaden verwandelt.

Im Helena=Akt, der Zeiteinheit der 3000 Jahre, prägt sich die Zeitfunktion von
Mephisto=Phorkyas besonders scharf aus. Das „Verweile doch!" zum zeitlosen
Augenblick wäre hier möglich. Sollte es Mephisto nicht erwünscht sein?

Zunächst erinnert Phorkyas die Königin brutal an ihre Vergangenheit, weckt
damit ihr Zeitbewußtsein, so daß sie an ihrem antik=statischen Daseinsgefühl irre
wird.

> „Ich schwinde hin und werde selbst mir ein Idol." (8881)

Phorkyas sichert also die Zeit=Voraussetzung, daß Helena überhaupt ins Mittel=
alter eingehen kann. Phorkyas schafft weitere Erschütterung, indem sie der Köni=
gin und den Mädchen den Tod als Opfer von Menelas Rache ankündigt, daran in
nordisch=abendländischer Weise eine Betrachtung der Vergänglichkeit knüpfend:

> „Die Menschen, die Gespenster sämtlich gleich wie ihr, (8932)
> Entsagen auch nicht willig hehrem Sonnenschein,
> Doch bittet oder rettet niemand sie vom *Schluß*;
> Sie wissen's alle, wenigen doch gefällt es nur."

Helena spürt in ihr den „Widerdämon" (9072). Phorkyas zeigt den Ausweg und treibt Handlung und Zeit voran.

> „Sogleich umgeb' ich dich mit jener Burg." (9050)

Auf dem Höhepunkt des Aktes aber wird ihr Eingreifen brutal.

> „Faust: Dasein ist Pflicht, und wär's ein Augenblick. (9418)
> Phorkyas: Buchstabiert in Liebesfibeln,
> Tändelnd grübelt nur am Liebeln,
> *Müßig* liebelt fort im Grübeln,
> Doch dazu ist *keine Zeit*."

Und weiter bewegt sie die Handlung mit der Erzählung von Euphorions Ge=burt, dann mit dem Rat an Faust, Helenas Schleier festzuhalten.

IV. Akt: „Ein *Siebenmeilenstiefel* tappt auf. Ein anderer folgt alsbald. Mephistopheles steigt ab. Die Stiefel schreiten eilig weiter.

> Mephisto: Das heiß' ich endlich *vorgeschritten*."

Mit den drei Gewaltigen, den magischen Gestalten, führt Mephisto dann die Charakteristik der Lebensalter ein.

> „Raufebold (jung, leicht bewaffnet, bunt gekleidet)
> Habebald (männlich, wohl bewaffnet, reich gekleidet)
> Haltefest (bejahrt, stark bewaffnet, ohne Gewand)."

Faust ist unterdes hundert Jahre alt geworden. Seine Lebenskraft erlahmt. Sein Streben ist auf Endliches gerichtet. Mephisto steht vor dem Ziel. Mit der Vollen=dung des „Weltbesitzes" muß das entscheidende Wort fallen. Das Ende von Fausts Zeit kommt heran. Mephisto will Fausts Bekenntnis zum Augenblick nun erzwin=gen. In vorsätzlicher Überschreitung seines Auftrages Philemon und Baucis gegen=über schafft er eine Lage, die Faust als den Vollbesitz herrscherlicher Gewalt gut=heißen soll. Aber dessen Reaktion ist völlig anders. Faust „*flucht* dem unbesonne=nen Streich". Im Augenblick bewußter Schuld bricht eine objektive Macht in Fausts Leben, die Sorge: Macht der eigenen Zeitlichkeit. Mephisto hat sie gegen seinen Willen gerufen. Er wird ausgeschaltet, bleibt ohne Einfluß auf das Ge=schehen, ohne Kenntnis des Ablaufes, verschwindet aus der Szene, aus Fausts Leben, nur augenblicklang Figur eines Aufsehers (11551). Erst nachdem aus Fausts Munde die gewettete Formel gefallen, tritt Mephisto hervor und verkündet den Sieg der Elemente, indem er Fausts Worte (1703) aufnimmt.

> „Den letzten, schlechten, leeren Augenblick, (11589)
> Der Arme wünscht ihn festzuhalten ...
> *Die Zeit wird Herr*, der Greis liegt hier im Sand.
> *Die Uhr steht still —*"

Mephisto wickelt als Fausts Gegenkraft das Zeitband, den zeitbegrenzten Lauf des von der Magie um sein eigenes Altern betrogenen Menschen ab. Er ist so lange mächtig, als Faust auf den Gebrauch seiner eigenen Zeit, auf das Leben seines eigensten Lebens also, verzichtet. Leben mit dem Bösen und seiner Magie heißt, auf das eigene Leben verzichten. Schein und Verneinung, Betrug des Menschen um sein echtes Leben: das ist das Böse.

Vorbereitung für Kap. „Magie":

nötig: Überlege: Was ist Magie und wie ist sie im Faustdrama wirksam?
möglich: Referat: Alchemie und Pansophie.
Arb.=Gem.: Das Verhältnis von Sorge und Magie im „Faust".

Magie

Faust sucht Ausflucht aus der Nacht seiner Verzweiflung. Sein Griff nach der Magie liegt weit zurück, als das Drama anhebt.

> „Drum *hab'* ich mich der Magie ergeben."   (377)

Faust kennt die magischen Zeichen und Formeln, die Bücher und Gesetze. Als er in die Natur fliehen will, sucht er dort nicht unmittelbares Naturerleben, sondern magisches Durchdringen.

> „Und dies geheimnisvolle Buch,   (419)
> Von Nostradamus' eigner Hand,
> Ist es dir nicht *Geleit genug?*"

Goethe begegnete dem *Nostradamus* wohl in einem Lieblingsbuch seiner Jugend, in Gottfried Arnolds „Unpartheyischer Kirchen und Ketzer=Historie" (Ausgabe von 1740) und mochte am Namen Gefallen finden; denn der Zeitgenosse des historischen Faust Michel de Nôtredame (1503–1566), Astrolog und Hofmedicus französischer Könige, war als Magier unbedeutend.

Stärker wirkte auf Goethe in der Genesungszeit zwischen Leipzig und Straßburg *Swedenborg* ein, den er mit der herrenhutischen Pietistin und Freundin des Hauses Goethe, Susanne von Klettenberg, eifrig studierte. Emanuel Swedenborg (geb. 1688 in Stockholm, gest. 1772 in London), Naturwissenschaftler und Hütten=unternehmer, zugleich Mystiker und Theosoph, erregte mit seinen achtbändigen „Arcana coelestia" (Himmlische Geheimnisse), die 1749 bis 1756 erschienen, großes Aufsehen. Gegen diese „Geisterseherei" wendeten sich 1766 Kant („Träume eines Geistersehers", II, 2) und Herder noch 1802 („Adrastea", III, 2). Nach Swedenborg ist die Welt mit Geistern erfüllt, die schweben und wirken und deren Gespräche und Antworten rational nicht faßbare Zeichen erhellen, oder wie es Faust ausdrückt:

> „Umsonst, daß trocknes Sinnen hier   (426)
> Die heil'gen Zeichen dir erklärt."

Solche Zeichen kannte Goethe aus dem „Opus mago=cabbalisticum" des Georg von *Welling* (1721), dessen zweite Auflage (1760) er besaß. Nach den Anschau= ungen der Pansophie entsprechen sich Weltall (Makrokosmos) und Mensch (Mikrokosmos), bestehen magische Beziehungen zwischen Gestirnen, Metallen und menschlichen Organen (z. B. Sonne=Gold=Herz; Mond=Silber=Gehirn); man kann diese Bezüge darstellen, indem man die Begriffe in bestimmten Figuren nieder= schreibt und die Wirkungen aufeinander durch Striche anzeigt. Solche Zeichen der Weltharmonik, wie das Zeichen des Makrokosmos oder das des Erdgeistes, sind Schlüssel zum magischen Zwischenreich, zur Kommunikation mit den wirkenden Geistern, die auf Himmelsleitern auf und niedersteigen.

Die Pansophie ist nicht Hervorbringung des aufgeklärten 18. Jahrhunderts, sie erwuchs aus dem Geiste des 16. Jahrhunderts, der Welt des historischen Faust. Sie blühte auf aus der innigen Naturverbundenheit eines *Paracelsus* (1493–1541), der als Arzt Theologie, Physik und Chemie verschmolz und dem der Mensch als das edelste Glied der Schöpfung galt. Die Schriften des schlesischen Schuhmachers Jakob *Böhme* (1575–1624) (erschienen 1675; 10 Bände mit Kupferstichen magi= scher Analogien 1682 in Amsterdam) verbreiteten seine Auffassungen vom Ge= gensatz zwischen Gut und Böse, der Welt und Gott durchziehe. Am schönsten fand Pansophie ihren Ausdruck 1619 in den „Harmonices mundi" des Johannes *Kepler* (1571–1630), des Hofastrologen Rudolfs II. zu Prag. Kepler bezieht Pla= netenbahnen, stereometrische Körper, Harmonien der Töne, ja der Sphären, kirch= liche Symbole und Formen der Dichtung aufeinander zu einer großen Harmonie, in die er einstimmt als Dank gegen Gott.

Goethe nahm die Pansophie, die seinem auch vom Pantheismus *Spinozas* ge= nährten Wesen verwandt war, eifrig auf. Er studierte Paracelsus, Helmont, Wel= ling (8. Buch von „Dichtung und Wahrheit"). Er beschäftigte sich eingehend mit den magischen Zeichen, verbarg aber in Straßburg sein Tun vor Herder.

„Am meisten aber verbarg ich vor Herdern meine mystisch=kabbalistische Chemie und was sich darauf bezog, ob ich mich gleich sehr gern heimlich beschäftigte, sie konse= quenter auszubilden, als man sie mir überliefert hatte."

(Dichtung und Wahrheit, 10. Buch)

1810 noch will er Musik, Physik und Optik (Farbe) zu einer großen Harmonie= lehre verbinden.

„Wahrscheinlich komme ich ... weiter in meinem alten Wunsche, der Tonlehre auch von meiner Seite etwas abzugewinnen, um sie unmittelbar mit dem übrigen Physischen und auch der Farbenlehre zusammenzuknüpfen. Wenn ein paar große Formeln glücken, so muß das alles Eins werden, alles aus Einem entspringen und zu Einem zurück= kehren." (An Sartorius, 19. 7. 1810)

Es geht ihm um Erkenntnis des Ganzen, um Weisheit vom All, um Pan=Sophie. Faust drückt dieses alte „Omnia ex uno, omnia ad unum" so aus:

„Wie alles sich zum Ganzen webt,   (447)
Eins in dem andern wirkt und lebt!
Wie Himmelskräfte auf und nieder steigen
Und sich die goldnen Eimer reichen!
Mit segenduftenden Schwingen
Vom Himmel durch die Erde dringen,
Harmonisch all das All durchklingen!"

Fausts Magie nährt sich aus dem Geiste der Pansophie und stützt sich auf die Mittel der Alchemie. Der Geist des Makrokosmos versagte sich ihm. Dagegen findet er Zugang zum Erdgeist, dem „Welt= und Tatengenius", wie ihn ein späte= res Paralipomenon heißt. Paracelsus schon sprach von „archeus terrae", einem Urherren der Erde, Giordano Bruno von „anima terrae", einer Erdseele. Der Erd= geist beschreibt sich selbst als Geist organischen Lebens. Sein Werk ist das Ge= webe der „Zeit" (508), die ja Faust als ein Chaos, ein „Zeitenstrudel" (643) er= scheint, in dem das Leben scheitert. So kann der Mensch das Erdganze nicht er= fassen. Das Versagen der Magie (Makrokosmos, Erdgeist) macht seine Grenzen nur fühlbarer. Er verwirft darum die untauglichen Mittel (656—685), nicht aber jenen Geist (690—736), der ihn zur Selbstaufgabe im All bestimmt. Er verwirft auch die Alchemie seines Vaters, eines „dunklen Ehrenmannes" (1034), eines homo obscurus, der mit Eingeweihten (= „Adepten") seine dunkle Laborkunst (= „schwarze Küche") übte. Nach „unendlichen Rezepten" wurden dort in der symbolischen Sprache der Alchemie das männliche Zeugungsprinzip (= „der rote Leu") dem weiblichen (= „der Lilie") in der Retorte (= „Brautgemach") verbun= den, um Urstoff, jungfräuliche Erde (= „die junge Königin") zu gewinnen. Es war schwarze Magie: die „Latwerge" (spätlat. electuarium = dicker Heilsaft) waren „höllisch", die Wirkung der Tod von Tausenden. Faust fühlt den Irrweg tief; deswegen ruft er nach der Geisterwelt, nach dem Zaubermantel, nach „neuem, bunten Leben" (1121).

Faust ist erneut zu Zauber bereit. Nach dem Verzicht auf die heilen Bereiche gelingt es ihm, die Hölle zu bannen. Er braucht „Salomonis Schlüssel", ein magi= sches Buch des 15. Jahrhunderts, das angeblich auf Salomo zurückgeht, er weiß den „Spruch der viere" (1272), die Beschwörung der Elemente Feuer (= Sala= mander), Wasser (= Undene, die Nixe), Luft (= Sylphe, der Luftgeist) und Erde (= Incubus, der Erdkobold und Nachtmahr). Er weiß den „Flüchtling der Hölle" mit dem Kreuzzeichen zu bannen (1300) und droht mit dem „dreimal glühenden Licht" (1319), der Beschwörung im Namen der Dreieinigkeit. Jetzt zeigt sich Faust als ein „Meister über die Geister" (1282), den Mephisto voll anerkennt.

„Ich salutiere den gelehrten Herrn!   (1325)
Ihr habt mich weidlich schwitzen machen."

Jetzt ist Faust bereit, sein Leben auf Zauber zu gründen.

> „In undurchdrungnen *Zauberhüllen*   (1752)
> Sei jedes Wunder gleich bereit!"

Faust hat die hinaufziehenden Werte verdammt; er hat seinen *titanischen Willen* absolut gesetzt.

> „Allein *ich will!*"   (1784)

Und tatsächlich gelingt es der Verabsolutierung dieser einen Kraft, im Teufels=pakt die Mittel der Magie zum Dienst herbeizuzwingen.

Jetzt vereinigt Mephisto alle erhöhenden Mächte und spannt sie in seinen Dienst (Gedanken, Mut, Schnelligkeit, Ausdauer, feuriges Temperament, Groß=mut, Arglist) und vervielfältigt magisch die eigenen Kräfte (sechs Hengste). Er zeigt, wie man durch Magie Macht gewinnt (1787–1830). Faust hat jetzt die Mittel. Mephisto zaubert dann Weine herbei (2260 ff), weiß Faust durch Zau=bertrank zu verjüngen (2519), verfügt über Gold (2677), Zaubermantel (2065), Zauberpferde (Trüber Tag. Feld) und Zauberklinge (3709). Magie zaubert Helena herbei, Truppen des Menelas, Hilfstruppen für den Kaiser, Arbeiter zur Neu=landgewinnung. Jetzt verfügt Faust über die Kräfte der Welt als seine Mittel. Jetzt weitet die Magie des Bösen, nachdem die magischen Kräfte des Glaubens und der Wissenschaft versagten, Fausts Dasein aus. Zwischen die Sorge des An=fangs und des Endes schiebt sich machtvoll Magie, von der Magie sexueller Sinn=lichkeit (Gretchen, Walpurgisnacht) über die Magie ästhetischen Genusses (He=lena) zur Magie der Macht (IV. und V. Akt).

Magie ist jedes Mittel, das Leben nicht aus Eigenem zu weiten, Welt anzu=eignen und zu beherrschen. Sie reicht in die Zeiten, da der Mensch die Zauber=formel beherrschen mußte, um Naturgewalten und Götter zu zwingen. Sie ist die unvermittelte, unkausale, unräumliche Wirkung eines Inneren auf ein Äuße=res, daher unbegreiflich. Eigentlich kennen wir nur *ein* magisches Verhältnis, dort wo die Innenkraft unseres Geistes Außenwirkung im Körper wird. Ver=meintliche Magie überträgt dieses Verhältnis in weitere Bezüge, versucht durch einseitige Ballung geistiger Kräfte die Außenwelt zu bewegen. Der Mensch be=zahlt die Mittel mit Verlust an Seelenkraft.

Magie ist jedes Mittel, das sich mit dem Anschein einer Erhöhung und Er=weiterung des Menschen zwischen Existenz und Welt schiebt; nicht der un=mit=tel=bare Bezug von Welt und Mensch, sondern die Bemächtigung und Anwen=dung von nicht Naturgegebenem zur Beherrschung der Natur. Magie wird dann selbstermächtigtes Stehen über der Schöpfung. Liegt in der Magie die Möglich=keit der Selbstenthebung, so kann sie ebensogut und leichter in der Selbstver=gottung des Menschen enden: *„eritis sicut deus"*. Magie des sich vergottenden Menschen wird der Zweck seines Daseins. Er braucht sie, Gott mit allen Attri=buten im Ich aufzuheben. Magie ist hier kein echter Weg; denn er endet, wo er anfing, wieder im Ich, nicht im großen Du.

„Du bist am Ende — was du bist."   (1806)

Magie des ichhaften Menschen ist wie Bewegung im Stillstand, Zirkel ohne Ausweg. Der sich selbst Vergottende betet die Magie an. Das Mittel wird Selbst=zweck. Der Mensch fällt aus dem natürlichen und einzig würdigen Bezug der creatura zum creator. „Am Ende" ist „die Mühe" nicht mehr „wert, ein Mensch zu sein" (11407).

Es gibt aber auch Magie, die nur Weg, nur Mittel ist und bleibt: Weg, den ein Gehender stückweit auf seinem echten Wege zu einem Ziel, von sich zu einem Du hin begeht. Nicht das Ich, sondern der Wille zum Du, „die Liebe ist der Grund der Möglichkeit der Magie" (Novalis).

Magie als Mittel ist an sich weder gut noch schlecht. Magie ist jeder Sinn=gebung, jeden Gebrauches fähig. Eine die Gegenwart bedrohende Form der Magie ist die moderne Technik; sie erweist täglich die Notwendigkeit einer Sinnbega=bung durch den Menschen. Sie ist sein beherrschtes Mittel oder der Gott, der ihn beherrscht. Ein Drittes gibt es nicht.

Magie wird erst durch die *sittliche Haltung* in ihrer Wirkung bestimmt, wird *helle Magie* im Felde von selbstaufgebender Liebe, wird *dunkle Magie* im Felde der Selbstliebe. In der bejahten oder verweigerten re=ligio des Menschen liegt der Grund für ihre gute oder schlechte Wirkung.

Magie ergreift nur der Mensch, der sich erhöhen, der herrschen will. Der frei=willig Demütige und Arme bedarf des Mittels nicht, das ihn über andere erhebt. Magie aber verführt. Sie will, ein Leviathan, herrschen, nicht gehorchen, zwingen, nicht erleiden, verschlingen, nicht geben, nehmen, nicht empfangen. Sie ist Ent=machtung des Fatums durch Beschwörung, ist das „Prinzip der Vereigentüm=lichung" (Novalis), ist „Anraffen" von Welt.

> „Wenn starke Geisteskraft   (11958)
> Die Elemente
> An sich herangerafft ..."

Im Wesen des sich des Mittels der Magie nur bedienenden Handelns liegt Ge=walttätigkeit, liegt überwältigender Zugriff, aber nicht bewältigende Sorge. Ge=waltsamen Wesens sucht Magie selbst die mystische Intuition zu erzwingen. Hier zeigt sich denn auch die Gefahr jeder Magie, auch der hellen, auch der christ=lichen: daß sie, einen Augenblick zu lang besessen, zu spät in den Stand des Mittels zurückverwiesen wird, darum einfach dazwischen steht, verstrickend als Dämonen, Geister, Mächte oder wie man es nennen will.

Deshalb ist so wenig *helle Magie*. In der Macht demütig werden und den Weg nur um des Zieles willen gehen, ist die schwere Zucht, welche helle Magie for=dert. Helle Magie ist bei aller Gewaltsamkeit der actio, die Fähigkeit stetiger und gleichzeitiger Selbstaufgabe. Sie kann mit den Weltkräften übereinstimmen. Sie kann die Persönlichkeit ausbilden und erhöhen durch Verwandlung unwill=kürlicher in willkürliche Bewegungen; die Per=son verwandelt sich in einen ge=

stimmten Klangkörper, dessen Ton ein höherer Ton und zugleich der eigene ist. Helle Magie kann das Ich zum Instrument des göttlichen Willens ausbilden, weil der göttliche Wille der innerste und letzte Wille des Individuums ist. „Der Mensch: Metapher", sagt Novalis. „Wir müssen alle Magier werden, um recht moralisch zu sein." Helle Magie geht dann in Gehorsam, während dunkle Magie in Willkür beharrt.

Dunkle Magie ist das Zeichen der Religion der Selbstvergottung. Dunkle Ma= gie hält an, „solang Du Selbstgeworfnes fängst", wie Rilke sagt. Was Magie dunkelt, ist das Ich, das sich zum Schöpfer macht, ist seine Willkür, wo helle Magie ein selbstvergessenes Tun bleibt. Helle Magie fängt schauend die Welt auf und gibt sich ihr rücklaufend wieder hin, dunkle Magie rafft Welt an und will sie unter allen Umständen und um jeden Preis behalten. Erhöht helle Magie den freudigen Takt des Lebendigen, so stört dunkle Magie diesen Takt, weil sie das Angeraffte nicht wieder entäußern will, da sie sich göttlichem Gegenüber entzog.

Faust müht sich zuerst im Bereiche heller Magie. Zum Erfolg fehlt ihm der Boden des Glaubens. Sein väterliches Erbe schon ist dunkle Magie, schuldhafte Selbstermächtigung. Mit dem Fluch und dem Pakt wird sie, Leistung Mephistos, Daseinsinhalt.

Fausts Magie, aus den natürlichen und sittlichen Ordnungen durch die Ver= absolutierung des Ich heraustretend, ist *dunkle* Magie. Es ist Magie ohne Glaube, Liebe, Hoffnung, Geduld, Magie des Herrschers, des „Reichen", Magie, die Schuld herbeiführt, weil sie Schuld ist.

Das Einsetzen dieser Magie schneidet den Prozeß des Reifens als der natur= haften Entwicklung der Entscheidungen zum Tode ab. Fausts dunkle Magie be= zeichnet den Bruch seines Menschentums. Diese Magie ruft nicht die Sorge her= bei, umgekehrt: Fausts Verzweiflung ruft die Magie. Sorge wird durch Magie unterdrückt und liegt nur zu unterst, zu Grunde. Sorge ist für die Dauer der Wirksamkeit der Magie ausgeschaltet. Leiden und Scheitern sind scheinbar ne= giert. Aus eigener Vollkommenheit erhebt sich ein System des Willens und Zau= berns gegen das Heile. Fausts Magie ist Summe des Paktes mit dem Teufel.

In der Hexenküche unterstreicht Faust, daß er sich „nicht bequemen" kann zu einer natürlichen Verjüngung. Er trinkt das Elixier und steigt aus einem Leben aus, das als Ruine hinter ihm zurückbleibt. Seine Verjüngung verknüpft sich mit dem im Irdischen suchenden Eros. Durch Fausts Verwechslung von Abbild und Urbild wird das aufs Unbedingte gerichtete Streben abgelenkt. Die erotisch= diesseitige Magie führt Faust über Gretchen zu Helena, auf den Gipfel magischer Mächtigkeit. Die Erfahrung von *Helenas Verlust* wird entscheidend. Der Flügel des Magiers erlahmt, Macht der Magie wandelt sich in Magie der Macht. Das

Streben ins Absolute ist aufgegeben. Magie wird als Mittel zur Herrschaft, zu deren Erringung und Behauptung alle Mittel recht scheinen, für Faust ein not= wendiges Übel. Verzichtend auf das Unbegrenzte, fordert er von ihr die Mittel zur Erreichung seines nunmehr endlichen Zweckes. Faust fühlt, daß Mephisto die Schau der Welt und ihres Zusammenhaltes im Innersten nicht bieten will und kann, weil das Innerste von Welt und Mensch eben der Ort des Transzen= denten und Transzendierens ist. Ohne sich von der Verschiedenheit von Wunsch und Wirklichkeit Rechenschaft abzulegen, steckt er die Ziele ins Positive. Als sich die magischen Mittel in ihr Gegenteil verkehren, als er die Taten der Krea= turen, die er machte, nicht mehr von sich weisen kann —

„Geboten schnell, zu schnell getan" — (11382)

ist Faust reif zur Erkenntnis der Hinfälligkeit seines magischen Weges. Mit dem „Weltbesitz" sind die positiven Ziele für den Einsatz magischer Mittel erschöpft. Max Kommerell beschreibt treffend Magie als „ein Mehr". Dieses Mehr bietet die Welt nicht. So wendet sich nun Magie am Ende gegen das letzte vorhandene Mehr, gegen ihren eigenen Träger. Frei von ihr für echte Zeit, für echten Tod zu werden, wünscht der Sterbende.

„Könnt' ich Magie von meinem Pfad entfernen." (11404)

Magie war lediglich Aussetzen der Zeit, dramatischer Irrweg, mißglückte Flucht aus den Fragen des Menschlichen, ein in sich geschlossener, leer gelaufener Zir= kel. Mit dem V. Akt ist auf Grund des Scheiterns der Magie die Situation existen= tieller Unsicherheit des Anfangs wiederum gegeben, belastet allerdings durch die Schuld, die dem Griff über das Zugemessene folgt und im Gebrauch unnatür= licher und die sittliche Ordnung zerstörender Mittel liegt.

Magie war, auf die Sorge bezogen, noch mehr: war gewaltsame Stauung, Ver= stärkung jener Mächte durch Verdrängung, Vorbedingung gesetzmäßiger Wir= kung der Sorge.

Fausts Magie kam nur zustande durch den Teufelspakt. So hat Goethe dieses Phänomen klar abgegrenzt und — gerade in aller welthaltigen Ausbreitung und Darstellung im Gewande der Dichtung — als Bereich des Unheils gezeigt.

Vorbereitung für Kap. „Studenten und Hexen":

nötig: Studiere 1868—2050, 2073—2336, 2337—2604, 6566—6818!
         Überlege: Der geistige Weg vom Schüler zum Baccalaureus.

möglich: Referate: Studentenkomment im 18. Jahrhundert.
         J. J. Rousseau und das Naturrecht.

         Arb.=Gem.: Vorbereitung der Schülerszene mit verteilten Rollen.
         Vorbereitung der Baccalaureusszene mit verteilten Rollen.
         Anspielen von „Auerbachs Keller".

Studenten und Hexen

„Es kommt mir wahrlich das Gelüsten,   (6586)
Rauchwarme Hülle, dir vereint
Mich als Dozent noch einmal zu erbrüsten,
Wie man so völlig recht zu haben meint.
Gelehrte wissen's zu erlangen,
Dem Teufel ist es längst vergangen."

Mephisto muß an der Hybris des Rationalen ansetzen, muß dort Zweifel und Verwirrung säen, in dem Bereich der Universität. So wird die Gelehrtentragödie zugleich Universitätssatire.

Traf die Figur des Famulus Wagner die pedantischen Wortklauber und Eklek= tiker als Lehrende, verspottet die Schülerszene das Fakultätswissen und den Leerlauf des Universitätsbetriebes. „Auerbachs Keller" geißelt den Ungeist und die Flachheit der Studenten. Die „Hexenküche" übersteigert schließlich Wissen und gelehrte Magie ins Paradoxe.

Ein *Schüler*, ein junger Mensch unmittelbar aus der Hut der Mutter, unwis= send und unerfahren, unberaten für die Wagnisse des Geistes —

„Und in den Sälen auf den Bänken   (1886)
Vergeht mir Hören, Sehn und Denken."

„Mir wird von alle dem so dumm,   (1946)
Als ging' mir ein Mühlrad im Kopf herum" —

findet sich an der Universität nicht zurecht —

„In diesen Mauern, diesen Hallen   (1882)
Will es mir keineswegs gefallen" —

und kommt, den weitberühmten Gelehrten um Rat zu fragen. Was er mitbringt, ist seine Jugend, „guter Mut", „leidliches Geld" und „frisches Blut" und der Wunsch nach

„Ein wenig Freiheit und Zeitvertreib   (1906)
An schönen Sommerfeiertagen."

Er weiß nicht, was er studieren soll, jedenfalls er

„Möchte gern was Rechts hieraußen lernen."   (1879)

Das ist sein Auftrag, vielleicht sind es sogar die Worte seiner Mutter. „Dumpfes, warmes, wissenschaftliches Streben" schreibt ihm im Gegensatz zu Wagners „hellem, kalten" ein Paralipomenon (um 1798) zu. Gefragt, weist er, darin Faust nicht unähnlich — wie er mit Wagner zusammen den geistigen Raum des Gelehrten ergänzt — mit fast kindlicher Unbefangenheit in das unendliche

Feld der Wissenschaft, auf dem doch eben selbst ein Geist wie Faust ver=
zweifelt ist.

> „Ich wünschte recht gelehrt zu werden, (1898)
> Und möchte gern, was auf der Erden
> Und in dem Himmel ist, erfassen,
> Die Wissenschaft und die Natur."

Träfe der Schüler Faust, er möchte wohl mitfühlenden Rat finden, aber er
trifft, uneins mit sich und deswegen besonders anfällig, auf die Hülle des Ge=
lehrten, in der der Teufel steckt. Wie könnten sich die Sphären frischer Jugend
und überscharfen Intellekts anders begegnen? „Vernunft und Wissenschaft"
sind aber nach Mephistos eigenen Worten „des Menschen allerhöchste Kraft"
(1852). Deswegen erleichtert Mephisto den Eintritt in die gelehrte Welt ebenso=
wenig wie er als Teufel dem Jungen zu seinem Guten rät.

Zweimal muß Mephisto nach der Studienrichtung forschen, erst fragend (1897),
dann befehlend (1968). Denn der Schüler verliert sich in vage, unendliche Vor=
stellungen, so daß Mephisto erst einmal strenge Zucht anrät — Ökonomie der
Zeit (1908), „beste Ordnung" (1909, 1955), Pünktlichkeit (1956/57), sorgfältige
Vorbereitung auf das übliche Durchsprechen des Lehrbuches (1958—1961) — in
der Artistenfakultät, dem studium generale, was dem Fachstudium vorausgeht.
Zu dieser Dressur im Collegium logicum gehöre Zwang, der wie in dem Folter=
werkzeug der „spanischen Stiefel" (1913) den Geist beschränke. Das geistige
Leben zwar schaffe, wie der Erdgeist, intuitiv, in Freiheit und aus Fülle —

> „Ein Schlag tausend Verbindungen schlägt" — (1927)

allein die „Schüler aller Orten" (1934) rühmten das Zerlegen und Zergliedern
des Philosophen, den Positivismus, weil sich dann lernbare Fakten „getrost
schwarz auf weiß nach Hause tragen" (1966) ließen, auch wenn dabei der Geist
verlorengehe.

> „Wer will was Lebendigs erkennen und beschreiben, (1936)
> Sucht erst den Geist heraus zu treiben,
> Dann hat er die Teile in seiner Hand,
> Fehlt leider! nur das geistige Band.
> Encheiresin naturae nennt's die Chemie,
> Spottet ihrer selbst und weiß nicht wie."

Dieses geheime, geistige Band leistet erst der Handschlag der Natur, Encheiresis
naturae. Den Ausdruck prägte (aus griechisch χειρῆ = die Hand) Jakob Rein=
hold Spielmann, Professor für Chemie und Botanik, bei dem Goethe in Straß=
burg hörte. Auch Erfahrungen der Leipziger Studienzeit werden hier Bild.

„In der Logik kam es mir wunderlich vor, daß ich diejenigen Geistesoperationen, die
ich von Jugend auf mit der größten Bequemlichkeit verrichtete, so auseinanderzerren,
vereinzeln und gleichsam zerstören sollte, um den rechten Gebrauch derselben einzu=
sehen." (Dichtung und Wahrheit, 6. Buch)

Goethe blieb zeitlebens ein entschiedener Gegner der analytischen Methode, die „alles reduzieren und gehörig klassifizieren" (1944) muß. Es sei nur an seine Auseinandersetzung mit der Physik Newtons in der „Farbenlehre" erinnert. Die Ablehnung des Zerlegens gilt gleicherweise für Physik und Metaphysik und wirkt beißend im Munde Mephistos.

Endlich beantwortet der Schüler in seiner Hilflosigkeit die Frage nach der Fakultät nur negativ, indem er das Studium der Rechtsgelehrsamkeit für sich ablehnt. Mephisto unterstützt ihn darin entschieden. Denn das alte historische Recht war längst unübersichtliches Durcheinander und Gegeneinander von Titeln und Privilegien geworden. Goethe kannte aus eigener Erfahrung das Recht des alten Heiligen Römischen Reiches deutscher Nation sehr wohl. Am Reichskam=mergericht in Wetzlar zogen sich Prozesse manchmal über Jahrzehnte, ja über ein Jahrhundert. Mephisto klagt dieses alte Recht wie eine Seuche an.

> „Es erben sich Gesetz' und Rechte   (1972)
> Wie eine ew'ge Krankheit fort,
> Sie schleppen von Geschlecht sich zum Geschlechte
> Und rücken sacht von Ort zu Ort.
> Vernunft wird Unsinn, Wohltat Plage;
> Weh dir, daß du ein Enkel bist!"

Mephisto stellt das Naturrecht gegenüber, das besonders Jean Jacques Rousseau neu proklamierte und das umwälzende Bewegungen wie Sturm und Drang und Französische Revolution hervorrief.

> „Vom Rechte, das mit uns geboren ist,   (1978)
> Von dem ist leider! nie die Frage."

Das Wort entbehrt nicht eines Doppelsinnes. Ist es doch der Teufel, der es ausspricht. So nötig Befreiung von dem erdrückenden Erbe der Vergangenheit ist — Faust durchlebt dieselbe Situation der Wissenschaft seines Vaters gegen=über — so unheilvoll und eben teuflisch wird die absolute, ungebundene Freiheit. Mephisto fordert Freiheit von alten Bindungen und verachtet doch das ungebun=dene Volk, obwohl es ihm leichter zufällt.

> „Das Volk ist frei, seht an, wie wohl's ihm geht!"   (2295)

ruft er in „Auerbachs Keller" Faust zu.

Mephisto ist unangenehm berührt, als der Schüler nun den Weg zur Theolo=gie sucht. Was Wunder, daß der Teufel die Gottesgelehrsamkeit nicht schätzt.

> „Was diese Wissenschaft betrifft,   (1984)
> Es ist so schwer, den falschen Weg zu meiden,
> Es liegt in ihr so viel verborgnes Gift,
> Und von der Arzenei ist's kaum zu unterscheiden."

Mephisto sieht in der Theologie nichts als blindes Tasten und Haarspalterei, weil diese Fakultät nicht einmal über einen echten Begriff verfüge.

> „Im ganzen — haltet euch an Worte!"   (1990)

Achtmal wiederholt das Gespräch das Nomen „Wort": so hämmert Mephisto — Argumente hat er nicht — dem Schüler ein, daß Theologie nichts als Worte= machen sei. Er atmet sichtlich auf, als er auch zur Medizin ein Wörtchen sagen kann. Dort nämlich bedürfe man keines strengen Gewissens —

> „Der Geist der Medizin ist leicht zu fassen; (2011)
> Ihr durchstudiert die groß' und kleine Welt,
> Um es am Ende gehn zu lassen,
> Wie's Gott gefällt" —

man müsse nur kühn auftreten und Vertrauen erwecken (2015–2022). Mephisto sagt „Vertrauen", bald aber „Vertraulich"=keit; denn er wittert hinter dieser Wissenschaft sogleich den Trieb nach Geschlecht.

> „Besonders lernt die Weiber führen..." (2023)

Jetzt natürlich fängt der Schüler Feuer, und Mephisto hält es für geraten, durch ein Paradoxon ihn jäh zu ernüchtern.

> „Grau, teurer Freund, ist alle Theorie, (2038)
> Und grün des Lebens goldner Baum."

Gleichsam als Motto der Stunde schreibt Mephisto in des Schülers Stamm= buch, in das sich nach der Sitte jener Jahrhunderte alle Professoren eintrugen, I. Mose 3, 5: „Eritis sicut Deus, scientes bonum et malum" (Ihr werdet sein wie Gott und Gut und Böse kennen). Dem verwunderten Jungen ruft er nach, daß bei dieser Hybris der Gottähnlichkeit und dieser sinnlichen Triebhaftigkeit das „Bange=werden", Angst, Zweifel, wohl auch Verzweiflung, nicht ausbleiben. Mephisto hat sie geweckt.

Die Handlung spielt diese Möglichkeit am Schüler nicht noch einmal durch. Sie führt vielmehr in den Sumpf studentischen Lebens, wo hohes und höchstes Streben im Glas ersäuft wird. Wir treffen den Schüler in der Tragödie zweitem Teil wieder, als Mephisto den „paralysierten" (6568) Faust im alten Studier= zimmer birgt. Der Schüler ist inzwischen zum *Baccalaureus* promoviert, ignorant und frech.

> „Aber weiter bringt mich keiner." (6700)

Er ist vom Wissensdurst und vom Glauben an Wissen und Wissenschaft längst geheilt, oder besser, er hat das Unbefriedigende nicht erfahren, weil er nie er= fahren hat, was Wissen ist.

> „Gesteht! was man von je gewußt, (6760)
> Es ist durchaus nicht wissenswürdig..." —

Er ist willens, den „Schnack" (6706) von damals jetzt zurückzuzahlen.

> „Wir passen nun ganz anders auf. (6740)
> Ihr hänseltet den guten treuen Jungen;
> Das ist Euch ohne Kunst gelungen,
> Was heutzutage niemand wagt."

Mephistos Lehre vom Naturrecht, „das mit uns geboren", hat überreiche Frucht getragen (6774–6789). Der Baccalaureus verkörpert eine andere Studentengeneration, die der Befreiungskriege: ohne Zopf und Perücke des Rokoko, mit offenem Kragen und fliegenden Haaren, im „Schwedenkopf" (6734), erfüllt von Fichtes Philosophie des „absoluten" Ich (6736), grob und unhöflich, lärmend teutsch, weil der Meinung:

> „Im Deutschen lügt man, wenn man höflich ist." (6771)

„Wir sprachen über die Figur des Baccalaureus. ‚Ist in ihm', sagte ich, ‚nicht eine gewisse Klasse ideeller Philosophen gemeint?' ‚Nein', sagte Goethe, ‚es ist die Anmaß‑ lichkeit in ihm personifiziert, die besonders der Jugend eigen ist, wovon wir in den ersten Jahren nach unserm Befreiungskriege so auffallende Beweise hatten. Auch glaubt jeder in seiner Jugend, daß die Welt eigentlich erst mit ihm angefangen und daß alles eigentlich um seinetwillen da sei.'" (Gespräch mit Eckermann, 6. 12. 1829)

Das Alter wird abgeschrieben, nur das Junge und Tüchtige hat Lebensrecht, objektives Denken ist überflüssig.

> „Erfahrungswesen! Schaum und Dunst!" (6758

Das „gottähnliche" Ich schafft allein aus sich die Welt (6793–6806).

> „Wenn *ich* nicht will, so darf kein Teufel sein." (6791)

> „Die Welt, sie war nicht, eh' *ich* sie erschuf." (6794)

> *Ich* aber frei, wie *mir's* im Geiste spricht, (6803)
> Verfolge froh mein innerliches Licht,
> Und wandle rasch, im *eigensten* Entzücken,
> Das Helle vor mir, Finsternis im Rücken."

In vielem erinnert der Baccalaureus an das Wesen Fausts, der abseits bewußtlos liegt, an das Streben ins Licht und an das titanische Ich. Und die „Bange" vor der eigenen „Gottähnlichkeit" wird kommen. Bereits jetzt stellt Mephisto fest:

> „Der Teufel hat hier weiter nichts zu sagen." (6790)

Er nimmt ihn aber, der nicht einmal den Rang eines Magisters, geschweige den eines Doktors erreicht hat, nicht so ernst, weil er weiß, daß sich hier nur „Most ganz absurd gebärdet" (6813). Most: Jugend in Gärung, nicht Fausts unendliches Streben; Gebärde: der Baccalaureus gibt sich mit der Geste des Ge‑ lehrten, ihm fehlt das Unbedingte, Ziel und Einsatz.

Schreitet die Jugend einerseits rücksichtslos über die Leistung der Vorgänger weg, versandet sie andererseits, kaum nachdem sie begonnen. Die Welt der ver‑ bummelten und saufenden Studenten mit all ihren Derbheiten und Zoten stellt *„Auerbachs Keller"* dar. Das Säuferquartett, das sich auch als Sängerquartett übt, ist so recht ein Bild aus einer komisch=satirischen Oper. Die Zustände des Heiligen Römischen Reiches, die im ersten Akt des zweiten Teils begegnen, spie‑

geln sich im Spott der Studenten ebenso wie die leichten Studentenliebchen aus „Klein=Paris", wovon schon der „Schelmuffsky" Christian Reuters wußte. Dabei wird auf den Blocksberg, auf die Welt der Sinnlichkeit, vorausgedeutet (2113). Mephisto nennt beim Eintreten die Gesellschaft „lustig" (2159).

> „Dem Volke hier wird jeder Tag ein Fest." (2161)

Mephisto pariert den Studentenwitz vom Herrn Hans aus Rippach, einem Dorfe zwischen Weißenfels und Leipzig. Die Leipziger Studentenzeit Goethes wird lebendig, wie ja der historische Keller Auerbachs durch zwei Wandgemälde — Faust pokert mit Studenten und reitet auf einem Fasse — mit der Faustsage verknüpft war. Mephisto singt das Flohlied, eine beißende Satire auf Hofleben und Hofadel, zaubert, „die Freiheit hoch zu ehren" (2245), die in den Hirnen der borgenden Studenten brodelt, Wein nach Wunsch herbei. Auf dem Höhe= punkt, als „das Volk frei" (2295) und wohlauf ist „als wie fünfhundert Säuen" (2294), fordert Faust, der sich passiv und ablehnend verhält, die Abfahrt (2296): der einzige Satz, den er spricht. Mephisto will ihm noch die „Bestialität" (2297) zeigen, indem er den Zauber durch ein „Flammengaukelspiel" (5987), wie später am Kaiserhofe, teuflisch steigert und aufhebt. Mephisto verfügt über das Feuer, das versengende Element, den Teil des Lichtes, der zerstört.

> „Hätt' ich mir nicht die Flamme vorbehalten, (1377)
> Ich hätte nichts Aparts für mich."

Die Bedrohung — als Zauberer ist er „vogelfrei" (2312) — wehrt Mephisto ab durch Augentrug, durch Zauberei. Als die Studenten sich zerschlagen wieder= finden, liegt ihnen die Begegnung mit dem „Sohn der Hölle" (1397) „bleischwer" (2331) in den Gliedern. Ungewiß zwischen Traum und Wirklichkeit bleiben sie zurück.

> „Nun sag' mir eins, man soll kein Wunder glauben!" (2336)

Faust hat dieses Erlebnis wohl noch mehr angeekelt als das unbefriedigende Gelehrtendasein. Nein, in der Welt der Universität kann der „neue Lebenslauf" nicht beginnen. Mit dem Satyrspiel also endet die erste Tragödie Fausts, die des Gelehrten.

Faust tritt in eine neue Sphäre hinüber, in die Welt Gretchens. Dazu bedarf es der Verjüngung, welche die Magie ihm leisten soll in der *Hexenküche*.

Faust „widersteht das tolle Zauberwesen" (2337), der „Wust von Raserei" (2339), aber er fügt sich, weil er sich zum natürlichen Mittel des Jungwerdens, einem natürlichen Leben, „nicht bequemen" kann (2350—2364). Faust ist ange= widert; denn den Trank kann nur die Hexe brauen, weil er Geduld brauche (2368—2379). Aber während der Hexenunsinn um ihn her blüht, hat er die große, verjüngende Vision der schönen Frau. Er sieht im Zauberspiegel — einem alten Aberglauben gemäß wie das Sieb, durch das man Diebe sieht (2416) —

„Das schönste Bild von einem Weibe!"   (2436)

Faust wird in allen Fasern erfaßt.

„Weh mir! Ich werde schier verrückt."   (2456)

„Mein Busen fängt mir an zu brennen!"   (2461)

In ihm ist das Bild aufgestiegen, und noch bevor Mephisto die Netze der Sinnenleidenschaft werfen kann, ist Faust, seinem Wesen entsprechend, schon in die Sphäre des Eros aufgestiegen, ohne in der des Sexus zu verweilen.

„O Liebe, leihe mir den schnellsten deiner Flügel,   (2431)
Und führe mich in ihr Gefild!"

Faust hat kein Ohr für die obszöne Unterhaltung Mephistos mit der Hexe; er ist entrückt. Mephisto gibt sich modern, „von Kultur beleckt" (2495), hat das „nordische Phantom" (2497) des Teufelsbildes vertauscht mit der Erscheinung eines Kavaliers (2511), wie auch das Böse, dem massiven Glauben früherer Zei=ten komplementär, jetzt nicht mehr massiv auftritt, sondern versteckt, verfeinert und vielfältig:

„Den Bösen sind sie los, die Bösen sind geblieben."   (2509)

Faust hat keinen Sinn für Beschwörungsformeln und Hexeneinmaleins, das selbst Mephisto als „vollkommenen Widerspruch" (2557) bezeichnet, trinkt den Trank, mit dem wieder die Flamme des Teufels erscheint, eigentlich nur noch wie eine verspätete Arzenei; denn er ist innerlich weit voraus.

„Laß mich nur schnell noch in den Spiegel schauen!   (2599)
Das Frauenbild war gar zu schön!"

Mephisto erkennt nicht den himmelanstrebenden Eros, die sehnende Liebe, und übersieht, wenn er auf den Gipfel der Sinnlichkeit, auf Walpurgis (2590), voraus= deutet und dem durch Zaubertrank Verjüngten jedes Weib für eine Helena (2604) erklärt, daß Faust der Sphäre teuflischer Sinnlichkeit bereits entrückt ist, bevor die Begegnung mit Gretchen überhaupt geschieht.

Wie soll ihn Mephisto mit Sinnengenuß fesseln?

Vorbereitung für Kap. „Gretchen":

nötig: Studiere 2605—2864, 3073—3216, 3374—3413, 3414—3543!

Überlege: Gretchens Wesen (eine Charakteristik).

Lerne: Ballade vom König in Thule!

möglich: Referat: Goethe als Sammler und Dichter von Volksliedern.

Arb.=Gem.: Gretchen als Gegenspielerin Mephistos.
Das Zuhause Gretchens.

Gretchen

Faust, an der Wissenschaft verzweifelt, im Drange nach Erkenntnis vom Erd=
geist zurückgestoßen, von den Extremen des Studienlebens angewidert, durch
Zauber verjüngt, findet sich mit Mephisto auf dem Wege zu neuen Taten.
Gretchen ist es, die in ihren Kreis gerät.
Im schönen Wechsel der Vokale: so spricht Faust sie an.

> „Der Lippe Rot, der Wange Licht, (2613)
> Die Tage der Welt vergeß' ich's nicht!"

Besonders aktiv wirkt das A, aber nicht ohne das EI und ÄU einen Ton Ver=
bindlichkeit anschlagen.

> „Mein schönes Fräulein, darf ich wagen, (2605)
> Meinen Arm und Geleit Ihr anzutragen?"

> „Schaff mir etwas vom Engelsschatz." (2659)

Wird Faust drohend, drängt sich U vor.

> „Und das sag' ich ihm kurz und gut, (2635)
> Wenn nicht das süße, junge Blut ..."

> „Hätt' ich nur sieben Stunden Ruh' ..." (2642)

Ausdruck der Trennung wird das I.

> „So sind wir um Mitternacht geschieden ..." (2638)

In Gretchens Zimmer aber schmilzt sein Laut zu Süße und Weiche.

> „Süßer Dämmerschein, süße Liebespein, Gefühl der Stille, (2687—2711)
> Zufriedenheit, Fülle, Seligkeit, säuseln, kräuseln, säumen,
> träumen ..."

Der verjüngte Faust zeigt sich aller Möglichkeiten bewußt, fähig, Klang und
Stimmung zu verlagern, bewegt und elastisch sein Sprechen.

Faust wird abgewiesen — und ist entzückt, er fordert Gretchen stürmisch —
und vergeht in ihrem Zimmer. Dies gewaltige Innen, das ihn treibt und säumen
heißt, wir spüren es im Rhythmus seiner Worte. Sein flüssiger, vierhebiger Vers,
paarig gereimt, mit dem er Gretchen anspricht, wird durch die ihm widerfahrene
Abweisung nicht zerbrochen. Mit natürlicher Schöne liegt Gretchens Bild über
ihm, adelt sein Denken, mäßigt sein Wort. Als Mephisto dazwischentritt, verliert
Faust diesen schönen Takt. Er stammelt kurze, meist einzeilige Sätze. In der
abendlichen Stube dann klingt sein Vers breiter, vierhebig, bisweilen fünfhebig,
mit kreuzendem Reim. Erst als er sich seiner Absicht wieder bewußt wird, stellt
er zwei paarige Reime gegeneinander.

> „Und du! Was hat dich hergeführt? (2717)
> Wie innig fühl' ich mich gerührt!
> Was willst du hier? Was wird das Herz dir schwer?
> Armsel'ger Faust! ich kenne dich nicht mehr."

Wie er sich müht, den Zauberduft um ihn gedanklich zu umfassen, so um=
schließt sein männlicher Reim ein weicheres, weibliches Reimpaar.

> „Umgibt mich hier ein Zauberduft?   (2721)
> Mich drang's, so grade zu genießen,
> Und fühle mich in Liebestraum zerfließen!
> Sind wir ein Spiel von jedem Druck der Luft?"

Mit der gewonnenen Klarheit löst sich die Stauung wieder im kreuzenden Reim.

> „Und träte sie den Augenblick herein,   (2725)
> Wie würdest du für deinen Frevel büßen!
> Der große Hans, ach wie so klein!
> Läg', hingeschmolzen, ihr zu Füßen."

Es ist der Faust, dessen Takt und Ebenmaß vor Mephistos Antlitz zerbricht,
der den Andern erst entfernen muß, um sein lyrisches Wesen auszusagen.

Hier bricht bei Faust jenes Gefühl des Sehnens nach Erlösung und Glück wie=
der auf, das die „Himmelstöne" der Osterglocken, den „Abendstrahl" der sin=
kenden Sonne und die endliche Erlösung empfangen kann. Unter allen Stürmen
dieses durchkämpften, verzweifelten Lebens schwingt ein lyrisch=sehnender Ton.

Mephisto dagegen wird nie lyrisch, er spricht stets spitz und intrigant. Ein
Mephisto fällt nie aus der Rolle, wie etwa Faust später bei der Beschwörung der
Helena. Er ist immer er selbst; Verneinung ist ihm eingeschrieben. Weil er nur
ein negatives Innen hat, verliert auch das Außen als der unverwechselbare Aus=
druck eines Innen bei ihm an Bedeutung. Ob er sich verkleidet, ob er sich Formen
und Rhythmen anpaßt, sich von „Kultur belecken" läßt: dahinter steht immer
das gleiche Nichts.

Hier nun spricht man im vierhebigen Vers. Mephisto spricht ihn auch. Er fällt
nicht aus Vers, Reim und Rhythmus, weder als er von Faust hinausgewiesen —

> „Faust: Ich bitte dich, laß mich *allein!*   (2685)
> Mephisto: Nicht jedes Mädchen hält so *rein.*" —

noch als er von ihm angefahren wird. Ja, mühelos vollendet er meist Fausts an=
gebrochene Zeile:

> „Faust: Und soll sie sehn? sie haben?   (2667)
> Mephisto: Nein!
>   Sie wird bei einer Nachbarin sein."

> „Faust: Können wir hin?   (2672)
> Mephisto: Es ist noch zu früh ... "

> „Faust: Ich weiß nicht, soll ich?   (2737)
> Mephisto: Fragt ihr viel?"

Mephisto ist diabolisch glatt, von jener furchtbaren Kälte, die sagen kann:
„Sie ist die erste nicht!"

Gretchen nun bevorzugt in ihrem Sprechen den Umlaut: AU und EI.

„Draus, Haus, Schauer, Leib, Weib, herein, Schrein,   (2754—2792)
Edelfrau."

Sie weicht manchmal etwas vom Versmaß, verbleibt aber im Reim. Wollte man daraus Natürlichkeit und Selbständigkeit schließen, gäbe ihre Antwort auf Fausts Ansprechen recht. So sicher antwortet kein nur erzogener Mensch, der überrascht wird. Und doch ist sie noch ganz Mädchen, bürgerlich erzogenes Mäd= chen. Der Dichter weist in Anmerkungen auf ihre Zöpfe und die Reinlichkeit des Zimmers hin, die Faust sofort spürt. Die Eindrücke sind ihr unheimlich, können nicht bewältigt werden. Am Spiegel entpuppt sich ein Flug Eitelkeit. Schielten ihre Augen vielleicht noch nach den Leuten, fürchtete sie die Mutter, als sie Faust abwies, bald wird sie der Mutter Hut fliehen, sich freier zu bewegen. Ein Mäd= chen, in dem die Frau erwacht, ein Mädchen, das die Hüllen der Reife auftun will.

> Faust: „Mein schönes Fräulein, darf ich wagen,   (2605)
> Meinen Arm und Geleit Ihr anzutragen?
>
> Margarete: Bin weder Fräulein, weder schön,
> Kann ungeleitet nach Hause gehn."

Faust spricht Gretchen an und wird mit jenen klassischen Worten abgewiesen, die, aus dem Augenblick geboren, den Gegner mit seinen eigenen Worten schla= gend, völlige Gegenwart eines selbstbewußten Geistes mit mädchenhafter Spröde vereinen. Aber: es sind doch Fausts Worte, wenn auch gegen ihn gewendet; in= dem sie ihn abweist, spricht sie doch mit Faust. Ein tiefer Eindruck! Faust staunt hinterher, entzündet und entzückt.

Die Abweisung war zwiefach notwendig. Die Beleidigung ist offensichtlich: lichter Tag, „Fräulein", die Anrede adliger Damen für ein einfaches Bürger= mädchen, dem nur die Anrede „Jungfer" gebührt. Ein Geniemensch durchbricht die Ordnung der Welt. Die Abweisung wertet aber auch das holde Bild auf, höht es, mehrt Fausts Verlangen.

> „Wie sie kurz angebunden war,   (2617)
> Das ist nun zum Entzücken gar!"

Faust wird sich dessen bewußt und ist doch schon an Mephistos Antlitz ins Gemeine abgeglitten.

> „Hör, du mußt mir die Dirne *schaffen!*"   (2619)

Eben hatte er noch „Fräulein" gesagt. Es ist nicht unwesentlich, an wem man zu sich kommt. Wo Mephisto ist, kann nur Niedrigkeit sein; denn er kann seiner Natur nach Liebe nicht erfassen. Man steht erschüttert vor dem Faust, dessen verzückte Worte eben verklungen sind, der jetzt, nach Hertritt des Bösen, rast, nur noch Trieb, daß selbst Mephisto der Scherz (= „Schimpf") zu weit geht:

> „Jetzt ohne Schimpf und ohne Spaß.   (2654)
> Ich sag' Euch: mit dem schönen Kind
> Geht's ein= für allemal nicht geschwind."

Weiß Mephisto doch von ihrer Unschuld und Beichte.

> „Über die hab' ich keine Gewalt." (2626)

Allein Faust, der Rasende, schiebt Mephistos Einwände von Sitte und Schick=
lichkeit, von Gelegenheit und Zubereitung einfach beiseite mit frivolen Worten
wie

> „Ist über vierzehn Jahr doch alt." (2627)

> „Hab' Appetit auch ohne das." (2653)

> „Hätt' ich nur sieben Stunden Ruh, (2642)
> Brauchte den Teufel nicht dazu,
> So ein Geschöpfchen zu verführen."

> „Laß' er mich mit dem Gesetz in Frieden! (2634)
> Und das sag' ich ihm kurz und gut:
> Wenn nicht das süße junge Blut
> Heut nacht in meinen Armen ruht,
> So sind wir um Mitternacht geschieden."

Trotz seiner Verpflichtung muß Mephisto Faust hinhalten, aufputschen und
mehr und mehr in die Fesseln seiner zerstörenden Niedrigkeit schlagen. Gewiß:
er läßt sich zum Diener machen; aber Faust zieht er mit herab. Die Sinnengier
wird der Ansatz, wo der Teufel die Herrschaft gewinnen will. Ganz auf dieser
Linie liegt dann auch sein Vorschlag, ihn in ihr Zimmer zu führen, ihn an ihrem
Dunstkreis, an ihrem Bett immer toller zu machen. Wer ist hier das „Püppchen",
das „geknet' und zugericht" wird? Der blinde Faust. Sein Geschenk ist Mittel
zur Verführung, Kauf, nicht Werbung, die Absicht.

Faust, der mit Mephisto in Gretchens Zimmer tritt, muß den ungerührten
Spötter entfernen, bevor er sich dem Dämmerschein des „Heiligtums" (2688) hin=
gibt. Diese Atmosphäre reinigt und erhebt. Faust ist umgewandelt, ist ganz anders. Das Zerstörende ist ihm fern. Er fühlt sich ein in die Ordnung des Zimmer=
chens, die Dinge gewinnen verwandelndes Leben, Armut wird Fülle, Kerker wird
Seligkeit. Ein Lehnstuhl wird zum Väterthron, der Ahnherr lebendig inmitten
einer Kinderschar, sein Mädchen darunter, fromm des Ahnherrn welke Hand
küssend. Tischdecke und Streusand lassen ihre Hand spüren.

> „O liebe Hand! so göttergleich! (2707)
> Die Hütte wird durch dich ein Himmelreich."

Im Blick auf ihr Bett sieht er das Kind, den ihrem Wesen eingeborenen Engel
sich zum Götterbild entfalten. Jetzt, wo er gedanklich den Schritt zum Ziel seiner
Wünsche tun müßte, wird er sich seiner Intimität und der Dreistigkeit seiner
Gedanken bewußt. Er weiß wieder, wer er ist und was er tut.

> „Und du! Was hat dich hergeführt? (2717)
> Wie innig fühl' ich mich gerührt!
> Was willst du hier? Was wird das Herz dir schwer?
> Armsel'ger Faust! ich kenne dich nicht mehr."

Jetzt empfindet er sein Denken und Tun als Frevel. Er müßte vor ihr vergehen, „käme sie den Augenblick herein". Er schämt sich. Er liebt.

Mephisto, der Faust nicht länger sich selbst überlassen kann, kehrt zurück mit der Kunde von Gretchens Kommen. Im Bewußtsein der verderblichen All= macht des Goldes hat er ein Kästchen Schmuck mitgebracht. Faust zögert. Mit wenig Spuk stellt es Mephisto selbst in den Schrein. Faust, der Liebende, be= greift das Tun um ihn nicht; nie will er wiederkehren.

> „Und Ihr seht drein, (2748)
> Als solltet Ihr in den Hörsaal hinein,
> Als stünden grau leibhaftig vor Euch da
> Physik und Metaphysika!"

Mephisto drängt ihn fort. Faust bleibt an den Teufel gekettet.

Gretchen ist von der Begegnung tief berührt.

> „Ich gäb' was drum, wenn ich nur wüßt', (2678)
> Wer heut der Herr gewesen ist!"

Als sie nun zurückkehrt, fühlt und spürt sie die Situation. Beklommen und versonnen singt sie eine alte Ballade.

Wann, wo wird dieser „König in Thule" gesungen? Ein Mädchen singt ihn in ihrem gewohnten Schlafgemach, in dem plötzlich etwas anderes ist. „Mir läuft ein Schauer übern ganzen Leib — Bin doch ein töricht furchtsam Weib!" Kann man das Alleinsein mit sich selber inniger vorstellen als in einem Mädchen, das sich zum Schlaf entkleidet? Sie tut alles von sich ab, ist nur noch sie, dann kommt der Schlaf: dazwischen Gedanken und Gefühle, ungewollt, ungestanden. Sie hat den Mann gesehen, der sie anredete und den sie abwies. An den sie doch am Abend denken mußte, als sie vor dem Ausgehen ihre Zöpfe aufband. Dazwischen ist er dagewesen, hat auf ihr Bett geblickt, er und sein dämonischer Geselle. Die Luft ist belagert, ihr Schicksal hat schon begonnen, sie weiß und versteht es nicht, aber es ist da, spricht aus ihr selber, und sie fährt zusammen. Und so singt sie den „König in Thule". Man sollte nicht fragen, was er mit ihr zu tun hat; sie singt ihn, gerade weil er ein fremdes, altes Lied ist. Das betroffene Herz ist, anders als sonst, sehr alten oder auch ganz neuen Dingen und dem Besuch aller Geister aufgetan. Da fallen uns Lieder ein, oder wir machen sie gar selber; Lieder, von denen wir nicht wußten, daß sie in uns waren ... ein einsamer, von geahntem Schicksal betrof= fener Mensch ... wird von der Ballade angeweht; weil sie ihm fremd ist, löst sie die Bangigkeit seines Herzens. Ein Mensch entrückt sich selbst, wenn er so etwas singt ..." (Max Kommerell, in: Gedanken über Gedichte, 1943, S. 331, zit. nach Trunz, HA III, 515)

Die Ballade ist Gretchens Stimmung. Wir bewundern den Griff, der den Dich= ter des Beschreibens, der Selbstschilderung im Monolog enthebt. Innenraum er= scheint als Vorgang.

> „Es war ein König in Thule ..."

So hebt ein Märchen an: „Es *war* ein König." Es ist lange her. Einst aber gab es diesen König, wie es einst noch echte Könige gab: Herren, hervorgehoben und

Vorbild, Herren über sich selbst. Die Zeit liegt so weit zurück, wie ferne sein Reich ist: Thule, die Insel im hohen Norden, die heute Island heißt, das Land alter germanischer Überlieferung, das Land der Treue. Dort war er König, war der Erste von allen.

> „Gar treu bis an das Grab..."

Seine Geliebte — denn „Buhle" bedeutet ursprünglich den Menschen, den man lieb hat — übergab ihm, als sie schied, einen goldenen Becher. Nur dies eine Pfand des Andenkens gab sie ihm. Im Geben und Empfangen geschah die letzte Kommunikation der Liebe, und der Becher sollte das Gemeinsame als Zeichen des Erinnerns fortsetzen. Er war aus purem Golde, echten Stoffs, vollkommener Form: ein reines Gefäß. Nicht Gold um des Goldes willen, sondern des Ranges des Gefäßes willen, Gefäß um des Inhaltes willen. Nicht Wein war das, Wein war nur Zeichen der Gemeinschaft, Inhalt waren Liebe, Treue, Er=Innerung. Und jedes Mahl ward ein Mahl des Gedächtnisses, bei dem sich unter Tränen eine geistige Vereinigung vollzog.

> „Es ging ihm nichts darüber,
> Er leert' ihn jeden Schmaus;
> Die Augen gingen ihm über,
> So oft er trank daraus."

Alles konnte der Gealterte vererben, Städte, Reich, nicht aber den Becher. Das Symbol einer einmaligen Liebe war nicht übertragbar. Es ist die Sterbestunde eine heilige Stunde und der Becher war ein „heiliger Becher". Darum beging der „alte Zecher" feierlich das letzte Mahl: als Königshandlung, im Kreise der Ritter, im alten, traditionsreichen Saal, auf dem ererbten „Schloß am Meer", nahe dem unendlichen Element. Ein letztes Mal feierte er das Gedenken der Liebe, die Leben ist,

> „Trank letzte Lebensglut",

dann gab er den Becher dem Element des ewigen Werdens hin zum Zeichen. Mit dem Einsinken des Gefäßes ins Unendliche gab er auch sich den Elementen.

> „Die Augen täten ihm sinken,
> Trank nie einen Tropfen mehr."

Liebe hielt in Gestalt der Treue bis zum letzten Augenblick.

> „Es war ein König in Thule,
> Gar treu bis an das Grab..."

Liebe ist eine Gabe, die von Urmächten kommt und nur den Urmächten zurückgegeben werden darf.

Einfach und getragen schreiten die dreihebigen, nie pedantisch strengen Jamben dahin, volksliedhaft der Kreuzreim, klar die Klänge, die am Anfang dumpf das U anstimmt, die sich von innen her durch Alliteration verklammern (Gar=

Grab, Thule=Trank=Tropfen, Buhle=Becher). Eine echte Volksballade, einfach und unendlich. Dieser Ton ist so schlicht und so groß, daß er die Seele trägt, die sich in ihm ausruht, daß er die Seele stimmt, die durch ihn Unendliches unbewußt ergreift.

Die Ballade ist Gestimmtheit Gretchens: ihr noch unbewußtes Bereitsein zu Liebe und Treue „bis ans Grab", ihr tiefst ruhender Grund inmitten der Unruhe.

Die Ballade wirkt Kontrast: ihr *goldener Becher*, Gefäß der Liebe, ist Gegen= teil zum *Gold des Kästchens*, das die Versonnene beinahe aus der Fassung wirft. Fiebernde Eitelkeit erwacht, übersieht die Fremdheit des Schmuckes. Das Weib= liche, besser: Menschliche läßt die Arme schuldig werden. Der blendende Glanz, die versteckte Dämonie des Goldes, macht Gretchen sprechen:

> „Was hilft euch Schönheit, junges Blut?   (2798)
> Das ist wohl alles schön und gut,
> Allein man läßt's auch alles sein;
> Man lobt euch halb mit Erbarmen.
> Nach Golde drängt,
> Am Golde hängt
> Doch alles! Ach wir Armen!"

Gretchen erwacht zum Weib und wird schon in den Bann ihres Verhängnisses gezogen. Faust braucht fast unbewußt, wie im Monolog „Nacht" (398) das Wort „Kerker" (2694). Die Orte, die Faust berührt, kommen in geheimes Einverständ= nis zu jenem letzten Orte der Tragödie Gretchens. Neue Tragik ist geboren: das reine Anschauen Fausts ist entblößt und erniedrigt; der Trieb kettet Faust an den Teufel und macht indifferent; der Verteufelte aber muß Gretchen lieben, die von der Liebe erfaßt wird und die Lockung des Goldes verspürt.

Aber auch die einzige echte Gegenspielerin Mephistos tritt mit Gretchen in die Handlung ein. Hat Faust die Mächte des Heilen in sich zerstört, so treten sie ihm nun in Gretchen gegenüber. Er empfindet ihre Unschuld und Reinheit als das Wesen eines Engels (2712), er bekennt es vor Gretchen (3124). Sie hat das feine Sensorium des Engelhaft=Reinen, ahnt die Bezüge.

> „Du ahnungsvoller Engel du!"   (3494)

Sie kann in ihrer Todesnot die Engel anrufen.

> „Ihr Engel! Ihr heiligen Scharen,   (4608)
> Lagert euch umher, mich zu bewahren!"

Mephisto fühlt ihr gegenüber sofort seine Grenze.

> „Es ist ein gar unschuldig Ding,   (2624)
> Das eben für nichts zur Beichte ging.
> Über die hab' ich keine Gewalt!"

Auch er spricht es vor Gretchen aus: „Du gut's, unschuldig's Kind!" (3007). Er weiß sich von Gretchens Fühlen erkannt.

„Sie fühlt, daß ich ganz sicher ein Genie, (3540)
Vielleicht wohl gar der Teufel bin."

Zwischen beiden bestehen immer klare Fronten. Gretchens Liebe kann zwar schuldig werden, sie kann aber nie zum Sinnenkult des Bösen pervertieren. Ihre Stellung wird im Bild der ersten Begegnung symbolisch erwirkt: Gretchen kommt aus der Kirche, von der Beichte, aus der Welt, die Faust in sich zerschlug. Sie wird ihr immer zugehören, auch als Sünderin.

Für Gretchen wird das *Gespräch über die Religion* notwendig. Ihre Liebe, die sie ganz in das Du eingehen heißt, die das Du und seine Welt zu der ihren macht, hindert das Gesicht des Bösen. Zuerst fragt sie Faust:

„Nun sag, wie hast du's mit der Religion?" (3415)

Und als der intellektuell ausschweift und nicht einfach Ja oder Nein antwortet, wie Christus geboten hat, da spricht sie aus, was sie quält.

„Es tut mir lang schon weh, (3469)
Daß ich dich in der Gesellschaft seh'."

Sie spürt das Unheil an Mephistos Gesicht; denn Glanz und Freude strömt nur aus der göttlichen Helle. Mephisto aber ist immer bitter und ironisch (3486). Sie spürt den Teufel geradezu körperlich.

„Seine Gegenwart bewegt mir das Blut". (3477)

„Und seine Gegenwart schnürt mir das Innre zu." (3493)

Sie spürt, daß ihm Kern und Wesen des Lebens, die Liebe, fehlt.

„Es steht ihm an der Stirn geschrieben, (3489)
Daß er nicht mag eine Seele lieben."

Gretchen fühlt ihr Wesen bedroht, das, woraus sie lebt, Liebe und Gebet.

„Daß, wo er nur mag zu uns treten, (3496)
Mein' ich sogar, ich liebte dich nicht mehr.
Auch, wenn er da ist, könnt' ich nimmer beten."

Es wiederholt sich hier das „Nimmer" des Liedes „Meine Ruh ist hin". Ruhe und Gebet gelingen „nimmer". An Gretchen erweist sich erneut, wie die Schichten der Existenz ineinander ruhen und aufeinander bezogen sind. In dem Gespräch geht es um Gretchens — und Fausts Existenz. Gretchen verliert das Ringen, wenn man den Ausgang der Szene bedenkt.

Faust ist ihr jede Antwort schuldig geblieben, ist mit peinlich anzuhörenden Ausflüchten ausgewichen, obwohl er durchaus begriff.

„Du Ungeheuer siehst nicht ein, (3528)
Wie diese treue liebe Seele
Von ihrem Glauben voll,
Der ganz allein

Ihr selig machend ist, sich heilig quäle,
Daß sie den liebsten Mann verloren halten soll."

Faust ist ausgewichen ins Gefühl. Denn das etwa ist es, was er als Religion be=
zeichnet. Ohne Zweifel ein Allgefühl, groß, wie alles an Faust Größe hat. Faust
wird von seiner geistigen Überlegenheit verführt. Zuerst löst er das Positive in
Fragen und Zweifel auf.

"... Wer darf sagen: (3426)
Ich glaub' an Gott?"

"Wer darf ihn nennen? (3432)
Und wer bekennen:
Ich glaub' ihn.
Wer empfinden,
Und sich unterwinden
Zu sagen: ich glaub' ihn nicht?"

Er ruft pansophisch das All an, Makrokosmos und Mikrokosmos zu Zeugen:
Himmel, Erde, Sterne, Auge, Haupt, Herz. Seiner Überlegenheit und seinem über=
vollen Herzen fehlen Worte nicht.

"Und wenn du ganz in dem *Gefühle* selig bist, (3452)
Nenn' es dann, wie du willst,
Nenn's Glück! Herz! Liebe! Gott!
Ich habe keinen Namen
Dafür! *Gefühl* ist alles;
Name ist Schall und Rauch,
Umnebelnd Himmelsglut."

So spricht Faust das Glaubensbekenntnis des Sturmes und Dranges aus, dessen
Sakramente Natur und Gefühl heißen. Begriffe und Grenzen werden aufgehoben,
das Unterscheidende und Unterschiedene verschwimmt, das Entscheidende und
Entschiedene verfließt. Dies Gefühl führt zu Indifferenz. Faust verführt sich und
Gretchen durch große Worte, raffinierte, weil intellektuelle Verführung.

Doch Gretchen geht nicht darauf ein. An die Kirche "muß" man glauben (3421),
die heiligen Sakramente muß man ehren (3423), zur Messe und Beichte muß man
gehen (3425). Ihr ist Indifferenz fremd.

"Wenn man's so hört, möcht's leidlich scheinen, (3466)
Steht aber doch immer schief darum;
Denn du hast kein Christentum."

Sie durchschaut den *Schein*, wie sie Mephisto durchschaut, dem der Schein zu=
gehört, weil sie auf dem Grund des Seins steht. Gretchen ist fromm, gläubig,
dabei doch weder konfessionell noch konventionell. Sie kann noch nach innen
lauschen, hört die Stimme des Gewissens und — im letzten — gehorcht ihr.

Gretchen kommt aus einem festgefügten Bereich. Die Mutter, die sie streng
erzieht, ist ihr Schutz und Stütze.

„Ich wollt', die Mutter käm' nach Haus." (2756)

Die Mutter, fest in ihrem Glauben, hat das feine Gespür für Recht und Unrecht. Sie schenkt das teufliche Gold der Kirche und hebt damit den Fluch auf. Mephisto ist wütend.

„Die Mutter kriegt das Ding zu schauen, (2815)
Gleich fängt's ihr heimlich an zu grauen:
Die Frau hat gar einen feinen Geruch,
Schnuffelt immer im Gebetbuch,
Und riecht's einem jeden Möbel an,
Ob das Ding heilig ist oder profan;
Und an dem Schmuck da spürt' sie's klar,
Daß dabei nicht viel Segen war."

Gretchen ist keineswegs so sicher und fest. Sie ist fromm, aber weniger kirch= lich=positiv. Die Sphäre des Mannes hat sie erfaßt; ihm will sie gefallen.

„Wenn nur die Ohrring' meine wären! (2796)
Man sieht doch gleich ganz anders drein."

An ihn denkt sie, wenn sie ans Geschmeide denkt. Wie könnte der Schenker gottlos sein? Wie könnte ein Geschenk aus Liebe gottlos sein? Gretchen ist mit dem Tun der Mutter im Innern nicht einverstanden, weil in ihr das Geschlecht, die Eitelkeit, der Drang nach Gold erwacht ist.

„Margretlein zog ein schiefes Maul, (2827)
Ist halt, dacht' sie, ein geschenkter Gaul.
Und wahrlich! gottlos ist nicht der,
Der ihn so fein gebracht hierher."

Über Gretchen ist die Unruhe des Aufbruchs aus der Kindheit gekommen. Sie weiß nicht, wie ihr wird (2755), unter „Schauern" (2757) verläßt sie ihre Sphäre.

„Faust: Und Gretchen? (2849)

Meph.:   Sitzt nun unruhvoll,
Weiß weder, was sie will noch soll,
Denkt ans Geschmeide Tag und Nacht,
Noch mehr an den, der's ihr gebracht."

Unter Schauern überschreitet sie die Ruhe und Geborgenheit der Kindheit in die Unruhe der Reife.

Das zweite Kästchen, „weit reicher" (2878), zeigt sie nicht mehr der Mutter. Sie hört auf Marthe Schwerdtleins Rat:

„Das muß sie nicht der Mutter sagen." (2879)

Sie läßt sich bereden, den Schmuck erst heimlich anzulegen (2886) und der Mutter auch etwas vorzumachen (2892). Gretchen ist dem Hang nach Gold er= legen. Jetzt ist die Zeit für Mephisto reif.

„Bin so frei, grad' hereinzutreten..." (2897)

Jetzt trifft sich Gretchen hinter der Mutter Rücken — „Die Mutter würde mich —" (3209) — mit dem Geliebten. Vor dem Bekenntnis seiner Liebe „über= läuft" (3187) sie's. Sie gibt die Liebe zurück: „Bester Mann! von Herzen lieb' ich dich!" (3206). Die Liebende hat die Kindheit verlassen.

> „Beschämt nur steh' ich vor ihm da, (3213)
> Und sag' zu allen Sachen ja."

Der Geliebte ist Gretchens Welt. Ihr Dasein kreist um ihn, um so inniger, je weiter er entfernt ist. In ihrer Sehnsucht ist die Sehnsucht des Volkes. Sie fühlt die großen, einfachen Gefühle und strömt sie volksliedhaft als Melodie aus.

> „Die Zeit wird ihr erbärmlich lang; (3315)
> Sie steht am Fenster, sieht die Wolken ziehn
> Über die alte Stadtmauer hin.
> Wenn ich ein Vöglein wär'! so geht ihr Gesang
> Tage lang, halbe Nächte lang.
> Einmal ist sie munter, meist betrübt,
> Einmal recht ausgeweint,
> Dann wieder ruhig, wie's scheint,
> Und immer verliebt."

Gretchens Liebe ist das einzige, unbedingte Gefühl, das Faust als „unaussprech= lich" (3190) beschreibt:

> „Sich hinzugeben ganz und eine Wonne (3191)
> Zu fühlen, die ewig sein muß!"

Ein lyrisches Fühlen, das Gretchen ihrem Wesen, Herkommen und Tun gemäß einfach und volksliedhaft ausspricht.

> „Meine Ruh' ist hin, (3374)
> Mein Herz ist schwer;
> Ich finde sie nimmer
> Und nimmermehr."

Dreimal kommt diese Strophe: unverlierbar schlägt sie die Stimmung an und vertieft sie im Wiederholen wie ein Leitmotiv. Ihr Klang ist unvergeßlich: wie freundlich das EI zweimal anklingt und sich dann in I („ist hin") und E („Herz ist schwer") unruhig verliert, wie der dumpfe U=Wohlklang von „Ruh" im Auf= takt „Und" leicht wiederkehrt, wie schließlich das I in seiner Schärfe bestimmt —

> „Ich finde sie nimmer
> Und nimmermehr." —

wie sich das „Nimmer" rhythmisch wiederholt (ähnlich „Nach ihm" ... und „Küs= sen"), das istVolkslied und große Lyrik zugleich, vom Range eines „Sah ein Knab' ein Röslein stehn".

Dreimal kommt diese Strophe und gliedert das Gedicht: zwei Strophen (2 und 3) Aufgesang erwirken die ausweglose Unruhe, zwei Strophen (9 und 10) Abgesang fassen die unendliche Sehnsucht. Dazwischen drei Strophen (5, 6, 7) in der Er erscheint, sein Kommen, sein Gehen, seine Gestalt, sein Wesen — der Geliebte ist die Mitte.

Innig sind Ton und Aussage, bewegt der Rhythmus, der schlicht in zweihebig=jambischen Versen dahingeht, einfach der meist beiordnende Satzbau, schlicht die Wahl der Worte, einfache Nomina, einfache Verben wie „sein, haben, gehen, schauen, finden, fassen, halten." Meist verbindet der Satzbogen die letzten beiden Zeilen der Strophen (in Strophe 1, 2, 3, 4, 5, 8, 9, 10) im Enjambement zu einer größeren Einheit, deren größerer Atem den ansteigenden Takt der beiden Vor=zeilen auffängt. Jede Strophe ist eine Gedankeneinheit und wird von einem Punkt begrenzt. Nur über die Strophen 6 und 7 wie 9 und 10 spannt ein weiterer Gedan=kenbogen, der Steigerung und Höhepunkt verrät.

> „Sein hoher Gang,
> Sein' edle Gestalt,
> Seines Mundes Lächeln,
> Seiner Augen Gewalt,
> Und seiner Rede
> Zauberfluß,
> Sein Händedruck,
> Und ach sein Kuß!"

Die Aussage drängt hier zu unverbundener Nennung, die Prädikate fallen fort, jedes Wort ein Strich seines Wesens. Die Wortwahl wird anspruchsvoller, braucht Abstraktionen (Gestalt, Gewalt) und Komposita (Zauberfluß, Händedruck). In der Mitte des Gedichtes ist alles Ausdruck des Geliebten. Das Rufzeichen unter=streicht das Wesen der Expression.

Die Leitstrophe fängt die Aufgipfelung von der Erwartung über *sein* Kommen, Reden, Küssen in der Grundstimmung des Liedes wieder auf, um eine neue Stei=gerung zu entlassen: *ihr* Hindrängen und selbstvergessendes Küssen. Zweimal steigert sich Gretchens Lied bis zu „seinem Kuß". Auf dem Gipfel öffnet sich wieder der Vers und ein grundtiefes „Ach" kommt herauf. Ausweglos wie das „Nimmermehr" ist die Liebe, ausweglos wie das letzte Wort des Liedes: „ver=gehen".

Gretchen gehört Faust an, ganz, ohne Bedingnis. Deswegen muß sie über die Religion sprechen. Sie will Faust im Heilen wissen, nicht weil er dann besser „duckt" (3527), sondern weil sie ihn liebt.

> „Das übermannt mich so sehr,   (3495)
> Daß, wo er nur mag zu uns treten,
> Mein' ich sogar, ich liebte dich nicht mehr."

Gretchen kämpft um ihre Liebe. Für Faust tut sie alles: hintergeht ihre Mutter, ja mischt ihr einen Schlaftrunk bei (3505—16).

> „Seh' ich dich, bester Mann, nur an,   (3517)
> Weiß nicht, was mich nach deinem Willen treibt;
> Ich habe schon so viel für dich getan,
> Daß mir zu tun fast nichts mehr übrig bleibt."

Ein Kind, ein Mädchen bricht auf in die Unruhe der Existenz, zu Schuld und Liebe. Ein Mann kam, „so grade zu genießen" (2722) und liebt nun mit aller „Be= gier" (3328), liebt, wie eine zerbrochene Seele überhaupt lieben kann. Gretchen liebt unbedingt. Sie lebt im Du. Das ist ihr diesseitiges Schicksal. Sie verliert aber ihre Seele nicht. Das ist ihr jenseitiges Schicksal.

Vorbereitung für Kap. „Trieb und Gier":

nötig: Studiere 2865—3024, 3025—3073, 3074—3216, 3217—3373, 3620—3775, 3835—4398!
Überlege: Das Verhältnis von Gretchenszenen und Walpurgisnacht (in Aufbau und Inhalt).

möglich: „Meine Ruh ist hin" als Gedichtvortrag.
Kurzreferat: Der Aufbau der Walpurgisnacht.
Arb.=Gem.: Marthe Schwerdtlein und ihr Zuhause (Charakteristik).
Nähe und Ferne der Geliebten im dramatischen Spiel.
Vorbereiten von „Wald und Höhle" und Religionsgespräch mit verteilten Rollen.

Trieb und Gier

Am Ostertage zog die *„kleine Welt" der Bürger* und Handwerker einer spät= mittelalterlichen Stadt — ihr Gesicht blieb so bis zur industriellen Revolution fast unverändert — vor dem Tor vorüber. Gretchen ist ein Mädchen aus dieser Welt. Sie ist einfach gekleidet, faßt das Haar in schlichte Zöpfe, gewöhnt an jede Hausarbeit, an Fegen, Waschen, Nähen, Stricken, Kochen, Einkaufen, Wasserholen (3109—3115, 3144—3148), dabei gesund und froh. Faust spürt die „Armut" (2693), mehr aber die „Ordnung" und Sauberkeit, die von Gretchens Hand — Zeichen ihres Inneren — ausgehen.

> „Die Hütte wird durch dich ein Himmelreich."   (2708)

In Gretchen spiegelt sich die Mutter: ihre Genauigkeit —

> „Und meine Mutter ist in allen Stücken   (3113)
> So akkurat!" —

ihre strenge Erziehung, die das Stolzieren und Herumtreiben auf der Gasse nicht erlaubt (3209, 3507, 3563), ihre feste, kirchliche Frömmigkeit (2815—2840). Ar= beiten und Beten ist der Grundton dieser Welt. Der Bürger ist darauf bedacht, seinen Besitz zu mehren:

> „Mein Vater hinterließ ein hübsch Vermögen,   (3117)
> Ein Häuschen und ein Gärtchen vor der Stadt."

Er ist bedacht, daß alles in seinem Hause stimmt. Dann ist er „angesehen". Denn man sieht einander in die Verhältnisse. Marthe ist das unlieb:

> „Es ist, als hätte niemand nichts zu treiben   (3198)
> Und nichts zu schaffen,
> Als auf des Nachbarn Schritt und Tritt zu gaffen,
> Und man kommt ins Gered', wie man sich immer stellt."

Das Leben in ehrbaren Verhältnissen schafft Ansehen, wie ja Ehrbarkeit Vor=
aussetzung für einen „zünftigen" Handwerker war. Der Verlust dieser Ehre
kommt der sozialen Ächtung gleich, deren mittelalterlich drastische Formen Lies=
chen am Brunnen schildert:

> „Da mag sie denn sich ducken nun,   (3568)
> Im Sünderhemdchen Kirchbuß' tun!"

> „Das Kränzel reißen die Buben ihr,   (3575)
> Und Häckerling streuen wir vor die Tür!"

Die Ehre ist Sache der ganzen Familie. Ihre Befleckung ruft den Bruder auf den
Plan, der sich als Soldat auf das Ansehen besonders seiner Schwester stützt.
Äußerlich wie Ehre und Rühmen Valentins ist auch sein Versuch der Wiederher=
stellung der Ehre im Zweikampf. Sein, Valentins, Ansehen hat gelitten, er kann
das „Gerede" nicht ertragen, er greift zur Waffe, er trennt sich, ohne nach dem
Menschen, nach der Schwester und ihrer höllischen Pein, zu fragen, laut und
öffentlich von ihr, indem er sie „Hure" (3730) und „Metze" (3753) heißt.

> „Da du dich sprachst der Ehre los,   (3773)
> Gabst mir den schwersten Herzensstoß."

Diese Ehre sich und ihrem Kinde, Gretchen, in solch festgefügter Gesellschaft
zu wahren, ist Aufgabe der Mutter allein. Denn der Vater ist tot, das neuge=
borene Schwesterchen starb, der Bruder dient bei den Soldaten. So erfüllt sie,
nachdem sie vom schweren Wochenbett —

> „Die Mutter gaben wir verloren" —   (3127)

wieder aufstand, gewissenhaft ihre Pflicht und findet Halt in einem festen
Glauben.

Das Bild der Mutter hebt sich deutlich ab, ohne daß sie auftritt. Ihr Wesen,
das Wesen *der* Mutter, bindet sich dadurch nicht an eine bestimmte Person oder
Darstellung, es bleibt allgemeiner, damit auch allgemein gültiger, eine Kraft, die
jeder auf eigene Weise als Bild erleben kann.

Strenge geschriebene und ungeschriebene Gesetze beherrschen die kleinbür=
gerliche Gesellschaft. Nicht nur, daß in Lübeck beispielsweise auf geringfügigem
Diebstahl die Todesstrafe stand, auch das Auftreten des Einzelnen wurde streng
geregelt. So waren an Kleidung, Seide und Pelzwerk dem Adel vorbehalten.
Die Frankfurter Kleiderordnung von 1731 erlaubte Handwerkstöchtern nur das
Tragen einer goldenen Kette und eines goldenen Ringes, zusammen höchstens

50 Gulden wert, während Mägden jeder Schmuck verboten war (Ernst Beutler, Artemisausg. V, 762). So sagt Valentin:

> „Sollst keine goldne Kette mehr tragen!" (3756)

Die Anrede regelte streng die Sitte. Unverheiratete adelige Damen wurden mit Fräulein angeredet, Bürgertöchter mit Jungfer. Faust gibt also vor, Gretchen für eine Adelsdame zu halten, indem er sie „Fräulein" nennt. Welcher fremde Herr aber hätte gewagt, eine adelige Dame bei hellichtem Tag einfach anzu= sprechen? Die Kleidung verriet außerdem, daß Gretchen keine Adelsdame ist. Faust redet sie trotzdem so an, um ihr zu schmeicheln und ihre Eitelkeit zu wecken. Gretchen aber muß es als Spott auf ihren Stand empfinden und antwor= tet spröder, als es ihr eigentlich ums Herz ist.

> „Es schien ihn gleich nur anzuwandeln, (3173)
> Mit dieser Dirne gradehin zu handeln."

> „Allein gewiß, ich war recht bös' auf mich, (3177)
> Daß ich auf Euch nicht böser werden konnte."

Und Faust nennt sein Auftreten „Frechheit" (3167). Mephisto wiederholt den Trick, als er zu Marthe kommt. Er tut so, als wolle er sich wieder entfernen, nach= dem er Marthe kennt.

> „Sie hat da gar vornehmen Besuch." (2902)

Und Marthe fährt heraus:

> „Denk, Kind, um alles in der Welt! (2905)
> Der Herr dich für ein *Fräulein* hält."

Gretchen zwar weist sofort die Ehre bescheiden ab, allein die Ablehnung gibt sich nicht mehr so spitz und brüsk wie die Abweisung Fausts.

> „Schmuck und Geschmeide sind nicht mein." (2909)

Das klingt bedauernd; man glaubt ein „leider" zu hören. Denn Gretchen hat inzwischen nachgedacht, wie es wäre, wenn sie das Geschmeide anlegte. Zuerst stellte sie staunend fest:

> „Ein Schmuck! Mit dem könnt' eine Edelfrau (2792)
> Am höchsten Feiertage gehn."

Jetzt aber kommt sie traurig zu Marthe:

> „Darf mich, *leider*, nicht auf der Gassen, (2883)
> Noch in der Kirche mit sehen lassen."

Und *Frau Marthe Schwerdtlein* hat Mitgefühl. Sie weiß einen Weg, wie man die Leute langsam an den Schmuck gewöhnt (2890), ohne dabei ins Gerede zu kommen. Sie rät, notfalls der Mutter „etwas vorzumachen" (2893), sie zu be= lügen.

Marthe ist gewissenlos. Ihr Mitgefühl mit diesem Mädchen ist Verführung. Deswegen tritt auch der Verführer bei ihr ein. Dort, wo die Welt, die Familie, die Ehe nicht in Ordnung sind, wo die Menschen ein Chaos in sich und um sich haben, dort ist das Feld, das der Teufel bestellt.

Von der Familie Marthes erfahren wir nichts weiter; ihre Kinder, deren sie zahlreiche hatte, haben sich vielleicht in alle Welt verlaufen, wie der dazugehörige Mann — Flugsand. Marthes Eheherr, als Landsknecht im fernen Italien verschollen, stirbt — Mephisto trifft das Milieu genau — an einer venerischen Krankheit (2981). Ihn trieb es fort von zuhause: die „Plackerei bei Tag und Nacht" (2969). Marthe nennt ihn ein „herziges Närrchen" (2994) und bezeichnet seine kleinen Schattenseiten:

> „Er liebte *nur* das allzuviele Wandern; (2995)
> Und fremde Weiber, und fremden Wein,
> Und das verfluchte Würfelspiel."

Mephisto erkennt, daß sich hier zwei Ebenbürtige fanden.

> „Wenn er Euch ungefähr so viel (2999)
> Von seiner Seite nachgesehen."

Marthes Ehe, würde man heute sagen, ist völlig zerrüttet. Nicht nur ihre Ehe. Sie heuchelt tiefen Schmerz. Sie weint um ihren „lieben Mann" (2865—2871) und erstrebt doch im nächsten Atemzug *„nur* einen Totenschein" (2872). Sie jammert laut „Ach, ich vergeh'!" (2918) und will doch nur die Barschaft, die klingende Hinterlassenschaft (2929, 2933—2936, 2979, 2985—2987). Wie sie Leid heuchelt, ist sie gierig nach Geld. Hier entspringt wohl auch ihr Mitgefühl für Gretchen, für Gretchens Gold.

Dem entspricht genau ihre Geilheit. In der Stunde, da sie die Nachricht vom Tod ihres Mannes erfährt, „visiert sie nach einem neuen Schatze" (2991, 3004), wie ihr Mephisto rät. Unmißverständlich bietet sie sich ihm an (3085—3095, 3149—3163).

Geldgier und Geilheit: bei Marthe Schwerdtlein ist Mephisto am rechten Ort.

> „Das ist ein Weib wie auserlesen (3029)
> Zum Kuppler= und Zigeunerwesen!"

Genau so sieht sie Valentin:

> „Du schändlich kupplerisches Weib!" (3767)

Dabei wahrt Marthe den Schein: sie „stellt sich" als „der Ordnung Freund" mit „Totenschein" und Bekanntgabe und Nachruf im „Wochenblättchen" (3011). So wird sie weder von Gretchen noch von der Mutter durchschaut.

Im Raume Marthens, in ihrem Haus, in ihrem Garten, bringt Mephisto die Begegnung zustande. Der genius loci ist Schicksal. Verführung kann nur in Marthens Bereich geschehen, nicht in Gretchens sauberem und frommem Daheim. Schon beim ersten Besuch nützt Mephisto jede Gelegenheit, mit Gretchen zu sprechen, empfiehlt ihr einen „Galan" (2946) und sucht ihre Bedenken zu zerstreuen.

„Brauch oder nicht! Es gibt sich auch." (2950)

Marthe selbst ist Nebensache, nur Mittel: Kupplerin, nicht länger nötig, als bis die Verbindung hergestellt. Mephisto versichert sich auch vor allem, daß die „Jungfrau" (jetzt redet er sie als Bürgerstochter an) auch da ist, um seinen zwei= ten Zeugen zu empfangen. Faust muß „falsch Zeugnis ablegen" (3042), wenn er Gretchen haben will. Im weiteren Fortgang muß Mephisto Marthe fernhalten. Aber Marthe steht gar nicht im Wege. Indem sie die Paarung begünstigt, will sie ihr eigenes Verlangen fördern.

„Und *unser* Pärchen?" (3202)

In Marthes Garten gibt Faust Gretchen das tödliche Schlafmittel.

In Marthe Schwerdtleins Existenz bricht die ehrbare kleinbürgerliche Welt nach unten durch: Lüge, Geldgier, Geilheit, Verführung, Kuppelei treffen sich in ihrem Raum, dem Raum einer zerrütteten Ehe und einer zerrütteten Seele. Marthe schützt Gretchen nicht, sondern gibt die Unerfahrene preis. Das ist ihre Schuld.

Faust will sich dem Verhängnis entziehen und flieht in die Natur. Aber Mephisto findet ihn in „Wald und Höhle", stöbert ihn auf und bringt ihm die „Begier" wieder vor die *„halb verrückten* Sinnen" (3329). Gretchen bekennt gleichzeitig:

„Mein armer Kopf (3382)
Ist mir *verrückt*,
Mein armer Sinn
Ist mir *zerstückt*."

In Liebeswahnsinn stürzt Faust zu ihr, siedend und glühend (3366), Absolutes fordernd und wagend.

„Was muß geschehn, mag's gleich geschehn! (3363)
Mag ihr Geschick auf mich zusammenstürzen
Und sie mit mir *zugrunde gehn!*"

In gleicher Unbedingtheit ist Gretchen bereit:

„Und küssen ihn, (3410)
So wie ich wollt',
An seinen Küssen
Vergehen sollt'!"

So sehr bedingen sich die äußersten Gefühle, so unentwirrbar ineinander sind Liebe und Tod, Ewigkeit und Ende. Faust spürt es auf der Höhe des Daseins, als er die Liebe bekennt.

„Sich hinzugeben ganz und eine Wonne (3191)
Zu fühlen, die *ewig* sein muß!

95

Ewig! — Ihr *Ende* würde Verzweiflung sein.
Nein, kein *Ende!* Kein *Ende!*"

Fausts Phantasie, sein Gefühl ist sich selbst voraus und schenkt ihm nicht ein=
mal hier den Augenblick, zu dem er „Verweile doch!" sagen möchte. Tod ist in
allem. Faust fühlt: Tod und Verzweiflung ist ihr beider Schicksal, die sie ein=
ander Schicksal sind; denn seinen Lauf bestimmt Fausts maßloses Wesen, einem
„Wassersturz" (3350) gleich. Die Dunkelheit dieses Schicksals bedingt Mephistos
Dazwischensein. „Entfliehe, *Kuppler!*" fordert ihn Faust auf (3338). Mephisto
aber nennt diese Aufgabe „den edelsten Beruf" (3340). Diabolisch ist sein Hohn,
als das Gespräch über die Religion mit einer Abrede zu nächtlicher Sinnlichkeit
endet.

„Mephisto: Nun, heute nacht — ?   (3542)
Faust: Was geht dich's an?
Mephisto: Hab' ich doch meine Freude dran!"

Mephisto empfindet Freude. Er hat gesiegt, bevor noch das Verhängnis an=
hebt. Ist es geschehen, führt er Faust hinweg. Bei ihrer nächtlichen Wiederkehr
bringt er zwischen den Gefühlen von „Diebsgelüst" und „Rammelei" (3659), ein
Spottlied auf Gretchens Hingabe, „ein wahres Kunststück" (3679), „ein moralisch
Lied" (3680) als Ständchen dar.

„Nehmt euch in acht!   (3690)
Ist es vollbracht,
Dann gute Nacht,
Ihr armen, armen Dinger!
Habt ihr euch lieb,
Tut keinem Dieb
Nur nichts zu Lieb',
Als mit dem Ring am Finger."

Während dann Valentin stirbt, flieht Mephisto mit Faust, weil er den „Blut=
bann" (3715), den Bann unschuldig vergossenen und ins Gericht rufenden Blutes,
nicht brechen kann. Er ist hier größeren Mächten unterworfen.

„Wisse, noch liegt auf der Stadt Blutschuld von deiner Hand. Über des Erschlagenen
Stätte schweben rächende Geister und lauern auf den wiederkehrenden Mörder."
(Trüber Tag, Feld)

Daß Faust auf sein Geheiß (3711) den Blutbann heraufbeschwört, kann Me=
phisto nur gelegen sein. Jetzt wird er ihn aus der Affäre ziehen, indem er Gretchen
ihrem Geschick überläßt, Faust aber, nunmehr „so ziemlich eingeteufelt" (3371),
in den Kult des Bösen auf dem Blocksberg einweiht.

Von dem Augenblick an, da Faust beschloß —

„Laß in den Tiefen der Sinnlichkeit   (1750)
Uns glühende Leidenschaften stillen!" —

nahm Mephisto die Richtung auf den Blocksberg zu, zur *Walpurgisnacht.* Von weither ist die Steigerung geplant.

Erstmals wird der Blocksberg in „Auerbachs Keller" von Siebel genannt.

> „Zum Liebsten sei ein Kobold ihr beschert! (2111)
> Der mag mit ihr auf einem Kreuzweg schäkern;
> Ein alter Bock, wenn er vom Blocksberg kehrt,
> Mag im Galopp noch gute Nacht ihr meckern!"

In der „Hexenküche" erinnerte Mephisto die Hexe dankbar an das kommende Fest, das Ziel des Zaubers.

> „Und kann ich dir was zu Gefallen tun, (2589)
> So darfst du mir's nur auf Walpurgis sagen."

Als Faust sich in die Natur zurückzieht und dort neue Kraft schöpft, gerät Mephistos Plan in Gefahr. Er muß eingreifen und läßt nicht locker, bis Faust, außer sich, in die „Tiefen der Sinnlichkeit" hinabstürzt.

> „Was hast du da in Höhlen, Felsenritzen (3272)
> Dich wie ein Schuhu zu *versitzen?*

> „Nur fort, es ist ein großer Jammer! (3342)
> Ihr *sollt* in Eures Liebchens Kammer,
> Nicht etwa in den Tod."

Vor der Begegnung mit Valentin, im Gefühl des Gelingens seiner Absicht, spürte Mephisto die Walpurgisnacht.

> „So spukt mir schon durch alle Glieder (3660)
> Die herrliche Walpurgisnacht.
> Die kommt uns übermorgen wieder
> Da weiß man doch, warum man wacht."

Während Gretchen im „Dom" ihrer Not nicht mehr gewachsen ist — „Sie fällt in Ohnmacht", sagt die Bühnenanweisung (3834) — steigen Mephisto und Faust zum Brocken auf, in die „Gegend von Schierke und Elend". Dort, an einer alt= heidnischen Opferstätte, treffen sich nach altem Volksglauben in der Nacht zum 1. Mai, dem Tag der heiligen Walpurgis, alle Hexen und huldigen dem Bösen. Goethe wollte die Szene, deren nackte Sinnlichkeit die Gretchenhandlung ins Triebhaft=Böse aufreißt, in feierlicher Anbetung des Satans durch Ziegen und Böcke gipfeln lassen. Er gab die Absicht wieder auf; aber auch in der Endgestalt ist die Walpurgisnacht eine Orgie des Geschlechtlichen, *Kult der Sinnlichkeit, Kult des Bösen.* Breit ausgeführt, soll sie Faust Gretchen vergessen lassen, sein niedriges Tun an ihr dagegen soll die kultische Weihe empfangen. Ja, die dramatische Handlung kann so weit vergessen werden, daß Goethe den „Walpurgisnachts= traum oder Oberons und Titanias goldene Hochzeit" einschiebt. Das „Intermezzo" entstand 1798 als Zeitsatire für Schillers Musenalmanach und galt, ähnlich wie die „Xenien", unangenehmen Zeitgenossen und Zeiterscheinungen. Weil sie aber Schiller dann doch nicht drucken konnte, brachte sie Goethe später einfach an dieser Stelle des „Faust" unter zu einer Zeit, als er ganz der Antike ergeben war, den Helena=Akt begann und die alte Faustdichtung als „der Barbareien beschränk= ten Kreis mit seinen Zaubereien" empfand. Schon im Wirbel der Hexen, vollends im „Intermezzo", droht der Faden der Handlung verloren zu gehen. Aber das eben entspricht genau. Faust soll durch den Kult des Sexus gefesselt werden. Es entsteht eine gespannte Erwartung um Gretchens Schicksal, fast unerträglich wirkt das Retardieren, bis dann in knappen, ungeheuren Bildern die Katastrophe hereinbricht.

Ein „Irrlicht" —

> „Nur zickzack geht gewöhnlich unser Lauf..." —   (3862)

führt Mephisto und Faust auf den Brocken: ein Irrweg.

> „Wie traurig steigt die unvollkommne Scheibe   (3851)
> Des roten Monds mit später Glut heran..."

Das Rot des Mondes erfüllt als Farbe der Sinnlichkeit die Stimmung dieser Nacht. Es fehlt das weckende, klärende Licht. Gespenstisch scheint die Natur, ein chaotisches Durcheinander (3876–3911), aus dem Vergangenes heraustönt (3884 bis 3888). Alles scheint im Wirbel, ohne Halt.

> „Alles, alles *scheint* zu drehen..."   (3908)

Die Natur selbst scheint hier nur triebhaft, wuchernd, üppig, geil. Aus ihren Tiefen scheint in dieser Nacht der Mammon, das Gold herauf, der wie der Trieb diesem Reich Mephistos zugehört (3914–3931).

> „Erleuchtet nicht zu diesem Feste   (3932)
> Herr Mammon prächtig den Palast?
> Ein Glück, daß du's gesehen hast."

Vor der Windsbraut muß Faust „des Felsens alte Rippen packen" (3938), Gra= nit, Urgestein, das einzig dauert. Hexen strömen von allen Seiten in Chören bei, Baubo darunter, eine Gestalt aus dem antiken Mythos der Erdgöttin Demeter. Antike Mythologie findet sich zum Fest im Norden ein wie umgekehrt Faust in der „Klassischen Walpurgisnacht" des zweiten Teiles die Antike besucht. Der Strom der Hexen wirbelt dem Gipfel zu.

> „Wer heute sich nicht heben kann,   (4002)
> Ist ewig ein verlorner Mann."

Dann tanzen die Hexen, die jungen nackt und bloß, Faust tanzt mit, bis der Partnerin ein rotes Mäuschen aus dem Munde fährt. An diesem Fest der Sinnlich= keit ist aber nicht nur Volk beteiligt, auch hohe Herren sind anwesend: General, Minister, Parvenü, Autor, Nicolai, der Berliner Aufklärer, als Proktophantasmist. Inmitten der Tollheit preist eine Trödelhexe die Werkzeuge des Bösen.

> „Kein Dolch ist hier, von dem nicht Blut geflossen,   (4104)
> Kein Kelch, aus dem sich nicht, in ganz gesunden Leib,
> Verzehrend heißes *Gift* ergossen,

> Kein *Schmuck*, der nicht ein liebenswürdig Weib
> Verführt, kein *Schwert*, das nicht den Bund gebrochen,
> Nicht etwa hinterrücks den Gegenmann durchstochen."

Schmuck, Gift, Degen: Werkzeuge auch Mephistos, auch Fausts. Das Teufels=
spiel berührt Fausts Inneres. Mephisto, der „Junker Voland" (mittelhochdeutsch
vâlant = Teufel), wird ärgerlich.

> „Getan, geschehn! Geschehn getan!   (4111)
> Verleg' Sie sich auf Neuigkeiten!"

Er lenkt Fausts Blick auf *Lilith*, „Adams erste Frau" (4119). Im I. Buch Mose,
Kap. 1, V, 27, ist von der Erschaffung von Mann und Weib die Rede, während
erst Kap. 2, V, 20 von der Evas berichtet. Daraus entstanden jüdische Sagen von
Lilith (hebr. = die Nächtliche), einer Dämonin. Sie trennte sich von Adam und
verband sich mit dem höchsten Teufel. Sie ist der weibliche Satan, Verführung
des Fleisches (4122). In ihrer Erscheinung kulminiert die Symbolik des Sinnlich=
Geschlechtlichen. Symbolisch wird Fausts Zustand dargestellt; Trieb herrscht.
Aber gerade jetzt, auf dem Höhepunkt bloßer Sexualität, bricht, durch die Trödel=
hexe geweckt, der reine Eros durch. Aus dem Inneren steigt die Vision Gretchens
auf. Schön, blaß, geht sie mit geschlossenen Füßen (4184—4188), ihr Hals ist vom
Richtschwert schon gezeichnet (4203—4205). Mephisto lenkt vergeblich ab (4189
bis 4194, 4210—4214). Faust schaut Gretchens Geschick, gegenwärtig und künftig.

> „Welch eine Wonne! welch ein Leiden!   (4201)
> Ich kann von diesem Blick nicht scheiden."

Für Faust sind Zauber und Sinnlichkeit zerrissen. Durch ihren Schleier dringt
das Gefühl von Liebe und Verantwortung. Faust entfernt sich. Mephisto —

> „Nun sage mir, wo es was Bessers gibt?" —   (4059)

hat ihn nicht mit Genuß fesseln können. Das „Intermezzo" zieht vorüber, ohne
daß Faust teilnimmt, bis der Spuk zerfährt.

> „Wolkenzug und Nebelflor   (4395)
> Erhellen sich von oben.
> Luft im Laub und Wind im Rohr,
> Und alles ist zerstoben."

Vorbereitung für Kap. „Gretchens Rettung":

nötig: Studiere 3544—3586, 3587—3619, 3776—3834, Trüber Tag. Feld, 4405—4612!
         Überlege: Gretchens Kampf um ihre Liebe und ihre Seele.

möglich: Arb.=Gem.: Die Verwirklichung des Wahnsinns durch das dichterische Wort
         (Urfaust und Faust I).
         Vorbereiten der Kerkerszene mit verteilten Rollen.

Gretchens Rettung

Gretchens Schicksal ist als Schuld in Faust. Alles hat sie durch ihn verloren: Mutter, Bruder, Kind, Ehre. Der Geliebte floh, hat sie verlassen. Niemand hilft. Hohn und Schande sind das Los.

„Am Brunnen" schon erfährt sie ihr Geschick, ausgestoßen zu werden wie Bär=belchen. Sie vermag kaum zu antworten. Nachdem die Mutter tot ist, wird Gret=chens Sprache im „Zwinger" entbunden, vor dem „Andachtsbild der Mater dolo=rosa" löst sie sich, zwar noch reimend, schon auf. Das Bangen und Zittern des Herzens wiederholt, gerade in der Mitte des Gebetes, die selben Worte, weil es andere nicht mehr findet.

> „Wohin ich immer gehe, (3602)
> Wie weh, wie weh, wie wehe
> Wird mir im Busen hier!
> Ich bin, ach, kaum alleine,
> Ich wein, ich wein', ich weine,
> Das Herz zerbricht in mir."

Gretchen ist mit ihrem Ich allein, einsam und verlassen. Mit dem inneren Zerbrechen öffnen sich Abgründe. Ein grenzenloses „Ach" kommt herauf, zer=bricht den Vers, wie das Herz „zerbricht". Aber Gretchen wendet sich Maria zu. Sie betet.

> „Hilf! rette mich von Schmach und Tod!" (3616)

Als auch Valentin sie bloßstellt und verstößt —

> „Laß unsern Herrgott aus dem Spaß!" (3733)

ihr die Hilfe Gottes abspricht, sich selbst aber abhebt, er gehe

> „Zu Gott ein als Soldat und brav" — (3775)

ist Gretchens Kraft zu Ende. Im „Dom" ist der „böse Geist" um sie und in ihr. Das böse Gewissen (vgl. 4547) regt sich und spricht ihr die Teilnahme an der christlichen Gnade ab. Gretchens innere Zwiesprache hat sich in freie Rhythmen aufgelöst und der strenge lateinische Vers vom jüngsten Gericht dröhnt, ein Kontrapunkt, in ihr Ohr. Die düstere Stimmung des ausgehenden hohen Mittel=alters wird in der Sequenz „Dies irae, dies illa", die man Thomas von Celano († 1255) zuschreibt, wuchtig verwirklicht.

> „Tag des Zornes! Jener Tag (3798)
> wird die Welt in Asche auflösen."
>
> „Wenn also der Richter auf dem Stuhle sitzt, (3813)
> wird alles Verborgene ans Licht kommen
> und nicht ohne Sühne bleiben."
>
> „Was werde ich Verworfener dann sagen? (3825)
> Wen als Schutzpatron anflehen,
> wo doch der Gerechte kaum sicher sein wird?"

Gretchen ist der Schuld nicht mehr gewachsen: Angst will sie ersticken.

> „Mir wird so eng! (3816)
> Die Mauerpfeiler
> Befangen mich!
> Das Gewölbe
> Drängt mich! — Luft!"

Sie bittet um ein Riechfläschchen. „Sie fällt in *Ohnmacht*." Gretchen verliert die Gewalt über sich. Sie bringt ihr Kind um, wirft es ins Wasser. Sie wird er= griffen und in den Schuldturm geworfen, in Ketten. Ihr Geist hat sich aufgelöst. Bilder stürzen auf sie zusammen, Bilder, die sie nicht mehr ordnet. Der Wahnsinn schwingt sich aus in Versen aus dem Märchen vom Machandelboom, das Philipp Otto Runge, der große Maler der Romantik, erst 1808 in Arnims „Zeitung für Einsiedler" veröffentlichte und die Brüder Grimm unter die „Kinder= und Haus= märchen" aufnahmen. Eine Mutter tötete ihr Kind, setzte es dem Vater vor, der das Fleisch aufaß, das Schwesterchen sammelte die Knochen, aus denen ein scheuer Waldvogel wurde, der nun vom Wacholderbaum aus sein Leid erzählt. In diesen Versen (4412—4420) offenbart sich Gretchens Existenz: Kind und Kinds= mörderin, Zauber und Schuld, Märchen und Wirklichkeit.

Zu diesem Gretchen kommt Faust. Sein „Gefühl" (2691, 2702, 2723) hat dahin geführt.

> „... Wenn ich empfinde (3059)
> Für das *Gefühl*, für das *Gewühl*
> Nach Namen suche, keinen finde,
> Dann durch die Welt mit allen Sinnen schweife,
> Nach allen höchsten Worten greife,
> Und diese Glut, von der ich brenne,
> Unendlich, *ewig, ewig* nenne,
> Ist das ein teuflich Lügenspiel?"

Mephisto bestätigte, daß es ein „teuflisch Lügenspiel" ist, indem er feststellte, „Ich hab' doch recht."

Beim Begegnen, als Faust seine Liebe bekennt, entlarvt sich dieses Gefühl.

> „Sich hinzugeben ganz und eine Wonne (3191)
> Zu fühlen, die ewig sein muß!
> *Ewig!* — Ihr Ende würde Verzweiflung sein.
> Nein, kein Ende! Kein Ende!"

Ein Rausch von Worten, eine Flut von Empfinden strömt über Faust hinweg. Keine Pflicht, keine Verantwortung ordnet das „Gewühl", gibt ihm Dauer. Faust ermangelt der seelischen Kräfte, die Lieben zu Liebe machen. Hat er nicht Glaube, Liebe, Hoffnung und besonders die Geduld, also Ausdauer und Treue, längst ver= flucht. Seine Gefühle strudeln um sein Ich, das trotzig in sich bleibt und nicht lie= bend zum Du kommt, sie strudeln um die eigene seelische Leere und sie strudeln eben wegen dieser Seelenleere, wegen des Nichts, woraus nur Unrast wirbeln, nie Stille strömen kann. „Ewig" möchte Faust seinen Grundzustand, den er gerade jetzt spürt, verdecken. Gelänge es nicht, wäre die volle Verzweiflung wieder da. Daß es mißlingen wird, verraten schon Gefühl und Gedanke in *dem* Augenblick, der wirklich Ewiges hält.

Fausts „Liebeswut" (3307) hat niederreißenden Charakter. Er weiß es selbst; deswegen verbirgt er sich in der Natur. Aber das Teuflische, dem er sich ergeben, treibt ihn weiter. Faust selbst spricht seine Seelenlage aus.

> „Bin ich der Flüchtling nicht? der *Unbehauste*? (3348)
> Der *Unmensch ohne Zweck und Ruh'*,
> Der wie ein Wassersturz von Fels zu Felsen brauste
> Begierig wütend nach dem Abgrund zu?"

Faust sagt es selbst, daß er mit elementarer, zerstörender Kraft dem Abgrund zueilt, „begierig wütend". Aus dem „Übermenschen" der Erdgeistszene ist ein „Unmensch" geworden: ein Mensch, der Sinn und Ziel des Menschlichen verlor, der kein Zuhause hat, niemals und nirgends. Es ist der Entwurzelte, der fremd wie ein „Flüchtling" über die Erde treibt, der „Unbehauste". Seine Existenz scheint sinnlos, „ohne Zweck und Ruh'". Er zerstört jedes friedliche Dasein neben sich.

> „Und ich, der Gottverhaßte, (3356)
> Hatte nicht genug,
> Daß ich die Felsen faßte
> Und sie zu Trümmern schlug!
> Sie, ihren Frieden mußt' ich untergraben!
> Du, Hölle, mußtest dieses Opfer haben!"

Klar wird der Grund: die Gottesferne, die Gottesfeindschaft, der Höllendienst, der Gretchen als „Opfer" fordert. Die Einsicht allein aber nützt nichts. Faust über= windet sich nicht, gewinnt nicht Zucht und Verzicht; nie gelingt ihm das. Sein Hilferuf in der *Angst* ist dem Hilferuf Gretchens (3616) vergleichbar.

> „Hilf, *Teufel*, mir die Zeit der Angst verkürzen!" (3362)

Welch ein Unterschied! Wie Himmel und Hölle! Es geht in dieser Liebe, wie in jeder Liebe, um das Weltganze. Und Faust zerschlägt es.

> „Was muß geschehn, mag's gleich geschehn! (3363)
> Mag ihr Geschick auf mich zusammenstürzen
> Und sie mit mir zugrunde gehn!"

Im Religionsgespräch zwischen Faust und Gretchen wird der Zusammenstoß ausgetragen. Faust lügt, indem er sich nicht festlegt, sondern Gretchen mit pathe= tischen Worten überredet.

> „... Gefühl ist alles; (3456)
> Name ist Schall und Rauch,
> Umnebelnd Himmelsglut."

Als er nächtlich dann mit Mephisto zu Gretchens Fenster schleicht, schildert Faust noch einmal bildhaft den Zustand seiner Ausweglosigkeit.

„Wie von dem Fenster dort der Sakristei   (3650)
Aufwärts der Schein des ew'gen Lämpchens flämmert
Und schwach und schwächer seitwärts dämmert,
Und *Finsternis* drängt *ringsum* bei!
So sieht's in meinem Busen nächtig."

Das Heilige, zuerst säkularisiert zu „heiligen Zeichen" (427) der Magie, dann
verflucht, dann verkehrt zum Ausdruck für Gretchens Zimmer (2688), ist erstickt.

Auf dem Blocksberg, auf dem Höhepunkt des teuflischen Taumels, fällt Faust
in die Wirklichkeit, die so nackt ist wie die Prosa, die er in *„Trüber Tag. Feld"*
spricht: verzweifelte Ausrufe und jagende Perioden. Verzweifelt tobt sich das
Gefühl aus gegen Mephisto, nicht gegen sich selbst. Sucht Faust die Schuld nicht
bei sich?

„Im Elend! Verzweifelnd! Erbärmlich auf der Erde lange verirrt und nun gefangen!
Als Missetäterin im Kerker zu entsetzlichen Qualen eingesperrt das holde unselige
Geschöpf! Bis dahin! dahin... Gefangen! Im unwiederbringlichen Elend! Bösen Gei=
stern übergeben und der richtenden gefühllosen Menschheit! Und mich wiegst du indes
in abgeschmackten Zerstreuungen, verbirgst mir ihren wachsenden Jammer, und lässest
sie hülflos verderben!"

Als Mephisto gelassen hinwirft —

„Sie ist die Erste nicht." —

bricht Faust erneut los:

„... Die Erste nicht! — Jammer! Jammer! von keiner Menschenseele zu fassen, daß
mehr als ein Geschöpf in die Tiefe dieses Elends versank, daß nicht das erste genug tat
für die Schuld aller übrigen in seiner windenden Todesnot vor den Augen des *ewig
Verzeihenden!* Mir wühlt es Mark und Leben durch, das Elend dieser Einzigen; du grin=
sest gelassen über das Schicksal von Tausenden hin!"

Faust ruft Gott an. Er beruft sich gegenüber dem „großen Geist" auf die Seele.
Der Bruch des Bündnisses droht. Da kettet Mephisto Faust an die Schuld:

„Wer war's, der sie ins Verderben stürzte? Ich oder du?"

Faust kann nicht mehr entgegnen, aber er fordert Gretchens Rettung. Der Teufel
soll retten, die er verdarb. Sie eilen hin. Unterwegs, am Rabenstein, dem Richt=
stein, sind schon die Hexen geschäftig (4399—4404).

Das übermächtige Gefühl Fausts führte in die Katastrophe. Es ist eine Kata=
strophe des Übermaßes, der Hybris, eine Katastrophe des Gefühles. Auf der Höhe
des Sturmes und Dranges erweist Goethe das Hohle dieser Bewegung.

Faust kommt zu Gretchen und will sie retten aus dem „Kerker". Ihn erschauert
ihr wahnsinniger Gesang, er fürchtet das Wiedersehen (4410).

„Der Menschheit ganzer Jammer faßt mich an."   (4406)

Gretchen ist aus ihrer Mitte hinausgerückt, sie ist ver=rückt. In dieser Ver=
Rückung ist sie verwirrt und hellsichtig zugleich. Verwirrt ist ihr Bezug zu dieser

Welt: sie hält Faust für den Henkersknecht und fleht um ihr Leben (4430) sie spricht von ihrem Kind, das andere ihr nahmen (4445), sie ist in der Angst der Hölle (4454). Die Bilder springen über sie hinweg: die erste Begegnung mit Faust (4475), die Untat an der Mutter und dem Kind (4508), der Mord an Valentin (4515), die Sorge für die Gräber (4521). Hellsichtig begreift sie das Bild der Zu= kunft, daß Flucht sinnlos ist (4545—4573), weil man vor dem Gewissen nicht fliehen kann.

Faust steht da und hat eigentlich nichts zu sagen. Er redet von Ausweg, von Flucht, weil er den Weg nicht hat. Jedes Wort Gretchens, jede Wendung ihres Wahnsinns trifft ihn vernichtend. Gretchen wirft Faust nichts vor, macht keine Vorwürfe. Aber ihre Existenz *ist* Vorwurf. Er steht in einem endlosen Gericht. Sein Dasein selbst wendet sich gegen ihn.

> „O wär' ich nie geboren!" (4596)

Die Ordnungen treten im Wahnsinn objektiv hervor. Die Lage der Gräber be= stimmt Gretchen nach genauem Wertgefühl. Sie erlebt in Bildern die Unmöglich= keit der Flucht vor dem Gewissen. Es geht ihr auch jetzt nicht um Rettung, um gieriges Erhalten des eigenen Lebens, sondern um Liebe. Sie hat für Faust kein Wort des Vorwurfs, nur der Liebe, des Bangens, der Sorge. Sie erlebt in der Vision ihrer Hinrichtung das Wesen der Welt, deren Kern Tod ist.

> „Stumm liegt die Welt wie das Grab!" (4595)

Sie bekennt alle Schuld. Sie weiß um ihre Sünde, aber auch um ihre Liebe (3586). Im Zerbrechen ihres Herzens, ihres Ichs aber löst sich Tiefstes. Im „Dom":

> „Mir ist, als ob die Orgel mir (3809)
> Den Atem versetzte,
> Gesang mein Herz
> Im Tiefsten löste."

Eine andere Schicht wird frei. Je mehr Gretchen nach außen erblindet, desto se= hender wird sie nach innen. Das Gesicht wendet sich in eine andere Dimension. Hellsicht ist ihr Bezug zu jener Welt.

Sie erkennt die Entscheidung.

> „Unter der Schwelle (4455)
> Siedet die Hölle!
> Der Böse,
> Mit furchtbarem Grimme,
> Macht ein Getöse!"

Sie entzieht sich der Entscheidung nicht. Sie ruft die Heiligen um Beistand an.

> „O laß uns knien, die Heil'gen anzurufen!" (4453)

Sie bekennt ihre Schuld und will sühnen. Sie will nicht bloß ins „Freie", weil sie auf der Erde nicht mehr frei sein kann.

> „Von hier ins ewige Ruhebett
> Und weiter keinen Schritt — ". (4540)

Sie will nicht den sinnlosen Ausweg.

> „Es ist so elend, betteln zu müssen,
> Und noch dazu mit *bösem* Gewissen." (4546)

Sie will mit ihrem Leben sühnen, um Faust drüben zu gewinnen:

> „Wir werden uns wiedersehn." (4585)

Als Mephisto erscheint, werden die Mächte des Bösen Gestalt. Die Entscheidung zwischen Gut und Böse tritt in die letzte Phase. Jetzt, in den letzten Zeilen der Gretchentragödie, wird ewiges Schicksal entschieden.

> „Was steigt aus dem Boden herauf?
> Der! der! Schick' ihn fort! (4601)
> Was will der an dem heiligen Ort?
> Er will mich!"

Jetzt muß Gretchen den Trennungsstrich ziehen zu Faust, der noch ein Wort von „Leben" (4604) spricht und verstummt.

> „Heinrich! Mir graut's vor dir." (4610)

Jetzt wirft sich Gretchen mit ihrer ganzen Existenz in das Reich des Heilen. Indem sie nicht Gottes Gnade, sondern Gottes *Gericht* anruft, findet sie durch ihre Sühne — „una poenitentium" (12068) nennt sie das Mysterium des Schlusses und „die eine Büßerin" (12083) — zur Gerechtigkeit Gottes, die allein gerecht macht.

> „Gericht Gottes! dir hab' ich mich übergeben!" (4605)

> „Dein bin ich, Vater! Rette mich! (4607)
> Ihr Engel! Ihr heiligen Scharen,
> Lagert euch umher, mich zu bewahren!"

Sie findet zu der Macht, die retten kann. Sie ruft die Welt des Heiligen herbei. Indem sie ihre physische und geistige Existenz sühnend aufgibt, bewahrt sie ihre seelische. Faust bleibt vernichtet zurück. Der Teufel reißt ihn an sich:

> „Her zu mir!" (4611)

Die irdische Tragödie ist zu Ende. Es ist die Tragödie Gretchens. Als Mephisto dies ausdrückt: „Sie ist *gerichtet!*" korrigiert ihn die „Stimme von oben": „Ist *gerettet!*" Für Gretchen war das tragische Diesseits, die unselige Verquickung von Liebe und Verfallensein, von Unschuldig=Schuldig, nur Durchgang. Für sie ist es Tag geworden, der „letzte Tag" (4580), der ewige Tag ist angebrochen.

Nicht für Faust. Er ist des Lichtes nicht teilhaftig. Er ist in der Hand des Teufels. Er ist es, der gerichtet ist. So ist die Gretchenhandlung im letzten nicht Gretchens, sondern Fausts Tragödie.

Das Weltspiel offenbart an der Grenze der Existenz die Perspektive des Jenseits.

Vorbereitung für Kap. „Natur":

nötig: Studiere 3217—3250, 3835—3955, 4613—4727, 7249—7318, 7495—7695, 7811 bis
         8033, 8034—8487, 9506—9573, 9985—10038, 10067—10233!
         Überlege: Wo wird die Natur im Faust=Drama wirksam?

möglich: Ariels Gesang auswendig lernen!

         Referate: Goethes Naturhymnus.
                     Die Natur in „Werthers Leiden".
                     Goethe als Naturforscher.

         Arb.=Gem.: Die Natur in der Lyrik Goethes.
                     Die Gesichter der Natur im „Faust".
                     Die vier Elemente als Kräfte im „Faust".
                     Ein Vergleich der drei großen Kulte im „Faust".

Natur

Gretchens schmerzliche Abkehr und Untergang haben Faust als moralische Per=
son zerstört. Er ist nur noch physisch existent, aber er muß weiterleben. Die Ver=
zweiflung ist jetzt zur Hölle auf Erden geworden; denn das bedeutet die Kerker=
szene für Faust. Mephisto hat ihn auf seine Seite gerissen — „Her zu mir!" — und
„schleppt" ihn mit sich fort. Die „große Welt", außerdem moralisch weniger
streng, muß noch durchlaufen werden.

Aber auch der Fortgang der dichterischen Formung forderte neues Beginnen.
Die Szene mit der Sorge, in der Fausts Diesseits ausgeht, war schon 1825 ausge=
führt (1826 ergänzt) und konnte dramaturgisch nicht einfach auf die Kerkerszene
folgen, als Goethe 1827 zum zweiten Teil neu ansetzte. Zudem war seit 1800 ein
Teil des Helena=Aktes fertig.

Fausts Leben mußte neu anfangen. Unter der Wirkung der Tragödie Gretchens
war das nicht möglich. Faust spürt den Keim des Todes in sich. Werther drückt das
so aus:

„Die Natur findet keinen Ausweg aus dem Labyrinthe der verworrenen und wider=
sprechenden Kräfte, und der Mensch muß sterben." (12. 8. 1771)

Fortleben ist also ein „Ausweg", zu dem „die Natur" Kraft hat. Soll Faust fort=
leben, muß der Kern seiner Natur aufgerufen werden durch die Natur. Der ganze
begeistete Kosmos muß sich mit allen natürlichen Kräften auf die gefährliche
Krise des Menschen versammeln und den Bruch der Seele heilen wie eine Wunde
des Körpers.

„ . . . es ist, als wäre alles in den Mantel der Versöhnung eingehüllt. Wenn man be=
denkt, welche Greuel beim Schluß . . . auf Gretchen einstürmten und rückwirkend Fausts
ganze Seele erschüttern mußten, so konnt' ich mir nicht anders helfen, als den Helden,
wie ich's getan, *völlig zu paralysieren und als vernichtet anzusehen*, und aus solch
scheinbarem Tode ein neues Leben anzuzünden. Ich mußte hierbei eine Zuflucht zu
wohltätigen mächtigen Geistern nehmen, wie sie uns in der Gestalt und im Wesen von
Elfen überliefert sind. Es ist alles Mitleid und das tiefste Erbarmen."

(Zu Eckermann, 1830)

In den tiefsten Erschütterungen erfährt der Mensch, daß er Natur ist. Sie han=
delt gewissermaßen für ihn und ohne ihn, aber in ihm. Sie heilt und hält, wandelt
und wirkt.

Goethe stand zeitlebens in echtem *Bezug zur Natur*. Nicht nur, daß er sich in Weimar sogleich einen Garten anlegte, in Ritten und Wanderungen immer wieder das Freie aufsuchte, nicht nur daß er die Urpflanze in Italien gegenständlich suchte, daß er den Zwischenkieferknochen fand, Steine sammelte und der Witterung nachforschte, er bezog den Menschen als Natur in die Betrachtung und Aussage ein. 1783 spricht es der Prosahymnus „Die Natur" aus, den man Goethe zu= schreibt.

„Natur! Wir sind von ihr umgeben und umschlungen — unvermögend aus ihr heraus= zutreten und unvermögend, tiefer in sie hinein zu kommen. Ungebeten und ungewarnt nimmt sie uns in den Kreislauf ihres Tanzes auf und treibt sich mit uns fort, bis wir er= müdet sind und ihrem Arme entfallen ... Es ist ein ewiges Leben, Werden und Bewegen in ihr, und doch rückt sie nicht weiter. Sie verwandelt sich ewig, und ist kein Moment Stillestehen in ihr. Für's Bleiben hat sie keinen Begriff, und ihren Fluch hat sie ans Stillestehen gehängt. Sie ist fest. Ihr Tritt ist gemessen, ihre Ausnahmen selten, ihre Gesetze unwandelbar ...

Sie hüllt den Menschen in Dumpfheit ein, und spornt ihn ewig zum Lichte. Sie macht ihn abhängig zur Erde, träg und schwer, und schüttelt ihn immer wieder auf ...

Man gehorcht ihren Gesetzen, auch wenn man ihnen widerstrebt; man wirkt *mit* ihr, auch wenn man *gegen* sie wirken will ...

Alles ist immer da in ihr. Vergangenheit und Zukunft kennt sie nicht. Gegenwart ist ihre Ewigkeit ..."

Die Attribute der Natur sind die des Göttlichen. Sie ist das Kleid Gottes, der fort und fort in ihr wirkt zu einem höheren Ziele.

„Gott hat sich nach den bekannten imaginierten sechs Schöpfungstagen keineswegs zur Ruhe begeben, vielmehr ist er noch fortwährend wirksam wie am ersten. Diese plumpe Welt aus einfachen Elementen zusammenzusetzen und sie jahraus jahrein in den Strahlen der Sonne rollen zu lassen, hätte ihm sicher wenig Spaß gemacht, wenn er nicht den Plan gehabt hätte, sich auf dieser materiellen Unterlage eine Pflanzschule für eine Welt von Geistern zu gründen. So ist er nun fortwährend in höheren Naturen wirksam, um die geringeren heranzuziehen." (Zu Eckermann, 11. 3. 1832)

Werther erlebt dies göttliche Alleben der Natur:

„... mir das innere, glühende, heilige Leben der Natur eröffnete: wie faßte ich das alles in mein warmes Herz, fühlte mich in der überfließenden Fülle wie vergöttert, und die herrlichen Gestalten der unendlichen Welt bewegten sich allebelebend in mei= ner Seele. Ungeheure Berge umgaben mich, Abgründe lagen vor mir, und Wetterbäche stürzten herunter, die Flüsse strömten unter mir, und Wald und Gebirg erklang; und ich sah sie wirken und schaffen ineinander in den Tiefen der Erde, alle die unergründ= lichen Kräfte; und nun über der Erde und unter dem Himmel wimmeln die Geschlech= ter der mannigfaltigen Geschöpfe. Alles, alles bevölkert mit tausendfachen Gestal= ten ... Vom unzugänglichen Gebirge über die Einöde, die kein Fuß betrat, bis ans Ende des unbekannten Ozeans weht der Geist des Ewigschaffenden, und freut sich jedes Staubes, der ihn vernimmt und lebt." (Brief vom 18. 8. 1771)

Aus demselben Empfinden lebt *Faust*, wenn er im Studierzimmer die *Sehnsucht nach der Natur* ausspricht.

„Ach! könnt' ich doch auf Bergeshöhn   (392)
In deinem lieben Lichte gehn,
Um Bergeshöhle mit Geistern schweben,
Auf Wiesen in deinem Dämmer weben . . ."

„Wie alles sich zum Ganzen webt,   (447)
Eins in dem andern wirkt und lebt!"

An ihrem All=Wirken empfindet er seinen Irrweg.

„Geheimnisvoll am lichten Tag   (672)
Läßt sich Natur des Schleiers nicht berauben,
Und was sie deinem Geist nicht offenbaren mag,
Das zwingst du ihr nicht ab mit Hebeln und mit Schrauben."

Im Schoße der Natur atmen Faust und Werther dasselbe Gefühl in denselben
Bildern, wenn man die grenzenlose Abendstimmung des Osterspazierganges (1067
bis 1099) mit jenem Brief vom 18. August 1771 vergleicht:

„. . . wie oft habe ich mich mit Fittichen eines Kranichs, der über mich hinflog, zu dem
Ufer des ungemessenen Meeres gesehnt, aus dem schäumenden Becher des Unendlichen
jene schwellende Lebenswonne zu trinken und nur einen Augenblick, in der eingeschränk=
ten Kraft meines Busens, einen Tropfen Seligkeit des Wesens zu fühlen, das alles in sich
und durch sich hervorbringt."

Der Erdgeist stellt sich als unendlich wirkende Natur dar.

„In Lebensfluten, im Tatensturm   (501)
Wall' ich auf und ab,
Webe hin und her!
Geburt und Grab,
Ein ewiges Meer,
Ein wechselnd Weben,
Ein glühend Leben,
So schaff' ich am sausenden Webstuhl der Zeit
Und wirke der Gottheit lebendiges Kleid."

Faust kann die Allnatur ebensowenig ertragen wie Werther ihr gewachsen ist.

„Und so taumle ich beängstigt. Himmel und Erde und ihre webenden Kräfte um
mich her: ich sehe nichts als ein ewig verschlingendes, ewig wiederkäuendes Unge=
heuer." (Am 18. 8. 1771)

Auf der Flucht in die Natur nimmt Faust ein Buch zur Wegweisung. So bleibt
sie verstellt und Faust findet nicht zum Natürlichen. In der „Hexenküche" kann
er sich zum einfachen Leben auf dem Lande, das aus der Erde Kräfte natürlicher
Verjüngung schöpft, „nicht bequemen" (2348—2364).
Ohne sinnhaftes Begreifen und unter Überlagerung durch schwarze Magie kann
nur noch die eine *chaotische Seite* sichtbar werden, das Treibende und Triebhafte,
das Geile und Wuchernde: ihr Mephisto zugewandtes Gesicht.

„Seh' die Bäume hinter Bäumen,   (3876)
Wie sie schnell vorüberrücken,
Und die Klippen, die sich bücken,

Und die langen Felsennasen,
Wie sie schnarchen, wie sie blasen!"

„Uhu! Schuhu! tönt es näher, (3889)
Kauz und Kiebitz und der Häher,
Sind sie alle wach geblieben?
Sind das Molche durchs Gesträuche?
Lange Beine, dicke Bäuche!
Und die Wurzeln, wie die Schlangen,
Winden sich aus Fels und Sande,
Strecken wunderliche Bande,
Uns zu schrecken, uns zu fangen;
Aus belebten derben Masern
Strecken sie Polypenfasern
Nach dem Wandrer. Und die Mäuse
Tausendfarbig, scharenweise,
Durch das Moos und durch die Heide!
Und die Funkenwürmer fliegen
Mit gedrängten Schwärmezügen
Zum verwirrenden Geleite.
Aber sag mir, ob wir stehen,
Oder ob wir weitergehen?
Alles, alles scheint zu drehen,
Fels und Bäume, die Gesichter
Schneiden, und die irren Lichter,
Die sich mehren, die sich blähen."

Das ist Mephistos Natur, die zur Walpurgisnacht gehört wie die Walpurgisnacht
zu ihr.

„Ein Nebel verdichtet die Nacht. (3940)
Höre, wie's durch die Wälder kracht!
Aufgescheucht fliegen die Eulen.
Hör', es splittern die Säulen
Ewig grüner Paläste.
Girren und Brechen der Äste!
Der Stämme mächtiges Dröhnen!
Der Wurzeln Knarren und Gähnen!
Im fürchterlich verworrenen Falle
Übereinander krachen sie alle,
Und durch die übertrümmerten Klüfte
Zischen und heulen die Lüfte.
Hörst du die Stimmen in der Höhe?
In der Ferne, in der Nähe?
Ja, den ganzen Berg entlang
Strömt ein wütender Zaubergesang!"

Die Natur ist nirgends nur Kulisse. Sie ist Ausdruck der Handlung, Bild des
Geschehens, spielt mit, wirkt mit. So braut sich auch in der Natur der „Klassischen
Walpurgisnacht" die archaische Zeit, das vorklassische oder besser: dem Klassi=
schen polare Chaos, das dunkle Werden, in dem Seismos baut, im Gegensatz zum
lichten Sein, das mit Helena erscheint.

> „Rege dich, du Schilfgeflüster!   (7249)
> Hauche leise, Rohrgeschwister,
> Säuselt, leichte Weidensträuche,
> Lispelt, Pappelzitterzweige,
> Unterbrochnen Träumen zu! ...
> Weckt mich doch ein grauslich Wittern,
> Heimlich allbewegend Zittern
> Aus dem Wallestrom und Ruh'."

> „Schäumend kehrt die Welle wieder,   (7503)
> Fließt nicht mehr im Bett darnieder;
> Grund erbebt, das Wasser staucht,
> Kies und Ufer berstend raucht."

> „Welch ein widerwärtig Zittern,   (7523)
> Häßlich grausenhaftes Wittern!
> Welch ein Schwanken, welches Beben,
> Schaukelnd Hin= und Widerstreben!
> Welch unleidlicher Verdruß!
> Doch wir ändern nicht die Stelle,
> Bräche los die ganze Hölle."

Urgewalten türmen Urgrund auf, der lange steht und dauert. *Fels*, Granit, Ur=
gestein weiß Goethe als das Überdauernde. Sphinxe gründen in ihm (7579). Auf
dem Wege zum Brocken rät Mephisto Faust Schutz vor der „Windsbraut":

> „Du mußt des Felsens alte Rippen packen,   (3938)
> Sonst stürzt sie dich hinab in dieser Schlünde Gruft."

Der Weg zu den uralten Phorkyaden führt Mephisto über „*Fels*entreppen"
(7951) in eine Höhle. Als er dann von den Lamien verführt, die Orientierung ver=
liert, ruft ihm „Oreas vom Natur*fels*", die Nymphe des gewachsenen Berges, zu:

> „Herauf hier! Mein Gebirg ist alt,   (7811)
> Steht in ursprünglicher Gestalt.
> Verehre schroffe Felsensteige,
> Des Pindus letztgedehnte Zweige!
> Schon stand ich unerschüttert so,
> Als über mich Pompejus floh.
> Daneben das Gebild des Wahns
> Verschwindet schon beim Krähn des Hahns.
> Dergleichen Märchen seh' ich oft entstehn
> Und plötzlich wieder untergehn."

Auch das Schlußmysterium geschieht in einem Raum, der für Dauer gegründet
ist: „Bergschluchten, Wald, *Fels*, Einöde."

Von Griechenland zurückgekehrt, landet Faust in der Einsamkeit des „Hoch=
gebirges" inmitten „starrer, zackiger *Fels*engipfel." Er faßt wieder Fuß: sicheren
Stand in der Welt, Besinnung auf seinen Ort. Aus der Sicherheit des Ortes fragt
Faust nicht nach der Entstehung.

> „Gebirgesmasse bleibt mir edel=stumm,   (10095)
> Ich frage nicht woher und nicht warum."

Während Mephisto das Werden vulkanisch=revolutionär erklärt —

> „Denn eigentlich war das der Grund der Hölle." (10072)

> „Das gab ein Gas! Das ging ins Ungeheure, (10084)
> So daß gar bald der Länder flache Kruste,
> So dick sie war, zerkrachend bersten mußte.
> Nun haben wir's an einem andern Zipfel,
> Was ehmals Grund war, ist nun Gipfel." —

bezeichnet Faust die Lehre von der gewaltsamen Entstehung, den Plutonismus, als Standpunkt des Teufels.

> „Es ist doch auch bemerkenswert zu achten, (10122)
> Zu sehn, wie Teufel die Natur betrachten."

Faust erfüllt ein Naturbild, das die milden und befruchtenden Wirkungen des Wassers prägen.

> „Als die Natur sich in sich selbst gegründet, (10097)
> Da hat sie rein den Erdball abgeründet,
> Der Gipfel sich, der Schluchten sich erfreut
> Und Fels an Fels und Berg an Berg gereiht,
> Die Hügel dann bequem hinabgebildet,
> Mit sanftem Zug sie in das Tal gemildet.
> Da grünt's und wächst's, und um sich zu erfreuen,
> Bedarf sie nicht der tollen Strudeleien."

Während Leben und Geschichte ihm chaotisch, ein „Zeitenstrudel", sind, klammert sich Faust an ein Bild der milden und fruchtbaren Natur und lehnt dort den Strudel ab. Selbst in der Naturphilosophie also scheiden sich die Geister; denn Mephisto vertritt die gewaltsam zerstörende Kraft des *Feuers*.

> „Der Luft, dem Wasser, wie der Erden (1374)
> Entwinden tausend Keime sich,
> Im Trocknen, Feuchten, Warmen, Kalten!
> Hätt' ich mir nicht die Flamme vorbehalten,
> Ich hätte nichts Aparts für mich."

Faust dagegen sieht aus den anderen Elementen — Wasser, Erde, Luft — das Leben werden.

> „So setzest du der ewig regen, (1379)
> Der heilsam schaffenden Gewalt
> Die kalte Teufelsfaust entgegen,
> Die sich vergebens tückisch ballt!"

Faust wählt sich darum auch das Element *Wasser*, das Meer, aus dem er schaffen, an dem er kolonisieren will. Aus dem Wasser entsteht das Leben, dort soll auch die Zelle neuen politischen Lebens wachsen. Fausts Weg im IV. Akt führt, wie die „Klassische Walpurgisnacht" von den thessalischen Bergen ans Ägäische Meer, vom Hochgebirge über das Mittelgebirge an die Küste, an das „herrische Meer" (10229).

Zum Wasser und durch das Wasser als dem Element des Entstehens führt der Weg des Homunculus, der „gern im besten Sinn entstehen" möchte (7831). Der „Kleingeselle" (7829) begegnet den beiden Naturphilosophen Thales und Anaxagoras und lauscht ihrem Streitgespräch.

> „Nur, um dir's im Vertraun zu sagen: (7835)
> Zwei Philosophen bin ich auf der Spur,
> Ich horchte zu, es hieß: Natur, Natur!
> Von diesen will ich mich nicht trennen,
> Sie müssen doch das irdische Wesen kennen;
> Und ich erfahre wohl am Ende,
> Wohin ich mich am allerklügsten wende."

Thales vertritt den Neptunismus —

> „Im Feuchten ist Lebendiges erstanden" — (7856)

während Anaxagoras den Plutonismus verficht:

> „Durch Feuerdunst ist dieser Fels zu Handen." (7855)

An der Haltung Fausts im IV. Akt läßt ein Vergleich unschwer erkennen, daß hier Thales auch Fausts Auffassung vertritt.

> „Nie war Natur und ihr lebendiges Fließen (7861)
> Auf Tag und Nacht und Stunden angewiesen,
> Sie bildet regelnd jegliche Gestalt,
> Und selbst im Großen ist es nicht Gewalt."

So wählt denn *Homunculus*, Faust ähnlich, Thales zum Führer (8082). Sie fragen den Meergeist Nereus, fragen Proteus, den Allgestaltigen, der sich beliebig verwandeln kann. Er rät:

> „Im weiten Meere mußt du anbeginnen! (8260)
> Da fängt man erst im kleinen an
> Und freut sich, Kleinste zu verschlingen,
> Man wächst so nach und nach heran
> Und bildet sich zu höherem Vollbringen."

Im Meere beginnt das Leben der Natur. Dort, an *„Felsbuchten des Ägäischen Meeres"*, feiert sie ihr großes Fest. „Der Mond im Zenit verharrend" lautet die Bühnenanweisung. Die Nacht, die Zeit steht still. Es ist die gute Stunde. Die Sirenen huldigen Luna, der Mondgöttin (8034—8043, 8078—8081), die Telchinen — priesterliche Urbewohner von Rhodos, die auf Hippokamen (= Meerpferden) herbeieilen — huldigen dem Sonnengott Helios (8289—8302). Die Meerfrauen, die Nereiden, Nereus' Töchter, kommen heran, die Kabiren von Samothrake, Gottheiten eines Mysterienkultes, von Cypern kommen Psyllen und Marsen, als Begleiter der Galatee, ihr folgen die Doriden, Töchter des Nereus und der Doris. Tauben, die Vögel der Aphrodite, umschwirren Aphroditens Muschelwagen, auf dem Galatee, eine Tochter des Nereus und Göttin der Schönheit auf Cypern, von Dephinen gezogen, heranfährt. (Ernst Beutler, Artemisausgabe V, 797, weist darauf hin, daß

Goethe hier in Calderons „El mayor encanto Amor" — „Über allen Zaubern Liebe" ein Vorbild hatte, das er in der Übersetzung A. W. Schlegels kannte und 1803 aufzuführen plante.) Der „Chorus der sämtlichen Kreise" (8443) stimmt zur Verehrung der Elemente den gewaltigen Hymnus an, in den Thales einstimmt:

> „Alles ist aus dem Wasser entsprungen!! (8435)
> Alles wird durch das Wasser erhalten!"

Proteus, der Gott der Metamorphose, hat sich in einen Delphin verwandelt:

> „Dem Leben frommt die Welle besser ..." (8315)
> „Vermähle dich dem Ozean." (8320)

Er nimmt Homunculus auf seinen Rücken und eilt mit ihm Galatee entgegen. Indem der künstliche Mensch am Muschelwagen der Schönheit zerschellt, beginnt er im Meere den Weg des Lebendigen, seine erste Metamorphose. Als Feier flammt der Eros über die Wellen.

> „Und ringsum ist alles vom Feuer umronnen; (8478)
> So herrsche denn Eros, der alles begonnen!"

Von den drei großen Kulten, dem Kult des Bösen, der Natur und dem der christ=lichen Liebe, steht dieser in der Mitte. Wie auf dem Blocksberg dem *Sexus* in der Inkarnation der Lilith, in den „Bergschluchten" der *Agape*, der von Gott kommen=den, sich neigenden Liebe, in der Gestalt der Maria gehuldigt wird, so hier an den „Felsbuchten des Ägäischen Meeres" dem hinanstrebenden *Eros* als dem höchsten Element der Natur in der Gestalt Galateas.

Im Proshymnus „Die Natur" (1783) heißt es: „Ihre Krone ist die Liebe ... Nur durch sie kommt man ihr nahe. Sie macht Klüfte zwischen allen Wesen, und alles will sich ver=schlingen. Sie hat alles isoliert, um alles zusammen zu ziehen. Durch ein paar Züge aus dem Becher der Liebe hält sie für ein Leben voll Mühe schadlos."

Zwischen dem rein Sinnlichen (Sexus) und dem rein Geistigen (Agape) ver=einigt sich hier Geist und Natur zur Zeugung des Eros, einer göttlichen Kraft in der Natur (vgl. Gespräch mit Eckermann vom 11. 3. 1832). Eros ist die Mitte des Menschen, der an beiden Sphären teilhat, Eros ist die Kraft Fausts, sein über=mächtiges Sehnen, so wie hier der Kult des Eros in der Mitte des ganzen Faust=dramas steht.

Alle drei Kulte gipfeln in der Verehrung von Frauengestalten, von Weiblichem, alle drei geschehen vom festen Grund, vom Fels, vom Urgestein aus. Gott und das Böse werden auf Bergen verehrt, die Natur am Meer. Denn dort treffen sich alle Elemente:

> „Heil dem *Wasser!* Heil dem *Feuer!* (8482)
> Heil dem seltnen Abenteuer!
> All=Alle! Heil den mildgewognen *Lüften!*
> Heil geheimnisreichen *Grüften!*

> Hochgefeiert seid allhier,
> Element' ihr alle vier!"

Homunculus muß durch die Elemente, durch alle Gestalten auf einem langen Wege (8324) sich höher bilden. Eine *Entelechie* beginnt hier ihre Verwirklichung, die zum Menschen und — das Schlußmysterium stellt es dar — über den Menschen hinaus führt. Das wird aber nur erreicht, wenn die Entelechie sich in dem jeweili= gen Zustande *bewährt*. Gelingt das nicht, fällt das wesende Leben in den Vor= zustand zurück; der Mensch muß zurück zum Element, er wird wieder Natur.

Nach Helenas Entschwinden müssen die *Chorediten* zurück zum Element —

> „Ewig lebendige Natur (9989)
> Macht auf uns Geister,
> Wir auf sie vollgültigen Anspruch." —

sie werden Baumnymphen (= Dryaden, 9992 ff), Bergnymphen (= Oreaden, 9998 ff), Quellnymphen (= Najaden, 10004 ff), Nymphen des Weinstocks (= Bacchantinnen, 10011 ff). Die Rückverwandlung des Menschlichen ins Ele= mentare geschieht zuletzt im Zeichen des Dionysos und so schließt dieses Element= werden mit den Dithyramben seines Mysteriums als kultische Feier des Elemen= taren.

„Auf den Gedanken, daß der Chor nicht wieder in die Unterwelt hinab will, sondern auf der heiteren Oberfläche der Erde sich den Elementen zuwirft, tue ich mir wirklich etwas zugute." (Zu Eckermann, 29. 1. 1827)

Nur die Gestalt, die sich bewährt, die nicht im endlosen Werden und Vergehen der Natur Ewigkeit sucht, sondern auch im bewußten Tod noch die eigene Prägung zu wahren weiß, dauert als Entelechie und schreitet fort. Es ist Panthalis, die Chorführerin:

> „Wer keinen Namen sich erwarb noch Edles will, (9981)
> Gehört den Elementen an; so fahret hin!
> Mit meiner Königin zu sein, verlangt mich heiß;
> Nicht nur Verdienst, auch *Treue* wahrt uns die Person."

Der Mensch also bewährt sich, der die Welt prägt mit hohem Wollen, der Seelenkraft in sittlichem Handeln beweist, der das Leben und die Irrwege des Lebens wagt. Mephisto ruft darum Homunculus zu:

> „Wenn du nicht irrst, kommst du nicht zu Verstand. (7847)
> Willst du entstehn, entsteh' auf eigne Hand."

Gleich welcher Sicht, ob teuflisch oder göttlich, die *Natur* ist das Ursprüngliche, Vormenschliche, Elementare, Wiederholende, aus dem der Mensch heraustritt und — kann er sich als geistige Person nicht behaupten — in das er zurück muß. Sie ist das immer Werdende, das ewig Gebärende. Zu ihr sucht Faust vergeblich Zugang, weil die Magie, geballte Geisteskraft, die unmittelbare Berührung, ja die Identi= fikation nicht erlaubt. Die geistige Person des Menschen widerspricht, sein Wollen.

Um diese geistige Person geht es auch, wo Faust innig die Natur berührt. In *„Wald und Höhle"* fließt sein Fühlen in erhabenem Rhythmus dahin, ein neuer Ton und Takt, fünfhebig, ungereimt: Blankverse. Stark ist das lyrisch verströ= mende Bewegen, wie immer im Empfinden der Natur.

> „Gabst mir die herrliche Natur zum Königreich,   (3220)
> Kraft, sie zu fühlen, zu genießen. Nicht
> Kalt staunenden Besuch erlaubst du nur,
> Vergönnest mir, in ihre tiefe Brust,
> Wie in den Busen eines Freunds, zu schauen.
> Du führst die Reihe der Lebendigen
> Vor mir vorbei, und lehrst mich meine Brüder
> Im stillen Busch, in Luft und Wasser kennen.
> Und wenn der Sturm im Walde braust und knarrt,
> Die Riesenfichte stürzend Nachbaräste
> Und Nachbarstämme quetschend niederstreift,
> Und ihrem Fall dumpf hohl der Hügel donnert,
> Dann führst du mich zur sichern Höhle, zeigst
> Mich dann mir selbst, und meiner eignen Brust
> Geheime tiefe Wunder öffnen sich."

Die Natur führt aus der Spannung dramatischen Lebens, aus der Anspannung des Ethischen, in eine tiefere, vegetative Schicht des Seins. Dorthin weicht Faust aus, weil er die Katastrophe Gretchens in seinem Herzen vorfühlt. In der Natur, im Gefühle ihres Allebens, könnte Faust auf Wollen und Ziel, auf das Persönlich= keit Formende und Bewährende, verzichten. Schiebt er doch selbst die Neigung zu Gretchen jetzt Mephisto zu:

> „Er facht in meiner Brust ein wildes Feuer   (3247)
> Nach jenem schönen Bild geschäftig an.
> So tauml' ich von Begierde zu Genuß,
> Und im Genuß verschmacht' ich nach Begierde."

Faust könnte sich verliegen, was zu verhindern Mephistos Auftrag ist, er könnte im Erfühlen der Natur sein Streben, damit auch sein Irren, Mephistos An= satzpunkt, verlieren. Er könnte aus der Sphäre der Person, die durch Irrtum zur Klarheit gehen muß und deren Sein daher vom Teufel anfechtbar ist, ausscheiden. Er könnte aber auch durch die göttliche Natur „den Göttern nah und näher" (3242) kommen. Mephisto muß das verhüten. Deswegen greift er ein und weil Faust in voller Bewußtheit diesen Ausweg sucht und genießt, ähnlich wie Werther unter dem Eindruck Ossians:

> „Zu wandern über die Heide, umsaust vom Sturmwinde, der in dampfenden Nebeln
> die Geister der Väter im dämmernden Lichte des Mondes hinführt. Zu hören vom Ge=
> birge her im Gebrülle des Waldstroms halb verwehtes Ächzen der Geister aus ihren
> Höhlen . . ."   (Brief vom 12. 10. 1772)

Faust gewinnt hier Kraft.

> „Verstehst du, was für neue Lebenskraft   (3278)
> Mir dieser Wandel in der Öde schafft?"

Mephisto will diese Kraft nicht, die Faust von ihm abwenden könnte, er „gönnt ihm nicht sein Glück" (3281). Mephisto weist darum sofort auf die niedere Le= bensstufe hin.

> „Was hast du da in Höhlen, Felsenritzen   (3272)
> Dich *wie ein Schuhu* zu versitzen?
> Was schlurfst aus dumpfem Moos und triefendem Gestein,
> *Wie eine Kröte,* Nahrung ein?"

Und indem er Fausts Wollen zur Begierde anfacht, reißt er ihn wieder in den Strudel des Menschlichen, weg von der Urkraft der Elemente.

„Man bedenke, wie anders im Ersten Teil Faust der Natur gegenübersteht, leiden= schaftlich zugewandt und eindringend, dann jedesmal wieder abrupt sich entfernend, verzichtend, zurückgeworfen. Nachdem er das Zeichen des Makrokosmos betrachtet hat:

> „Welch Schauspiel! Aber ach! ein Schauspiel nur!"

Der Erdgeist:
> „Du gleichst dem Geist, den du begreifst,
> Nicht mir!"

Im Osterspaziergang:
> „Ach! zu des Geistes Flügeln wird so leicht
> Kein körperlicher Flügel sich gesellen."

Im Monolog „Wald und Höhle":
> „O daß dem Menschen nichts Vollkommnes wird,
> Empfind' ich nun."

Auf leidenschaftliche Hinwendung folgt jedesmal der Rückschlag. Statt dessen bringt der Monolog des Zweiten Teils Einordnung in die große Natur, Harmonisierung durch die Harmonie der Natur. Indem Goethe diese Ouvertüre schrieb, stimmte er den Zwei= ten Teil zu einer weithin von Naturphilosophie bestimmten Dichtung um."

> (Paul Friedländer, in: Rhythmen und Landschaften im Zweiten Teil des Faust, Weimar (Böhlau) 1953, S. 29).

Ganz anders wirkt denn auch die Situation in *„Anmutige Gegend"*, womit der Zweite Teil beginnt. Der Faust der Kerkerszene ist als sittliche Person vernichtet. Wenn er weiter existieren soll und Mephisto zu seinem Ziele gelangen will, muß er ihn der Natur überlassen und zulassen, daß Faust dadurch von ihm unabhän= giger wird. Ihre Kräfte müssen den heilenden Ausweg finden. Mephisto ist fern. Faust liegt allein auf „blumigem Rasen". Sein Verhalten — „ermüdet, unruhig, schlafsuchend" — verrät die fortwirkende Erschütterung, aber auch die Grund= befindlichkeit. Denn auch zu Beginn des Ersten Teils sitzt Faust „unruhig" am Pult. Hier aber ist Faust nicht im „Mauerloch", sondern im freien Land. Hier mil= dert und versöhnt die Umwelt. Das „Anmutige" des Raumes wiederholt sich im „Anmutigen" der „kleinen Gestalten" des „Geisterkreises", im Ring, der voll= kommenen Figur.

Was außen vorgeht, geschieht innen. Eine Welt schützender Naturgeister, hilf= reich wie die Doriden (8391 ff), hat sich um ihn gelagert. Das Bewahrende seiner Natur sammelt sich. Im Schlaf taucht er ein in „Lethes Flut" (4629), dem Fluß des Vergessens in der Unterwelt. Es geschieht ihm ähnlich wie Orest.

„Noch einen! Reiche mir aus Lethes Fluten
Den letzten kühlen Becher der Erquickung!
Bald ist der Krampf des Lebens aus dem Busen
Hinweggespült; bald fließet still mein Geist,
Der Quelle des Vergessens hingegeben,
Zu euch, ihr Schatten, in die ew'gen Nebel."

(Iphigenie, II/2)

Der Schlaf an der Erde erfüllt mit neuer Lebenskraft, die Einkehr bei den tief=
sten Kräften der Natur entfernt alles, was das Leben hindert. Die Natur hilft,
indem sie das Gefährdende aus dem Bewußtsein ausschließt, es vergißt. Eine junge,
elastische Seele kann vergessen. Der Mensch vertraut sich dem Unterbewußten
an und findet dort seine Lebenskraft wieder. Die pflanzenhafte Natur regeneriert,
indem sie Wunden schließt. Den Naturkräften, indifferent wie sie sind, bleibt die
Frage der Schuld gleichgültig. Es ist eine Einbuße an ethischer Qualität.

„Ob er heilig, ob er böse,   (4619)
Jammert sie der Unglücksmann."

Ariel, der gute Geist aus Shakespeares „Sturm", ruft die helfenden Elfen auf
unter Gesang, also in der Harmonie des Klanges.

„Besänftiget des Herzens grimmen Strauß,   (4623)
Entfernt des Vorwurfs glühend bittre Pfeile,
Sein Innres reinigt von erlebtem Graus."

Faust öffnet sich den freundlichen Elementen, seinen „Brüdern" (3227). Erde
und Luft vollbringen, was am unteren Peneios die Flußnymphen raten:

„Am besten geschäh' dir,   (7263)
Du legtest dich nieder,
Erholtest im Kühlen
Ermüdete Glieder,
Genössest der immer
Dich meidenden Ruh;
Wir säuseln, wir rieseln,
Wir flüstern dir zu."

In vier Takten —

„Vier sind die Pausen nächtiger Weile" —   (4626)

vollziehen die Elfen nach Ariels Geheiß (4627—4633) die Genesung Fausts. Im
ersten Entwurf hatte Goethe den Vigilien römisch=militärischer und christlich=
mönchischer Tradition gemäß, die vier Strophen mit „Serenade" (Abendmusik),
„Notturno" (Nachtlied), „Matutino" (Morgengesang) und „Reveille" (Weckruf)
überschrieben. In diesen vier Takten wird die Nacht überstanden und geschieht
Heilung im Gesang der Elfen. Die Worte des Liedes sind Musik: sie sprechen
weniger als Logos den Verstand, vielmehr als Melos das Unbewußte, den Lebens=
rhythmus an. Getragen von ausschwingendem Gleichmaß — vierhebige Trochäen,
kreuzend gereimt — erklingt die Fülle der Vokale in befreiender Kraft. Den Um=

lauten Ü und Ä gesellt sich in der ersten Strophe gern das L, während die zweite
von G gestimmt wird. Dann tönen alle Vokale zu vollem Klang: „Wunsch um
Wünsche,... Schlaf ist Schale".

> „Täler grünen, Hügel schwellen,   (4654)
> Buschen sich zu Schattenruh;
> Und in schwanken Silberwellen
> Wogt die Saat der Ernte zu."

Die Harmonie setzt die Kräfte des Ganzen in ein echtes, das natürliche Verhält=
nis. Selbstvertrauen erwacht.

> „Alles kann der Edle leisten,   (4664)
> Der versteht und rasch ergreift."

„Wir hören eines der wunderbarsten Naturgedichte Goethes. Sein ganzer Zauber
erschließt sich, wenn wir jede Strophe auf die gemeinte nächtliche Stunde beziehen...
Diese Verse, die am Schluß in den tönenden Aufgang der Sonne münden, sind dem
Gesang der Engel im „Prolog im Himmel" ebenbürtig, weniger majestätisch, aber ganz
durchdrungen von Goethes geheimnisvoll inniger Gelassenheit... Besteht die Behaup=
tung einiger Kommentatoren zu Recht, hier werde die Kontinuität der Person des Hel=
den zerstört?... Ich glaube nicht. Denn dieser Tod, aus dem ein neues Leben entsteht,
ist kein mirakulöser Vorgang, sondern, gerade im Sinne Goethes, ein durchaus mensch=
licher, eine Gnade, die jedermann widerfahren kann... Alle Tragik beruht ja zuletzt
auf unerbittlicher Konsequenz. Konsequent sind Ödipus, Michael Kohlhaas, Meister
Anton ... Weil sie keinen Punkt vergessen, werden sie auf unauflösliche Wider=
sprüche aufmerksam und gehen an den Widersprüchen zugrunde. So könnte es jetzt
mit Faust geschehen... Goethe dagegen bekennt sich in dem entscheidenden Augen=
blick zum Vergessen. Das heißt: kein starres menschliches Urteil über die Schuld ist
ihm das Höchste, sondern der tiefe Lebenswille der Natur... Das Zeichen der Gnade
ist die Verwandlung ... Inwiefern verwandelt sich Faust?... Er begehrt nicht mehr,
Gott gleich zu sein. Er nimmt das menschliche Los auf sich. Er anerkennt die Endlichkeit,
die menschenmögliche Erkenntnis, die nur im Spiegel des Vergänglichen Ewiges anzu=
schauen vermag. Damit ist er verwandelt, gereinigt."

> (Emil Staiger, in: Hamburger Akademische Rundschau, 2, 1947, 251—257,
> zitiert nach Trunz, Hamb. Ausg. III, 532).

Die Sonne bricht hervor. Faust erwacht zu neuem Lebenstag. Sein Wort ist
ruhig, füllig, breit, nicht mehr zerrissen: fünfhebige, gereimte Jamben sein Takt.
Im Gegensatz zum Anfangsmonolog „Nacht" ruht seine Sprache jetzt. Der Klang
kommt aus einer Mitte. Auch sein Vers ist geformter als jener kühn und frei ge=
brauchte Knittel: er baut Terzinen (aba bcb cdc ded), die Reimform von Dantes
„Göttliche Komödie", dadurch seinem Sprechen ein stets sich neues Öffnen, ein
gegliedertes Bewegen verleihend.

Streckfuß übersandte seine Dante=Übertragung (1824—1826), die Goethe 1826
rezensierte. Über der Lektüre greift Goethe zum italienischen Originaltext (Aus=
gabe Venedig 1739). Er hört sich so in Dantes klingende Sprache ein, daß er in
den Terzinen nur klingende (weibliche) Reime verwendet. Er fühlt die Größe des
Maßes.

„Terzinen müssen immer einen großen, reichen Stoff zur Unterlage haben, wenn sie gefallen sollen." (Zu Kanzler von Müller, 29. 9. 1823)

Dante und Shakespeare (Ariel) verschlingen sich in dieser Ouvertüre zur Vorstellung der großen Welt.

„Ich (Eckermann d. H.) machte bemerklich, daß es mir vorkomme, als ob die in Terzinen geschriebene prächtige Beschreibung des Sonnenaufgangs in der ersten Szene vom zweiten Teile des Faust aus der Erinnerung jener Natureindrücke des Vierwaldstätters entstanden sein möchte. ,Ich will es nicht leugnen', sagte Goethe, ,daß diese Anschauungen dort herrühren; ja ich hätte ohne die frischen Eindrücke jener wundervollen Natur den Inhalt der erwähnten Terzinen gar nicht denken können. Das ist aber auch alles . . ." (Gespräch mit Eckermann, 6. 5. 1827)

Faust ist ein anderer. Das unerhörte Bild schenkt dem Neuwerden Ausdruck: Aufgang der Sonne, Berggipfel, Wiesen, Wasserfall, Regenbogen. Die Kräfte der Natur versammeln sich zur Neuschöpfung, die jeden Morgen wiederkehrt.

„Fragt man mich, ob es in meiner Natur sei, ihm (Christus d. H.) anbetende Ehrfurcht zu erweisen, so sage ich: Durchaus! Ich beuge mich vor ihm, als der göttlichen Offenbarung des höchsten Prinzips der Sittlichkeit. Fragt man mich, ob es in meiner Natur sei, die Sonne zu verehren, so sage ich abermals: Durchaus! Denn sie ist gleichfalls eine Offenbarung des Höchsten und zwar die mächtigste, die uns Erdenkindern wahrzunehmen vergönnt ist. Ich anbete in ihr das Licht und die zeugende Kraft Gottes, wodurch allein wir leben, weben und sind, und alle Pflanzen und Tiere mit uns."

(Zu Eckermann, 11. 3. 1832)

Es ist Morgen und Morgen ist in Faust. Er spürt die Erneuerung.

„Des Lebens Pulse schlagen frisch lebendig." (4679)

Dankbarkeit erwacht.

„Du, Erde, warst auch diese Nacht beständig." (4681)

Sogleich ist Faust der Alte wieder, strebend nach höchstem Ziele, allerdings nun nicht mehr nach letzter Erkenntnis, sondern nach vollkommenem Sein.

„Du regst und rührst ein kräftiges Beschließen, (4684)
Zum höchsten *Dasein* immerfort zu streben."

Faust ist ein anderer. Diese Welt scheint ihm ein „Paradies" (4694). Der Aufgang des Lichtes wird ihm die „feierlichste Stunde" (4696). Er begreift am „Augenschmerz" der blendenden Sonne das Unmögliche unbedingten Erkennens.

„So ist es also, wenn ein sehnend Hoffen (4704)
Dem höchsten Wunsch sich traulich zugerungen,
Erfüllungspforten findet flügeloffen;
Nun aber bricht aus jenen ewigen Gründen
Ein Flammenübermaß, wir stehn betroffen."

Am Gleichnis der Natur findet Faust zum Gleichnis: das Leben erlaubt nie unmittelbare Erkenntnis, nur mittelbares Schauen, das „wachsendes Entzücken" (4717) empfindet. Der Regenbogen wird Sinnbild: Farbe und Abglanz sind die Medien des Lichts, an ihrem Sein nur erfährt der Mensch das höchste Sein.

„Der spiegelt ab das menschliche Bestreben." (4725)

Die Akte des zweiten Teiles sind Spiegelungen jener großen Welt, seinshaftes Nebeneinander, Zustände, kaum dramatische Folge. Das Leben Fausts schreitet von Gleichnis zu Gleichnis, um am Ende als Gleichnis gedeutet zu werden.

„Alles Vergängliche (12104)
Ist nur ein Gleichnis."

Hier, am neuen Dasein Fausts, spricht Goethe im Symbol seine Weltsicht aus. 1825 schreibt er im „Versuch einer Witterungslehre":

„Das Wahre, mit dem Göttlichen identisch, läßt sich niemals von uns direkt erken= nen. Wir schauen es nur im *Abglanz*, im *Beispiel*, *Symbol*, in einzelnen und ver= wandten Erscheinungen."

Goethe forscht darum den Phänomenen nach, den Erscheinungen, er deutet die Farben als Abspiel von Helle und Finsternis, von Gott und Materie. Er spricht es aus in „Prooemion":

„So weit das Ohr, so weit das Auge reicht,
Du findest nur Bekanntes, das Ihm *gleicht*,
Und deines Geistes höchster Feuerflug
Hat schon am *Gleichnis*, hat am *Bild* genug."

Fausts neues Dasein ist mehr als nur ein Überleben. Er lebt sein Leben natur= hafter, unbeteiligter, distanzierter, objektiver, ästhetischer, lebt es als ein Gleichnis. Die moralische Person tritt bis zur Sorge der „Mitternacht" zurück. Faust sieht sich und der Welt zu; er geht wie durch Spiegel. Sein Streben beschränkt sich auf Endliches, das in Vielfalt und Farbe unerschöpflich und als Medium „ewigen Lich= tes" immer noch grenzenlos und unbegreiflich scheint.

„Stumm war alles, still und öde.
Einsam Gott zum erstenmal!
Da erschuf er Morgenröte,
Die erbarmte sich der Qual;
Sie entwickelte dem Trüben
Ein erklingend Farbenspiel,
Und nun konnte wieder lieben,
Was erst auseinander fiel." (Wiederfinden)

Das Licht senkt sich stufenweise herab, wie ihm das Leben stufenweise ent= gegenstrebt.

„Am farbigen Abglanz haben wir das Leben." (4727)

Vorbereitung für Kap. „Bilder und Rhythmen":

nötig: Überlege: In welchen Versformen und welchen Symbolen spiegelt sich die Handlung?

möglich: Arb.=Gem.: Gibt es im Faust rhythmisch verschiedene Welten?

Bilder und Rhythmen

„Faust" ist ein Drama der Seele. Himmel und Hölle sind innen. In der Darstel=
lung aber müssen die Mächte der Seele Gestalt werden im zugehörigen Raum, mit
eigenen Gebärden und tragenden Klängen. Personen, Bilder und Klänge spiegeln
das Inwendige auf der Außenwand des Dramas. Welt wird Symbol der Seele.
Das Ganze ist Zeichen und die Bilder sind Zeichen des Ganzen. Hinter die Sym=
bolik tritt die Handlung bisweilen weit zurück. Weltweite ist eingefangen: Ge=
lehrte, Studenten, Kleinstadt, Bauern, Hofwelt, griechische Landschaft, Koloni=
sation. Symbolisch sind alle Orte: Enge „gotischen", nun säkularisierten Studier=
zimmers wird Angst, „Wald und Höhle" wendet den Blick ins Offene und zu=
gleich Bergende der Natur, „Kerker" umschließt menschliche Ausweglosigkeit,
„anmutige Gegend" erfüllt mit neuem Lebensmut, „Hochgebirge" hebt die Exi=
stenz steil in die Entscheidung zwischen Geistigem und Materie, zwischen Düne
und Meer wird Neuland gewonnen unter dem Wagnis des Daseins, „Wasser=
boden", der Opfer fordert.

Bilder sprechen Unsagbares aus. Die Welt selbst wirkt aus der polaren Span=
nung von Gott und Teufel oder, anders ausgedrückt, von Licht und Finsternis,
Geist und Materie. Licht, Sonne, Geist, Ordnung sind eins — Weltharmonie.

> „Die Sonne tönt nach alter Weise (243)
> In Brudersphären Wettgesang . . ."

> Horchet! horcht dem Sturm der Horen! (4666)
> Tönend wird für Geistesohren
> Schon der neue Tag geboren.
> Felsentore knarren rasselnd,
> Phöbus Räder rollen prasselnd,
> Welch Getöse bringt das Licht!
> Es trommetet, es posaunet,
> Auge blinzt und Ohr erstaunet,
> Unerhörtes hört sich nicht . . ."

Dem stehen die Mächte der Schwere gegenüber, Finsternis, Zerstörung, Chaos,
Gold, Sinnengier, verkörpert durch Mephisto. Das Irdische besteht in der Mi=
schung beider Sphären, in ihrem Ringen. Wir können nie das Licht selbst erfah=
ren, sondern nur seinen Widerschein, nicht leuchtende Substanz, sondern be=
leuchtete Materie. Wo sich Licht und Finsternis verschränken, wird das Reine
getrübt, und erst im Jenseits überwinden wir die irdische Trübung, wie schließlich
Faust aufsteigt als „der nicht mehr Getrübte" (12074). In der Welt des Denkens
ist das Trübe Irrtum, weil Licht und Wahrheit identisch sind. Trübung und Irren
erwachsen notwendig aus dem unaufhebbaren Dazwischensein des Menschen.

> „Glaub unsereinem: dieses Ganze (1780)
> Ist nur für einen Gott gemacht!
> Er findet sich in einem ew'gen *Glanze*,

Uns hat er in die *Finsternis* gebracht,
Und euch taugt einzig *Tag und Nacht.*"

Der Mensch steht im Zwielicht. Ihm ist der *"Schein* des Himmelslichts" ver=
liehen, den er nicht zu brauchen weiß (248 ff), ihm ist das Leben als *"farbiger
Abglanz"* (4679–4727) gegeben, eine Existenz im Vergänglichen als *"Gleichnis"*
(12105) des Ewigen. Der Mensch wandert auf der Erde zwischen beiden Welten
und hat teil an beiden. Alles Menschliche wird "getrübt" sein. Das Maß der Trü=
bung aber ist verschieden nach dem Maße des objektiven Verhältnisses der rin=
genden Welten und des subjektiven Verhaltens des Menschen zu beiden. Ein Ab=
spiel von Lichtstärken und Farbgraden füllt dieses Dazwischen, ein *"farbiger Ab=
glanz"*, erscheinend in einer genauen Welt von Zeichen.

Die Welt der Elemente selbst ist gestuft nach der Durchdringbarkeit mit Licht.
Da ist der Fels, das Urgestein, auf dem das Dasein gründet, Erscheinung in der
Gestalt des *Berges,* der den Daseinsurgrund, festeste Materie, in lichteste Höhen
hebt: Blocksberg, thessalisches Gebirge, Hochgebirge, von dem Faust in die Nie=
derung herabsteigt, und insonderheit der Berg der Anachoreten nach den Vor=
bildern des Karmel, Athos, Montserrat, des Montsalvasch der Gralssage, viel=
leicht auch des toskanischen La Verne, wo Franziskus von Assisi, der Pater Sera=
phicus, die Stigmen empfing, oder Dantes Berg der Läuterung. Das Feste selbst
erhebt sich zur Anbetung des Höheren und hier ist die Stätte der Gottesnähe —
in der Umkehr der Nacht die des Bösen. Da ist die *Erde,* die den Menschen er=
neuert wie Antäus, der unbesiegbar war, solange er den Boden berührte. Faust
sammelt nach Gretchens Tragödie die Kräfte der Erde und erwacht nach der Explo=
sion im Rittersaal griechischen "Boden berührend" (7055) zu neuem Dasein, ein
"Antäus an Gemüte" (7077).

"Du, Erde, warst auch diese Nacht beständig". (4681)

"Denn der Boden zeugt sie wieder, (9937)
Wie von je er sie gezeugt."

Da ist die *Flamme,* Zeichen der Zerstörung, und das *Wasser,* heilendes Element!
Da ist die Vierheit der widerstreitenden Elemente im Kult der Natur an den "Fels=
buchten des Ägäischen Meeres" ebenso mächtig wie am Anfang —

"Es schäumt das *Meer* in breiten Flüssen (255)
Am tiefen Grund der *Felsen* auf ...
Und *Stürme* brausen um die Wette ...
Da *flammt* ein blitzendes Verheeren ..." —

wie am Schluß:

"Wie *Felsen*abgrund mir zu Füßen (11866)
Auf tiefem Abgrund lastend ruht,
Wie tausend Bäche strahlend fließen
Zum grauen Sturz des Schaums der *Flut...*
Ist um mich her ein wildes *Brausen ...*
Der Blitz, der *flammend* niederschlug ..."

Da ist *Arkadien,* zeitloses Hirtenland, vom Ring der Felsen umschlossen, be=
hütet und beschützt. Der *Kreis* wird die bewahrende, weil vollkommene Figur.
Ruft Gretchen die Heiligen an, sich umherzulagern (4609), wird Faust zu Beginn
des zweiten Teiles von einem „Geisterkreis, schwebend bewegt", umgeben. Die
großen Kreise der Sphären umfassen Himmel und Erde. Die Feier der Natur ge=
schieht ebenso in Kreisbewegung (8380, 8427, 8444, 8447) wie das sich steigernde
Kreisen des Mysteriums: „Selige Knaben in Kreisbewegung sich nähernd" (12076).

> „Steigt hinan zu höherm Kreise." (11918)

„Chor seliger Knaben um die höchsten Gipfel kreisend", lautet eine weitere
Szenenanweisung (nach 11925).

Da sind *Wolken,* am meisten von Licht durchdrungene Materie, Zeichen des
Vergeistigens, und *Schleier,* hauchfeiner, lichtester und leichtester Kunst=Stoff.
Beide können ineinander übergehen. Ein Schleier bleibt Faust von Helena zurück
als ein Zeichen der Kunst, die nie absolut sagen kann, sondern nur in feinster
Brechung durch Materie. Dichtung ist das Leichteste, Schwereloseste, Vergeistigte
von Menschenhand. Der Schleier wandelt sich zur Wolke, dem Schwebenden und
Schwerelosen vom Stoffe der Natur. Wie Schönheit höchste Kunst und höchste
Natur ineins bedeutet, so werden Schleier und Wolke vertauschbare Zeichen licht=
und geistdurchflossenen, formerfüllten Stoffes, von lichter Kunst und lichter Natur.

In dem Gedicht „Howards Ehrengedächtnis" hat Goethe die Wolkengebilde so
umschrieben:

> „Wenn Gottheit Kamarupa, hoch und hehr,
> Durch Lüfte schwankend, wandelt leicht und schwer,
> Des *Schleiers* Falten sammelt, sie zerstreut,
> Am Wechsel der Gestalten sich erfreut,
> Jetzt starr sich hält, dann schwindet wie ein Traum,
> Da staunen wir und traun' den Augen kaum."

Im Epilog des Helena=Aktes stehen Schleier und Wolke, Künstliches und Natür=
liches noch einmal für einander. Nach dem Prolog der ersten vier aus dem Geiste
der Antike nachlebenden Trimeter folgen zweimal zwölf Verse, die die beiden lich=
testen Erlebnisse Fausts, Helena und Gretchen, in der lichten Materie der Wolke
nachbilden.

> „Sie löst sich langsam, nicht zerstiebend, von mir ab. (10043)
> Nach Osten strebt die Masse mit geballtem Zug,
> Ihr strebt das Auge staunend in Bewunderung nach.
> Sie teilt sich wandelnd, wogenhaft, veränderlich.
> Doch will sich's modeln. — Ja! das Auge trügt mich nicht! —
> Auf sonnbeglänzten Pfühlen herrlich hingestreckt,
> Zwar riesenhaft, ein göttergleiches Fraungebild,
> Ich seh's! Junonen ähnlich, Leda'n, Helenen,
> Wie majestätisch lieblich mir's im Auge schwankt.
> Ach! schon verrückt sich's! Formlos breit und aufgetürmt
> Ruht es im Osten, fernen Eisgebirgen gleich,
> Und spiegelt blendend flücht'ger Tage großen Sinn."

Es formt und entformt sich das Bild aus einer Cumuluswolke, für Goethe nicht nur Wolkenform, sondern zugleich Bedeutung.

> „Und wenn darauf zu höhrer Atmosphäre
> Der tüchtige Gehalt berufen wäre,
> Steht Wolke hoch, zum Herrlichsten geballt,
> Verkündet, festgebildet, Machtgewalt,
> Und was ihr fürchtet und auch wohl erlebt,
> Wie's oben drohet, so es unten steht."
>
> (Cumulus, Dez. 1817)

Die Wolke nimmt in immer höherer Sphäre Gretchens Gestalt an.

> „Doch mir umschwebt ein *zarter lichter Nebelstreif*   (10055)
> Noch Brust und Stirn, erheiternd, kühl und schmeichelhaft.
> Nun steigt es leicht und zaudernd hoch und höher auf,
> Fügt sich zusammen. — Täuscht mich ein entzückend Bild,
> Als jugenderstes, längstentbehrtes höchstes Gut?
> Des tiefsten Herzens frühste Schätze quellen auf:
> Aurorens Liebe, leichten Schwung bezeichnet's mir,
> Den schnellempfundnen, ersten, kaum verstandnen Blick,
> Der, festgehalten, überglänzte jeden Schatz.
> Wie Seelenschönheit steigert sich die holde Form,
> Löst sich nicht auf, erhebt sich in den Äther hin
> Und zieht das Beste meines Innern mit sich fort."

Die Form, die die Cirruswolke bildet, hat eine weite symbolische Bedeutung.

> „Doch immer höher steigt der edle Drang!
> Erlösung ist ein himmlisch leichter Zwang.
> Ein Aufgehäuftes, flockig löst sich's auf,
> Wie Schäflein trippelnd, leicht gekämmt zu Hauf.
> So fließt zuletzt, was unten leicht entstand,
> Dem Vater oben still in Schoß und Hand."
>
> (Cirrus, Dez. 1817)

Die Sprache des Symbols ist unverkennbar: Gretchen ist in höherer Sphäre als Helena, dort wo Geist zu dauernder Form gerinnt, zu „Seelenschönheit". Das „Beste des Innern" strebt mit auf. Als endlich Fausts „Unsterbliches" „Engel schwebend in der *höheren Atmosphäre*" (11934) emportragen, geschieht das wieder im Bild des feinsten, zartesten Wölkchens (11890, 11970, 12013), dessen „Flocken", letzter Materierest, noch aufgelöst werden müssen (11985).

Auf der anderen Seite stuft den Menschen sein Verhalten ein. Denn er kann die Organe behutsam bilden, um immer größeres Licht zu empfangen, die Sonne wahr=zunehmen mit einem „sonnenhaften Auge". Faust aber mangelt diese Be= hutsamkeit und Geduld, nicht das Sehen=wollen, das Sehnen und Streben an sich. Sein gewaltiger Eros reißt ihn empor.

> „So herrsche denn Eros, der alles begonnen!"   (8479)

> „So ist es die allmächtige Liebe,   (11872)
> Die alles bildet, alles hegt."

Entscheidend für den Menschen ist, wohin er sein Streben richtet, ins Licht oder ins Dunkel.

> „Ich eile fort, ihr ew'ges Licht zu trinken, (1086)
> Vor mir den Tag und hinter mir die Nacht,
> Den Himmel über mir und unter mir die Wellen."

Faust strebt — das Bild zeigt es — immer wieder ins Licht, „des Lichts begierig", wie Goethe in „Selige Sehnsucht" sagt. So wird sein Dasein immer wieder *Versuch zu fliegen* (393, 702, 1074, 1122, 4706), der immer wieder in neuen Tragödien scheitert, in seinem Sohn Euphorion noch dichter symbolisiert (9711, 9897). Das Bild der Zikade, deren kurzer Flug stets am Boden endet (287), gilt für den Menschen, bis die Engel sich neigen und dem vergeblichen Flugversuch entgegen= kommen, ihn aufnehmen und emportragen im großen Schlußbild.

Klang und Wort
Von Erich Trunz *)

Der reichen Bild=Symbolik der *Faust*=Dichtung entspricht eine nicht minder reiche, einzigartig instrumentierte Klangsymbolik. Diese rauschende, wechselnde Fülle der rhythmischen Formen ist für ein Drama völlig außergewöhnlich. Da erklingen Knittelverse, Blankverse, Trimeter, Liedstrophen, Alexandriner und viele andere Versmaße. Das entspricht der inneren Weite des Werkes; denn wie vieles vereinigt es in sich: Altdeutsches und Antikes, Feierliches und Alltägliches, Magie, Gesellschaft, Politik, Liebe, Religion ... Das geistige Klima der einzelnen Szenen, die verschiedene innere Haltung findet Ausdruck in den wechselnden Rhythmen. In der Gelehrtenstube, in Helenas Welt und in der *Bergschluchten*= Szene vernehmen wir jeweils andere Klänge, und schon allein aus dem Klang läßt sich meist vieles über das Wesen einer Szene erschließen.

Das Stück beginnt in Knittelversen:

> „Hábe nun, ách, Phílosophìe, (354)
> Júristerèi und Médizìn
> Und léider áuch Théologìe ..."

Sie sind vierhebig, die Taktfüllung ist unregelmäßig; dadurch haben sie immer etwas besonders Charakteristisches, fast Holzschnittartiges; in diesem Rhythmus kann die Faustische Heftigkeit und Unausgeglichenheit sich entladen. Zwischen den Hebungen stehen ein, zwei oder drei Senkungen, gelegentlich auch gar keine; der Vers kann ohne Auftakt sein, kann aber auch eine oder mehrere Silben als Auftakt haben. Der Reim gibt ihm dazu das Farbige. Goethe benutzt meist paari=

---

*) Abdruck aus dem Faustband (3) der Hamburger Ausgabe 1949[1], Seite 483—491, mit freundlicher Genehmigung des Verfassers, Herrn Univ.=Prof. Dr. Erich Trunz, Kiel, und des Christian Wegner Verlags, Hamburg.

gen Reim, bringt mitunter aber auch andere Reimstellungen und erzielt dann damit meist eine besondere Wirkung.

Dieser Verstyp geht oft in andere Formen über. Wird er gleichmäßig, regel= mäßig, so ergibt sich folgender Typ:

> „Und frágst du nóch, warúm dein Hérz (410)
> Sich báng in déinem Búsen klémmt?
> Warùm ein únerklärter Schmérz
> Dir álle Lébensrégung hémmt?"

Auch dies sind Vierheber, aber regelmäßige. Ein Auftakt, und danach Hebung und Senkung in gleichmäßigem Auf und Ab („alternierend"). Der Klangcharakter ist fließender als beim Knittelvers und vielfältig brauchbar als Sprache des Unge= hemmten, Strömenden und insofern der Sehnsucht, raschen Bewegung, leichten Lebens und glatten Flusses.

Dieser regelmäßige Viertakter geht nun wiederum über in einen anderen Typ:

> „Er sóll mir záppeln, stárren, klében, (1862)
> Und séiner Únersättlichkeit
> Soll Spéis' und Tránk vor gíer'gen Líppen schwében;
> Er wírd Erquíckung sích umsónst erflèhn,
> Und hätt' er sích auch nícht dem Téufel übergeben,
> Er müßte dóch zugrúnde gèhn!"

Diese Verse haben mit den vorigen gemeinsam, daß Hebung und Senkung regelmäßig wechseln. Aber die Taktzahl ist verschieden. In den ersten beiden Zeilen sind es je 4, in den beiden folgenden je 5, dann folgt eine Zeile mit 6 Tak= ten (ein richtiger Alexandriner), und nach diesem Langvers macht nun der fol= gende Kurzvers mit seinen 4 Takten besonderen Effekt; das Ohr ist auf längere Zeilen eingestellt, und durch die Kürze, den Reim schon am Ende des 4. Takts, wird nun dieser Versinhalt besonders herausgehoben. Sogar noch kürzere, nur zweitaktige Verse sind in dieser Versart möglich:

> „Ihr dúrchstudíert die gróß' und kléine Wélt, (2012)
> Ùm es am Énde gèhn zu làssen,
> Wie's Gótt gefällt."

Wie wird mit solchen überraschenden Kurzversen, die den Reim eines vorher= gehenden längeren Verses aufnehmen, gerade die Mephistophelische Pointe her= ausgearbeitet, scharf und lässig zugleich! Es ist ein Vers, dem das Lässige und Rationale, das Plaudernde und Bewußte des 18. Jahrhunderts anhaftet, die Fähig= keit zur Pointe und zur Weltläufigkeit, ein Vers wie geschaffen für die Mephisto= phelische Sprache, ihr witziges Geplauder und ihre kalten desillusionierenden Schlüsse; aber auch darüber hinaus vielfältig brauchbar in seiner Biegsamkeit, die ihn den freien Rhythmen annähert und fähig macht, zum feinnervigen Instrument des Goetheschen Ausdrucksstils zu werden, der jeder Wendung im Geistigen durch Wandel im Klang entspricht. Man nennt diesen Verstyp Madrigalvers, weil er sich im 17. Jahrhundert im Madrigal entwickelte und von da in die Dichtung eines Brockes, Gellert, Wieland einging, die Dichtung der Aufklärung, der er durch seinen flüssigen, unbefangenen und pointierenden Ton entgegenkam. Goethe lernte ihn in früher Jugend kennen und behielt ihn sein Leben lang bei.

Durch die wechselnde Taktzahl (und wechselnde Länge) ist dieser Verstyp verwandt mit den freien Rhythmen; aber er hat ein gleichmäßiges Auf und Ab von Hebung und Senkung, das haben diese nicht. Ihre Taktfüllung ist frei (darin sind sie wiederum den Knittelversen verwandt); so sind sie in jeder Beziehung ungebunden, auch in bezug auf den Reim; er kann dasein, kann aber auch fehlen:

> „Die Lámpe schwìndet! (470)
> Es dámpft! — Es zúcken róte Stráhlen
> Mìr um das Háupt — Es wéht
> Ein Scháuer vom Gewölb' heráb
> Und fáßt mich àn!
> Ich fúhl's, du schwébst um mìch, erfléhter Gèist.
> Enthülle dìch!"

Die Erdgeistbeschwörung, Fausts Glaubensbekenntnis (3431 ff) — solche Stellen leidenschaftlicher Gefühlssprache werden zu freien Rhythmen. Die Zahl der Takte wechselt in den sieben angeführten Zeilen zwischen 2 und 5; zwischen den Hebungen steht meist eine Senkung, mitunter zwei, ja auch drei („Scháuer vom Gewölb'"). Diese Freiheit vom Regelzwang ist eine Verpflichtung zur Ausdrucks=form. Gerade hier muß Kürze und Länge des Verses, muß die musikalische Phra=sierung durch die Versteilung, muß das weite Spannen von Hebung zu Hebung über mehrere Silben hinweg oder das schwere, betonende Zusammentreffen der Hebungen innerlich begründet sein.

Jeder dieser Verstypen kann ohne weiteres in den anderen übergehen. Dem un=befangenen Leser und Hörer kommt dieser Wandel meist nicht ins Bewußtsein, auch wenn er als Ton, als Stimmung gefühlsmäßig auf ihn wirkt. Der Wechsel zwischen Versen mit freier Taktfüllung (Knittelversen und freien Rhythmen) und solchen von regelmäßiger Art ist schon deshalb einfach, weil auch regelmäßige Verse im Deutschen fast niemals wirklich regelmäßig sind. Sie sind es immer nur stellenweise, dann werden sie unregelmäßig, und eben dadurch entsteht der charaktervolle Klang, die ewig wechselnde Melodie.

> „Und fragst du noch, warum dein Herz (410 ff)
> Sich bang in deinem Busen klemmt?
> Warum ein unerklärter Schmerz
> Dir alle Lebensregung hemmt?
> Statt der lebendigen Natur . . ."

Vier Zeilen sind regelmäßig, Hebung und Senkung wechseln in gleichmäßigem Auf und Ab. Die fünfte Zeile ist im Typ nichts anderes als die vorigen. Doch es ist klar, man kann nicht lesen: „Statt dér lebéndigén Natúr", sondern nur: „Státt der lebéndigen Nàtúr". Der individuelle Klang der Zeile weicht vom Typus ab. Und das gilt für fast alle Verse bei Goethe: sie sind ein lebendiger, immer wechselnder Rhythmus; ein Grundmaß steht dahinter, aber der Reiz beruht darin, daß es Freiheit läßt.

Diese Vielheit in der Einheit gilt auch besonders für den Fünftakter. Er gab „Iphigenie" und „Tasso" die Form und hat auch an „Faust" Anteil; er kommt teils ohne Reim vor — als Blankvers —, teils gereimt. Da im Madrigalvers gereimte Vier= und Fünftakter dauernd wechseln, ist der Übergang spielend leicht. Regel= mäßige gereimte Fünftakter (immer mit Auftakt) sind bezeichnend für das Feier= liche, Hohe, Geformte, den Aufschwung ohne Zerrissenheit:

> „Des Lebens Pulse schlagen frisch lebendig,   (4679)
> Ätherische Dämmerung milde zu begrüßen;
> Du, Erde, warst auch diese Nacht beständig
> Und atmest neu erquickt zu meinen Füßen . . ."

Seltener sind reimlose Fünftakter, Blankverse. Sie haben nicht so viel Glanz und Klang, aber ebenfalls das Erhabene, Ernste; sie sind ein Maß, das fähig ist, sehr Verschiedenes zu fassen und es zu vereinen auf einer Ebene hoher Kunst (darum der klassische deutsche Dramenvers, in „Nathan", „Wallenstein", „Sappho" usw.).

> „Erhabner Geist, du gabst mir, gabst mir alles,   (3217)
> Warum ich bat. Du hast mir nicht umsonst
> Dein Angesicht im Feuer zugewendet.
> Gabst mir die herrliche Natur zum Königreich . . ."

Auch diese Versart ist voll von Unregelmäßigkeiten und hat gerade daraus ihre Kraft: „Gábst mir die hérrliche Natùr" — die Hebungen befinden sich durchaus nicht da, wo sie dem Versschema nach stehen müßten („Gabst mír die hérrlichè Natúr . . ."). Wie verwandt ist dieser Klang mit dem freien Viertakter, ja den freien Rhythmen! Und eben darum die steten Übergänge vom einen zum anderen Versmaß. Das Schema bildet nur den Grundtypus, der zwar allen Versen zu= grunde liegt und die Einheit gibt, über den aber die meisten in charaktervoller Eigenart hinausgehen und hinausgehen dürfen. So kommt das Wandelbare im Gleichmäßigen zustande, wie bei Naturerscheinungen, wie bei den Wogen des Meeres. Eben in diesen steten Variationen liegt die Fülle und Ausdruckskraft die= ser Versart.

Es gibt in „Faust" aber auch Partien, in welchen das Schema der regelmäßigen Versarten genau eingehalten ist, und zwar immer da, wo es sich um Konvention handelt, um Gesellschaft, Spiel, Virtuosität, zur zweiten Natur gewordene Kunst:

> „Euren Beifall zu gewinnen,   (5088)
> Schmückten wir uns diese Nacht,
> Junge Florentinerinnen
> Folgten deutschen Hofes Pracht . . .
> Niedlich sind wir anzuschauen,
> Gärtnerinnen und galant;
> Denn das Naturell der Frauen
> Ist so nah mit Kunst verwandt . . ."

Das ist Sprachmusik wie ein Menuett, Konvenienz und Glanz in vorbestimmter Form, die zum Spiel, zur Virtuosität der Beherrschung wird; wie passen hierher die Fremdwörter „galant", „Naturell"! Da wäre ein faustischer Rhythmenwechsel nicht am Platze. — In solcher Weise sind die Rhythmen mit Charakteren, Stimmungen und gesellschaftlichem Gefüge verbunden.

Das zeigt sich auch besonders deutlich, wenn man betrachtet, wo der Alexandriner benutzt ist. Der Erzbischof spricht zum Kaiser:

> „Mit welchem bittern Schmerz find' ich in dieser Stunde   (10981)
> Dein hochgeheiligt Haupt mit Satanas im Bunde.
> Zwar, wie es scheinen will, gesichert auf dem Thron,
> Doch leider! Gott dem Herrn, dem Vater Papst zum Hohn..."

Es ist die Szene, in welcher der Kaiser die Reichsämter neu verteilt und der Erzbischof für die Kirche sorgt (10849—11042); das alte Reich, ungefüge, kraftlos, alte Einrichtungen weiterführend, ist keine innere, sondern nur noch äußere Form, aber als solche großartig und majestätisch. Und so der Vers: pomphaft, lang, majestätisch, aber klappernd, ohne innere Seele, der erstarrte Barock-Vers der Haupt- und Staatsaktionen. Schärfster Gegensatz zur Faustischen Sprache, die individuell und voll innerem Drange ist; hier dagegen alles konventionell und äußerlich, ein Weiterführen leblos gewordener Form, die groß klingt (und auch einst groß war), aber nun erstarrt ist. Das Versschema: Alternierende Sechstakter, in der Mitte ein Verseinschnitt (Zäsur), Reimpaare, und zwar genau abwechselnd stumpfe und klingende. Das war die alte Barockform, die Goethe als Kind kennen lernte und die er hier bewußt noch einmal aufgreift und streng einhält.

Äußerlich gesehen steht gar nicht fern von dieser Form eine andere, die in ihrem Wesen doch völlig anders wirkt: Der antikisierende (aus dem altgriechischen Drama übernommene) Trimeter; auch er ein sechstaktiger Langvers, aber ohne Zäsur und ohne Reim:

> „Bewundert viel und viel gescholten, Helena,   (8488)
> Vom Strande komm' ich, wo wir erst gelandet sind...
> Laßt mich hinein! und alles bleibe hinter mir,
> Was mich umstürmte bis hieher, verhängnisvoll..."

Lange, strömende Verse; im Unterschied zum Alexandriner (dem scharf Markierten, Klappernden) zeigt sich hier das rhythmisch Wechselreiche, die Halbtöne, die unendliche Melodie, majestätisch und zugleich beseelt, kraftvoll. Es ist die Sprache Helenas im 3. Akt, Sprache der antiken Heroine, erhaben, königlich und schön. Diese Verse werden — wie im antiken Drama — unterbrochen von Chorgesängen, die ein freirhythmisches Schema strophisch wiederholen und zum kunstreichen Gefüge von Strophen und Gegenstrophen zusammenschließen.

Durch das ganze Werk ziehen sich Chöre und Lieder, jeweilig zu den Sprechversen kontrastierend und zugleich auf sie abgestimmt. Zwischen die antiken Trimeter passen die Chorstrophen wie zwischen die Madrigalverse in „Auerbachs

Keller" die deutschen Liederstrophen. Die Geisterchöre heben sich immer wieder von der Sprache des Faust und Mephistopheles ab, schwerelos, geheimnisvoll, klangreich, meist in Kurzzeilen:

> „Schwindet ihr dunkeln   (1447)
> Wölbungen droben!
> Reizender schaue
> Freundlich der blaue
> Äther herein . . ."

Aber nicht nur die Chöre singen. Auch Gretchen singt, volksliedhaft, in alten schlichten Strophen; und im 2. Teile Euphorion; er ist die Dichtung, darum ist seine Sprache Gesang, aber er ist zugleich Fausts Sohn, ist Neuzeit, Streben, Individualität; darum gibt es bei ihm nicht die alten festen Formen, sondern eine eigene, neue, kühne und leidenschaftliche Sprache. Ganz anders die Gesänge, welche das Bleibende, Überindividuelle, das kosmische Gefüge oder kirchliche Tradition aussprechen. Man kann, um Uralt=Überliefertes, Überzeitliches auszudrücken, nicht etwas völlig Neues schaffen, denn eben dann wirkte es zu neu und einmalig; man muß an Altes zumindest anknüpfen. Darum geht Goethe zurück auf die alten Hymnenklänge. Mitunter so, daß er ganz unmittelbar mittel= lateinische Strophen einschiebt, wenn er das überlieferte kirchliche Gefüge meint:

> „Dies irae, dies illa   (3798)
> Solvet saeclum in favilla . . ."

Mitunter auch so, daß er sie im Deutschen frei nachbildet, wenn dem Geiste mehr die christliche Botschaft in weiterem Sinne zum Bewußtsein kommt:

> „Christ ist erstanden!   (737)
> Freude dem Sterblichen,
> Den die verderblichen,
> Schleichenden, erblichen
> Mängel umwanden . . ."

Und so klingen alte Hymnenrhythmen auch durch in den Strophen, die das Drama großartig=feierlich enden:

> „Uns bleibt ein Erdenrest   (11954)
> Zu tragen peinlich . . ."

Der Inhalt dieser Schlußverse ist Begegnung des Bedingten mit dem Unend= lichen, ist Erlösung und Gnade, aber zugleich das Goethesche Bild der stufen= weisen Steigerung und der Grundgedanke seiner Weltfrömmigkeit, die Gleichnis= haftigkeit des Diesseits:

> „Alles Vergängliche   (12104)
> Ist nur ein Gleichnis . . ."

Der Klang dieser neuzeitlich gewandelten alten Religiosität ist entwickelt aus der jahrhundertealten Hymnik, ist Form aus großer abendländischer Tradition. Und so eng wie nur je gehören hier Klang und Inhalt zusammen, und erst beide gemeinsam sagen das Ganze.

Schon allein der Klang sagt immer etwas aus über die Stimmung, die geistige Welt; er gibt Farbe und Grundton. Als die Elfen an Faust ihr Werk der Heilung vollendet haben, spricht er erwachend in Terzinen (4679 ff). Und nachdem er mit Helena gelebt hat, spricht er in Trimetern (10039 ff). Der Gipfelpunkt dieser Klangsymbolik, der Punkt, wo sie sich selbst ausspricht und zu hellem Bewußt= sein wird, ist die Szene, in der Helena in Reimen sprechen lernt, indem sie als Liebende den Gleichklang mit dem Geliebten findet — ein Symbol von überwälti= gender Schönheit, das als Phänomen bereits alles aussagt (9365—9384). Es deutet nicht nur den Sinn dieser Liebesszene, sondern sagt, was Klang überhaupt ist.

Am Beginn des „Faust"=Dramas herrschen Fausts unregelmäßige Vier= und Fünftakter, aus altdeutscher Überlieferung kommend, aber modern umgewandelt zur individuellen Ausdrucksform, passend zu der Faustgestalt. Im 2. Teil erklin= gen wechselnde konventionelle Formen für alles, was am Kaiserhofe spielt, dann die antiken Maße der Helena=Welt; dort ein Bereich der Gesellschaft, hier einer der Kunst, der Bildung, des erlesenen Geistes, stammend aus Antike und Huma= nismus. Den Schluß bestimmen Formen aus abendländischer Tradition, altüber= liefert, Sinnbild eines großen überindividuellen Gefüges; doch auch sie anverwan= delt, mit neuem Inhalt gefüllt. Das Streben eines großen Ich, der ewig gleiche Klang der Menschengesellschaft und die Harmonie des Kosmos leben in diesen Rhythmen. Ihre Folge hat die innere Logik des Aufbaues einer Symphonie. Und der Schlußsatz führt mit neuem Motiv seiner hymnenartigen Formen das reli= giöse Thema des ganzen Werkes zum Höhepunkt.

Zum Klang der Verse kommt der Charakter der Sprache. Sie bringt in den jeweilig einheitlichen Farbton, der von der Versform ausgeht, die individuali= sierende Mannigfaltigkeit. Faust kann in Knittelreimen oder Blankversen sprechen, er behält seine eigene Sprache, gefühlsbetont, ausgreifend, gewaltsam, übersteigernd:

> „Und sollt' ich nicht, sehnsüchtigster Gewalt,   (7438)
> Ins Leben ziehn die einzigste Gestalt?"

Und Mephistopheles behält stets die seine, sarkastisch desillusionierend und logisch=kalt mit scharfer Pointe:

> „Am Ende hängen wir doch ab   (7003)
> Von Kreaturen, die wir machten."

Von dem erhabenen Sprachstil der Erzengel bis zu dem Kleinstadtklatsch der Mädchen am Brunnen — welche Fülle von Sprachschichten, die jeweilig durch Wortwahl und Satzbau verschieden sind! Gretchen spricht ihre eigene Sprache und Helena die ihre. Der Kaiserhof mit Zeremoniell und Schein hat die seine, entweder als gesellschaftlich=gewandte Konvention:

> „Niedlich sind wir anzuschauen,   (5104)
> Gärtnerinnen und galant..."

oder mit dem Pergamentgeruch der Kanzlei:

„Zugleich das hohe Recht, euch nach Gelegenheiten (10941)
Durch Anfall, Kauf und Tausch ins Weitre zu verbreiten."

Es ist viel Welt, die Faust sieht; und jedes Stück Welt hat seine Sprache. Wie seine Seele bleibt seine Sprache meist von der der anderen getrennt; so in Auer=bachs Keller, aber auch am Kaiserhof. Nur selten ergibt sich zwischen seiner Sprache und der fremden ein wirkliches Gespräch; so bei Gretchen und bei Helena — also nur, wo er liebt. Bezeichnend für Faust sind seine vielen großen Monologe, die als eine Folge für sich der Betrachtung wert sind. Auch die Sprach=sphären haben ihre Symbolik und ihre wechselseitige Spiegelung. Da ist zu Be=ginn die ruhige erhabene Sprache der Erzengel, Sinnbild der unendlichen Ord=nung; und dann die individuelle religiöse Sehnsucht Fausts in ihren sich über=steigernden wilden Worten und Perioden. Die Schlußszene aber — bringt sie nicht beide Sprachschichten zum Zusammenklang? Ist in den Worten der Patres nicht ein Stück Faustischer Sprache erhalten mit ihren Übersteigerungen und ihrer Leidenschaft, mit der glühenden Ausdruckskraft der Komposita (11854 ff), aber schon emporgehoben ins Geistige, Heilige, angenähert und in Beziehung gesetzt zu der Sprache der Geister und Erzengel? So entspricht der Symbolik der Sprach=klänge hier die Symbolik der Bilder, die ebenfalls diese zwei Schichten zusam=menführt.

Die einzigartige Weite des „Faust"=Dramas zeigt sich auch im Hinblick auf die Sprache. Es hat keine strenggefügte sprachliche Einheit wie etwa „Tasso". Son=dern ebenso wie in den Versarten herrscht auch in den Sprachschichten die wech=selreichste Fülle: Alltägliches, Heiliges, Derbes, Zartes, Nüchternes und Gefühl=testes, Schlichtes und Raffiniertestes — alles ist darin enthalten. Die Sprache schöpft aus vielen Bereichen: Religion, Wissenschaft, Bürgerhaus, Kanzlei, Mund=art, Humanismus. Wie Lynkeus blickt Goethe in alle Richtungen und führt die Fülle des Erblickten zusammen im Ich. Denn dies alles ist nicht nur Sprache der Welt, sondern seine eigenste Sprachschöpfung, Leistung des Dichters, der dies alles prägt: Engelsang und Gelehrtensehnsucht, Saufgelage und Liebesspiel, Wahnsinn, Politik, Künstlertum, Religion und alles andere. Es lebt in diesem Werke zugleich die Sprache des Sturm und Drang und die der Klassik und die des Goetheschen Altersstils, der fast nirgendwo sich sprachlich so stark ausprägt wie hier mit seinen seltsamen Zusammensetzungen, kühnen Neubildungen, for=melhaften Knappheiten, umständlichen Verbreiterungen und vielen anderen Be=sonderheiten. Kaum eine andere Dichtung Goethes (mit Ausnahme der Lyrik) hat eine so persönliche Sprache; keine eine so mannigfaltige, reiche. Doch Sprachklänge, Versformen und Bildsymbole schließen sich zusammen zum Bilde des Menschen, der in allen Bereichen, in Wissensdrang, Liebe, Kunst und Herr=schaft gespannt ist in die Polarität luziferischer Erde und göttlichen Lichts und in die Steigerung von irdischer Bedingtheit zu erlösender Freiheit; sie schließen sich zusammen wie die Teile eines großen Domes, an dem viele Zeiten und Stil=

arten bauten und der doch die Einheit einer großen Gliederung hat, in der jeder Teil organisch an seinem Platze steht.   (Erich Trunz, Klang und Wort)

*

Auch die *Rhythmen* sind wie ein gewaltiges Gebäude abgestimmt und tragen einander.

„Der Takt kommt aus der poetischen Stimmung, wie unbewußt. Wollte man darüber denken, wenn man ein Gedicht macht, man würde verrückt und brächte nichts Gescheites zustande."   (Zu Eckermann, 6. 4. 1829)

Die Faustsituation, „poetische Stimmung" und Grundton, drängt, jagt und eilt dahin, ja sie übereilt sich sogar. Und so muß sie sich in dahinstürmenden Jamben ausdrücken, nie sklavisch zwar, aber immer wieder im selben Takt. Zuerst klingt Fausts Rhythmus tätiger, kürzer, knapper: vierhebig, vor allem dort, wo Faust Tat will (vgl. 386, 447, 1699, 2609). Dann verbreitet er sich, verweilend und besinnlich: fünfhebig dort, wo philosophische Haltung oder lyrische Gestimmtheit beschaulich machen (vgl. 665, 703, 1089, 2695). Dieser jambische Fünfheber wird das Maß, in dem Faust den neuen größeren Kreis des zweiten Teiles durchwan=dert (vgl. 4679, 6115, 10095, 10198). Bricht aber die Tat in das besonnene, ver=weilende Schauen ein, wird der Jambus vierhebig (vgl. 6178, 7274, 9570, 10181, 10187, 10571), besonders dort, wo der Herrscher seine letzte Tat überstürzt (vgl. 11151, 11239, 11275, 11344, 11382). Helena geht ebenso in dem jambisch=drän=genden Prinzip auf wie Gretchen und selbst Mephisto. Fausts antike Rhythmen sind Episoden; er geht nicht in der Antike auf, sondern Helena in seiner Welt.

Fausts Rhythmus erfüllt alles, was er berührt und ergreift. Es bleibt auf dem Erdenwege von allen Personen und Rhythmen nur sein Lebenstakt gültig und wirksam. Aus ihm leben und sprechen Gretchen, Mephisto, Helena. Fausts Rhyth=mus treibt sie, erfüllt sie, zerstört sie, wie sich selbst.

Ganz anders der Rhythmus der Sorge. Vierhebige Trochäen treten mit unerbitt=licher Strenge dem schäumenden Takt entgegen, immer gleich, nie drängend, aber von unfehlbarer Wirkung: tödliche Monotonie. In Trochäen sprechen aber auch Ariel (4611), Plutus bei der Lösung des Feuerzaubers (5970), die Trojanerinnen im Trauergesang um Euphorion (9907). Die Philemon und Baucis=Szene hat die=sen Takt (11043), Lynkeus spricht vor Helena so und als er den Untergang entsetzt meldet (11304). Ebenso sprechen die Büßerinnen, der Pater Seraphicus (11918) und der Doctor Marianus (11997). Diese Trochäen bringen das rhyth=mische Gegenprinzip zu dem Fausts, ein Ausatmen, Fallen, Auslaufen, und keh=ren wieder in noch irdischen oder einst irdischen Wesen, die lösen und sich er=heben wollen.

Über dieses jambische Dahinstürmen und Anraffen und das trochäische Aus=laufen spannt sich leichter und gelöster ein dritter Bogen: die Daktylen der über=irdischen Chöre der Jünger (vgl. 785), Geister (vgl. 1447), Engel (vgl. 11699, 11966) und des Chorus mysticus (vgl. 12104).

Auch die Rhythmen entfalten, wie Bild, Sprache und Vers, das Weltspiel, das im „Prolog im Himmel" anhebt. Takt und Gegentakt im Irdischen, Zwingen und Lösen, Verselbsten und Entselbsten prägen sich rhythmisch aus. Die „oberen Mächte", wie sie Goethe einmal nennt, klingen in anderem Takt dazwischen. Vers=formen und Rhythmen sind nicht zufällige und konstruierte Einkleidungen, son=dern Teil von Goethes Weltsicht, seines Weltfühlens, sind Sicht und Fühlen selbst, sind Formen der Seele.

Vorbereitung für Kap. „Kaiser und Reich":

nötig: Studiere I. Akt (4728 ff) und IV. Akt (10234 ff)!

Überlege: Wie erscheinen die Verhältnisse von Kaiser und Reich im Faust=
Drama?

möglich: Arb.=Gem. Der Mummenschanz und seine Gestalten.

oder Referate: Der Kaiser (Charakteristik).
Die Erzämter.
Die Hofgesellschaft (Karneval, Geld, Theater).

Kaiser und Reich

Schon in einem sehr frühen Stadium verband sich die Faustsage mit der Welt des Kaiserhofes zu Innsbruck. Das war die große Welt, die jeden Fahrenden an=zog. Die Szenen am Kaiserhof gehören zur ältesten Konzeption.

Lange bevor Goethe 1827 die dichterische Darstellung dieser Welt aufnahm, waren Bemerkungen und *Hinweise* auf das Heilige Römische Reich eingeflossen, dessen Zustand der große Staatsrechtslehrer Samuel Pufendorf als einem Unge=heuer ähnlich beschrieben hat (corpus monstro simile). Es ist ein Gegenstand des Spottes der Studenten in „Auerbachs Keller" schon im „Urfaust"; die Endfassung erweitert hier sogar.

> „Frosch: Das liebe heil'ge Röm'sche Reich,   (2090)
> Wie hält's nur noch zusammen?
>
> Brander: Ein garstig Lied! Pfui! ein politisch Lied,
> Ein leidig Lied! Dankt Gott mit jedem Morgen,
> Daß ihr nicht braucht fürs Röm'sche Reich zu sorgen!
> Ich halt' es wenigstens für reichlichen Gewinn,
> Daß ich nicht Kaiser oder Kanzler bin."

Man will kein politisch Lied, nicht einmal beim Trunk. So traurig ist der Zu=stand des Reiches, daß beim Gedanken daran selbst im Rausch noch das Lachen vergeht. Als aber Mephisto die Kritik an der Hofgesellschaft, an der Schicht, die das Reich verpraßt, geschickt in sein Flohlied kleidet, singt der Chorus sofort be=geistert mit.

Dem Spott in den Kneipen entspricht die Kritik von den Lehrstühlen. Mephisto zerstört das Vertrauen des Schülers auf das historische Recht, das, eben mit diesem Reiche gewachsen, das Recht dieses Reiches ist.

> „Es erben sich Gesetz' und Rechte   (1972)
> Wie eine ew'ge Krankheit fort,
> Sie schleppen von Geschlecht sich zum Geschlechte
> Und rücken sacht von Ort zu Ort.
> Vernunft wird Unsinn, Wohltat Plage;
> Weh dir, daß du ein Enkel bist!"

Der Zustand dieses Reiches spiegelt sich im Recht. Und dem Zustande des Rech= tes nach ist es sinnlos, in diesem Reiche mit Hoffnung und Tüchtigkeit zu leben.

Goethe kannte das Reich sehr wohl: er war 1772 in Wetzlar am Reichskammer= gericht, er bestaunte die Staatsaktionen dieses Reiches in Frankfurt, der Wahl= und Krönungsstadt (1764 Krönung Josefs II.), er kannte die diplomatischen Ak= tionen als weimarischer Minister (Reisen nach Berlin zu Friedrich dem Großen 1778), er erlebte den Zusammenbruch unter den Schlägen Napoleons (1806) und sah nach dem Siege, daß das Reich nicht wieder auferstand. Wollte er dieses Reich darstellen, mußte er es in der führenden Schicht darstellen, in der Hofgesellschaft, und im Oberhaupt, dem *Kaiser.*

> „Ich habe in dem Kaiser einen Fürsten darzustellen gesucht, der alle möglichen Eigen= schaften hat, sein Land zu verlieren, welches ihm denn auch später wirklich gelingt. Das Wohl des Reiches und seiner Untertanen macht ihm keine Sorge; er denkt nur an sich und wie er sich von Tag zu Tag mit etwas Neuem amüsiere ... Hier ist nun das wahre Element für Mephisto, der den bisherigen Narren schnell beseitigt und als neuer Narr und Ratgeber sogleich an der Seite des Kaisers ist." (Zu Eckermann, 1. 10. 1827)

Der Kaiser ist jung, weich, unerfahren, vertrauensselig, verschwenderisch, hat keinen Begriff von Herrschaft, die Arbeit, Pflicht und schwere Verantwortung be= deutet. Er nimmt das Herrschen als Lust, nicht als Last, als Privileg zu genießen und zu verbrauchen. Unlustig und gezwungen nur befaßt er sich in der Zeit des Karnevals mit Staatsgeschäften.

> „Doch sagt, warum in diesen Tagen,   (4765)
> Wo wir der Sorgen uns entschlagen,
> Schönbärte mummenschänzlich tragen
> Und Heitres nur genießen wollten,
> Warum wir uns ratschlagend quälen sollten?
> Doch weil ihr meint, es ging' nicht anders an,
> Geschehen ist's, so sei's getan."

Der Kanzler schildert in düsteren Farben die offene Rechtlosigkeit im Reich (4771–4808), der Heermeister brandmarkt Ungehorsam und Eigensucht der Wehr= stände und den Eigennutz der Könige der Reichsteile (4812–4830), der Schatz= meister erklärt den Staatsbankerott (4831–4851), der Marschalk weist auf die vorgreifende Verschuldung der Hofhaltung hin (4852–4875).

> „Und auf den Tisch kommt vorgegessen Brot."   (4875)

Die Not des Reiches auf allen Gebieten ist dringend.

> „Entschlüsse sind nicht zu vermeiden; (4809)
> Wenn alle schädigen, alle leiden,
> Geht selbst die Majestät zu Raub."

Der Kaiser aber schlägt die Sorgen in den Wind, als Mephistopheles, der hier
den Widerpart als Hofnarr spielt, „sich einlügt" (4886), einschmeichelnd Geld zu
schaffen verspricht. Der Kaiser schlägt selbst den Einspruch der Kirche aus, deren
höchster Erzbischof des Reiches Kanzler ist: Staat und Kirche gehöre Rittern und
Heiligen (4906) — ganz aus dem Geiste des Mittelalters gesprochen — die an=
deren, in ihrem renaissancehaften Lebensgefühl, sind Ketzer und Hexenmeister.

> „Natur ist Sünde, Geist ist Teufel, (4900)
> Sie hegen zwischen sich den Zweifel,
> Ihr mißgestaltet Zwitterkind."

Das trifft auf Faust und Mephisto genau, die kraft der Natur und der Magie
die Fahrt ins neue Leben angetreten haben. Der Widerspruch des Kanzlers —

> „Es geht nicht zu mit frommen rechten Dingen" — (4942)

wird, ähnlich wie im IV. Akt im Zwang der Lage von der „Staatsräson" beiseite
geschoben, besonders als der Narr (Mephisto) den Astrologen (Faust) zu Hilfe
nimmt und ihm einbläst (4947). Der Astrolog weist magische Verbindungen der
Alchemie auf. Mephisto, der ja „manchen altvergrabnen Schatz" (2676) kennt und
die Goldadern im Berg glühen sieht (Walpurgisnacht, 3913—3933), er weist auf
die Schätze der Erde hin, die nur gehoben werden brauchen (4977 ff). Der Kaiser
ist bald für den neuen Plan gewonnen (5047), und schneller noch von tätigem
Zufassen auf die Feier des Karnevals abgelenkt.

> „So sei die Zeit in Fröhlichkeit vertan!" (5057)

Mephisto braucht den Kaiser so, er nützt die Schwäche und Zwangslage, um mit
Faust „bei Hof auch große Herrn" (2230) zu werden, aber er verachtet den Kaiser,
so wie später Faust ihn verachtet.

> „Wie sich Verdienst und Glück verketten, (5061)
> Das fällt den Toren niemals ein;
> Wenn sie den Stein der Weisen hätten,
> Der Weise mangelte dem Stein."

Die *Mummenschanz* rauscht vorüber. Sie zeigt römischen Karneval (Herold:
5068—5075), wie er an den Renaissance= und Barockhöfen üblich war. Nach Ernst
Beutler (Artemisausgabe V, 771) benutzte Goethe die Darstellung des Anton
Francesco Grazzini (1503—1584) „Tutti i trionfi...", 1559 (erschienen 1750).
Maskengruppen erscheinen in losem Gefüge, nur der Herold hält zusammen. Die
Handlung verliert sich weit hinter den bunten Masken, den Gärtnerinnen und
Gärtnern, der einen Mann für die Tochter suchenden Mutter, den derben Holz=
hauern, den komödiantischen Pulcinellen, den schmeichelnden, höfischen Parasiten,

dem Trunkenen, den Grazien (Aglaia, Hegemone, Euphrosyne), Parzen (Atropos, Klotho, Lachesis), Furien (Alekto, Megära, Tisiphone), den allegorischen Dar= stellungen von Furcht, Hoffnung und Klugheit, den Faunen, Gnomen, Satyrn, Riesen, Nymphen: sie alle sind da, um zu gefallen, um versteckte Wahrheiten zu sagen und Wahrheit zu verhüllen.

Erst gegen Ende des Maskenzuges wird die Handlung wieder aufgenommen: Mephisto, Faust und der Kaiser erscheinen als Masken. Mephisto hat sich wesens= gemäß als Zoilo=Thersites verkleidet (5457). Thersites war bei Homer jener laute Schreier und Lästerer, den Odysseus vor Troja züchtigte (Ilias II, 212). Zoilos, ein Sophist zu Athen im dritten vorchristlichen Jahrhundert, versuchte Homer Fehler nachzuweisen.

> „Das Tiefe hoch, das Hohe tief,   (5467)
> Das Schiefe grad, das Grade schief,
> Das ganz allein macht mich gesund."

Mephisto wählt die Maske der Scheelsucht, des Herabsetzens, der Negation, und er wandelt sich — Vorform der Phorkyas — ins Häßliche, in Otter und Fleder= maus (5479). Dann kommt ein prächtiges Gespann heran; der Herold vermag es nicht zu deuten (5505 ff). Er beschreibt den *Knabe Lenker* als „jung und schön", „halbwüchsig", „künftigen Sponsierer", „Verführer" (5536—5540), während er den Begleiter als reichen und mildtätigen König, als Überfluß schildert (5554 bis 5568). Der Knabe Lenker deutet ihn:

> „Plutus, des Reichtums Gott genannt!   (5569)
> Derselbe kommt in Prunk daher,
> Der hohe Kaiser wünscht ihn sehr."

Diese Wendung nimmt vorsichtig auf die Handlung Bezug, wo wir sie vor dem Mummenschanz verließen und berührt behutsam den neuralgischen Punkt. Plutus, in dem Faust steckt, verkörpert den Reichtum.

In der Kemptener Sachsausgabe (1613), die Goethe kannte, findet sich eine „Comedie Pluto", worin ein Herold als Ansager und „Penia", die Armut, vor= kommen.

> „Dann du regierst die gantzen welt
> Durch dein gross reichtumb gut und gelt
> Und was man nun will fahen an
> Ohn dich man nichts verbringen kan,
> Und wo du stehst auf einem Theil
> Daselbsten ist gelück und heil,
> Ist dann nit mächtig dein gewalt
> Dich liebet alles jung und alt."   (II, 1, S. 37)

Plutus ist der Gebieter, aus seinem Überfluß heraus waltet der Sohn, reicher als er selber (5625): „Bist Geist von meinem Geiste" (5623).

> „Bin die Verschwendung, bin die Poesie;   (5573)
> Bin der Poet, der sich vollendet,
> Wenn er sein eigenst Gut verschwendet."

Der Knabe Lenker verschwendet seine Gaben, die Wunderdinge in der Ein=
bildungskraft hervorrufen, verstreut seine Flämmchen, die über die Häupter
hüpfen und allzubald verlöschen. Der Herold vermochte das Wesen der Poesie
nicht zu deuten, deswegen tadelt der Knabe Lenker die höfische Kurzsicht, die
nur Schale wahr=nimmt:

> „Zwar Masken, merk' ich, weißt du zu verkünden,   (5606)
> Allein der Schale Wesen zu ergründen,
> Sind Herolds Hofgeschäfte nicht;
> Das fordert schärferes Gesicht."

Inmitten der großen Welt des Hofes behauptet die *Poesie*, zwar lange uner=
kannt, ihren Raum. Sie steht im Mittelpunkt der Verwandlungen.

> „Wir sprachen darauf über den Knabe Lenker.
> ‚Daß in der Maske des Plutus der Faust steckt und in der Maske des Geizes der Me=
> phistopheles, werden Sie gemerkt haben. Wer aber ist der Knabe Lenker?'
> Ich zauderte und wußte nicht zu antworten. — ‚Es ist der Euphorion!' sagte Goethe.
> ‚Wie kann aber dieser', fragte ich, ‚schon hier im Karneval erscheinen, da er doch erst
> im dritten Akt geboren wird?' ‚Der Euphorion', antwortete Goethe, ‚ist kein mensch=
> liches, sondern nur ein allegorisches Wesen. Es ist in ihm die Poesie personifiziert, die
> an keine Zeit, an keinen Ort und an keine Person gebunden ist. Derselbige Geist, dem
> es später beliebt, Euphorion zu sein, erscheint jetzt als Knabe Lenker, und er ist darin
> den Gespenstern ähnlich, die überall gegenwärtig sein und zu jeder Stunde hervortreten
> können.'"   (Gespräch mit Eckermann, 20. 12. 1829)

Euphorion ist der Geist der Schwebe, die Verschwendung, die sich im Schenken
verausgabt, das rhythmisch=melodische Element, das sich in die Lüfte erhebend
wie Feuer verzehrt (9806), das fliegen will und Flug wagt.

> „Heilige Poesie,   (9863)
> Himmelan steige sie!"

singt der Chor.

Auch Lynkeus verkörpert das ästhetische Verhalten, in ihm wird die Welt Melo=
die. Ebensowenig wie die Wirkung der Natur läßt sich das unendliche Wesen der
Poesie an einer Stelle, in einer Szene, einem Bild, durch eine Figur und eine Hand=
lung darstellen. Immer aber folgt Poesie der Herrschaft, der Macht, dem Reichtum
und Überfluß, gedeiht auf goldenem Boden, wenn ihr Kern auch aus anderer
Region stammt.

Als er den Knabe Lenker entläßt, umschreibt Plutus das Wesen der Poesie:

> „Nur wo du klar ins holde Klare schaust,   (5693)
> Dir angehörst und dir allein vertraust,
> Dorthin, wo Schönes, Gutes nur gefällt,
> Zur Einsamkeit! — Da schaffe deine Welt."

Hunger und Not sind nicht genehm, wo Plutus erscheint, wo der Kaiser sich
belustigt. Dafür stellt sich der *Geiz* ein, zuerst als „der Abgemagerte", der sich
früher „Avaritia" (5649) nannte: Mephistopheles. Er treibt auch jetzt das Spiel

voran, indem er auf die Hortung von Schätzen anspielt und auf den Luxus der „allerneusten Jahre" (5646–5665).

> „Das steigert mir des Goldes Reiz." (5664)

Er spielt mit dem Gold, knetet es, höht die Begier.

> „Wie feuchten Ton will ich das Gold behandeln, (5781)
> Denn dies Metall läßt sich in alles wandeln."

Der Zeitpunkt ist reif (5709), wo Faust=Plutus dem verschwenderischen Narren=volke *Gold* vorgaukeln kann. Der Herold drängt zurück:

> „Ihr Täppischen! ein artiger Schein (5733)
> Soll gleich die plumpe Wahrheit sein."

Allein die Gier ist erregt. Jetzt erscheint auch der Kaiser, in der Verkleidung noch majestätisch und mit großem Gefolge von Naturwesen (Faunen, Satyrn, Gnomen, Riesen, Nymphen), als „großer *Pan*". Und Faust=Plutus erkennt den inneren Zusammenhang.

> „Ich weiß recht gut, was nicht ein jeder weiß." (5809)

Die Gnomen weisen wiederum auf das Schürfen des Goldes hin (5848–5863) und erinnern in einer Deputation den großen Pan daran (5898–5913). Der Kaiser=Pan ist einbezogen ins Spiel um Gold: er beugt sich über des Plutus brodelnde Goldtruhe, sein Wattebart — die Maske — fällt, fängt Feuer, Flammen schlagen auf die Helfer über. Es wird offenbar: der Kaiser brennt, am Gold entzündet. Und wie in Wirklichkeit so im Maskenbild: der Kaiser leidet äußerste Pein. (Beut=ler weist darauf hin, Artemisausg. V, 775, daß Goethe einen ähnlichen Vorfall 1394 durch eine Chronik und aus Pfitzers Faustbuch kannte.) Faust=Plutus hebt durch magisches Wort die magische Täuschung auf.

> „Wandelt in ein Wetterleuchten (5983)
> Solcher eitlen Flamme Spiel! —
> Drohen Geister, uns zu schädigen,
> Soll sich die Magie betätigen."

Was sie im Staatsrat versprochen, haben Mephisto und Faust nun in der Phantasie magisch geleistet: Gold ist das innerste Verlangen aller, insonderheit des Kaisers. Das Spiel war dazu gut — Faust erwirkte darum nachdrücklich die Erlaubnis (5048) — Herrscher und Hof in die *Magie des Goldes* zu bannen. Sie regiert fortan eigentlich am Kaiserhofe.

Der Kaiser brennt, ist im Innersten erfaßt. Später gesteht er, daß dies Erlebnis das einzig große seines jungen Lebens war (10411–10422):

> „Selbständig fühlt' ich meine Brust besiegelt, (10417)
> Als ich mich dort im Feuerreich bespiegelt;
> Das Element drang gräßlich auf mich los,
> Es war nur Schein, allein der Schein war groß.
> Von Sieg und Ruhm hab' ich verwirrt geträumt."

Mephisto und Faust haben nicht gesäumt, die Stimmung des Kaisers auszunut=
zen. Noch in der Nacht des Mummenschanzes hat er, blind im Banne des Goldes,
die *Unterschrift* unter die vorbereiteten Assignaten *geleistet* (6066—6082). Er hat
ein Spiel verloren, das Spiel um Gold, das ein Spiel um Macht ist, wie das Spiel
des Krieges im IV. Akt. Er verzeiht und wünscht sogar „dergleichen Scherze viel"
(5988), wie Mephistos Dom aus Feuer (5990—6002). Inzwischen kreist das Papier=
geld. Die *Gesellschaft*, die sich eben in der Mummenschanz noch selbst zu spielen
glaubte und, den Schein wollend, ihr Inneres nach außen kehrte, was ihr sonst
versagt ist, jetzt zeigt sie ihr wirkliches Innere: ein Taumel erfaßt sie — alle, so
viele Mitglieder dieser innen völlig uniformen Hofgesellschaft auch lächelnd vom
Dichter vorgeführt werden. Der Leichtsinn — in Not ebenso grenzenlos verzagt
wie im Überfluß grenzenlos unbedacht — lebt sich sogleich aus in tausend Wün=
schen (6076). Der Kaiser verschwendet und vergeudet mit dem Papiergeld die
Möglichkeiten der Sanierung des Staates.

> „Wie ihr gewesen, bleibt ihr nach wie vor." (6154)

Der Narr schließt doppelbödig die Szene und sein „Witz"(=Geist) wird deutlich,
als er sich „heut abend in Grundbesitz wiegen" will (6171) und vor Erregung tot
niederfällt.

Mephisto und Faust haben sich der Gesellschaft durch Magie bemächtigt. *Faust*
sprach während des Vorgangs kaum ein Wort. Die plumpe Gier auch der vorneh=
men Gesellschaft mochte ihn anekeln. Als er einmal zu neuem Geistesflug be=
geistert ansetzt —

> „Die Phantasie, in ihrem höchsten Flug, (6115)
> Sie strengt sich an und tut sich nie genug.
> Doch fassen Geister, würdig, tief zu schauen,
> Zum Grenzenlosen grenzenlos Vertrauen." —

lenkt Mephisto schnell ab. Das alte unbegrenzte Streben Fausts meldet sich wie=
der. Und schon — als ob Fausts Andeutung vom „Grenzenlosen" Vorklang wäre
— fordert die Hofgesellschaft, voran der Kaiser, zu ihrer Belustigung Letztes an
Magie: die Beschwörung von Helena und Paris.

Wie der Reichtum noch nicht Poesie ist, sie aber begünstigt, so ist auch Luxus
noch nicht *Schönheit*, strebt aber zu ihr hin. Kaum wird die Fülle fühlbar, soll auch
die höchste Schönheit beschworen werden.

Man drängt sich im Hoftheater. Die *Gesellschaft* spielt sich *als Publikum*: alle
Reaktionen des Gefallens und Mißfallens, des Entzückens und der Eifersucht, der
Neugier und des Neides. Jeder „mäkelt" (6467), jede wünscht neugierig Wunder,
niemand denkt an die Anstrengung, die Magie des Spiels zu erwirken. Mephisto
sagt:

> „Denn wer den Schatz, das Schöne, heben will, (6315)
> Bedarf der höchsten Kunst, Magie der Weisen."

Die Magie der Illusion wird beschworen:

> „Empfangt mit Ehrfurcht sterngegönnte Stunden;　　(6415)
> Durch magisch Wort sei die Vernunft gebunden;
> Dagegen weit heran bewege frei
> Sich herrliche verwegne Phantasei."

Die Gesellschaft ist im Spiele und zerbricht doch zugleich, weil sie nicht ergrif=
fen und zu rühren ist, reflektierend die Illusion (6453–6478, 6502–6540). Ihr ist
das Spiel nicht Ernst, nicht Wirklichkeit, nur Schauspiel, nur Theater, nur Zeit=
vertreib und schöner Schein, interessanter Stoff, interessant geboten, zwischen
Neugier und Kritik überheblich genossen.

> „Von Schönheit ward von jeher viel gesungen —　　(6484)
> Wem sie erscheint, wird aus sich selbst entrückt,
> Wem sie gehörte, ward zu hoch beglückt."

Diese Worte des Astrologen gelten allein für Faust. Er ist von der Schönheit im
Innersten betroffen (6487–6500). Ihm ist sie einzige Wirklichkeit. Spiel ist Dasein,
Kunst ist Existenz.

> „Du bist's, der ich die Regung aller Kraft,　　(6498)
> Den Inbegriff der Leidenschaft,
> Dir Neigung, Lieb', Anbetung, Wahnsinn zolle."

Ihm wird das Spiel letzter Ernst.

> „Hier faß' ich Fuß! Hier sind es Wirklichkeiten,　　(6553)
> Von hier aus darf der Geist mit Geistern streiten,
> Das Doppelreich, das große, sich bereiten."

Faust muß es halten, „retten" (6557), greift zu — die Illusion zerspringt. „Faust
liegt am Boden" — ohnmächtig für lange. Kunst kann Schönheit nicht für dauernd
binden und bewahren, kann es nicht in dieser Umwelt. Unverstanden und selber
das Spiel als Abbild, als „farbigen Abglanz" nicht mehr verstehend, sondern als
Urbild begehrend, dringt Faust aus einer vegetativeren Haltung jäh zum Unbe=
dingten vor. Er ist grundsätzlich anders als diese förmliche, ja formelhafte Hof=
welt, die mit Formen und Formungen spielt, während er Form und Schönheit als
ein Äußerstes leistet. Faust ist einsam in dieser Gesellschaft, völlig allein. Er wollte
Unmögliches: er wollte aus dem Reiche der Idee durch Geisteskraft unmittelbar
herbeizwingen, ohne den Weg des Reifens über Jahrtausende hinweg *die* Schön=
heit ergreifen. Was für den Hof Komödie war, wurde für ihn zur *Tragödie.* Auch
die große Welt des Kaiserhofes, die Welt der großen Gesellschaft, erweist nur
erneut seine Tragik.

Aus den tragischen Verhältnissen des I. Aktes wachsen die weiteren *dramati=
schen Wirkungen.*

Die *Gesellschaft,* Kaiser und Reich haben *nichts gelernt.* Was der Herold wäh=
rend des Flammengaukelspiels ausruft, gilt fort und fort.

> „O Jugend, Jugend, wirst du nie　　(5958)
> Der Freude reines Maß bezirken?

O Hoheit, Hoheit, wirst du nie
Vernünftig wie allmächtig wirken?"

Das Papiergeld und der neue Luxus beschleunigen den Zerfall. Die Auflösung schreitet fort unter der Regierung eines Kaisers, dessen höchste innere Wirklich= keit jenes Flammengaukelspiel war. Die Anarchie im Reich treibt bis zum Bürger= krieg (10375 ff, 10393 ff). Faust kann dort eingreifen, als er mit neuem Ideale von Herrschaft selbst herrschen will.

Vorerst aber ist sein Wesen durch Berührung mit der höchsten *Schönheit*, sei= nem *Inbild*, gebannt. Es gibt nur ein Ziel für ihn: Helena in der Wirklichkeit be= gegnen.

Vorbereitung für Kap. „Der Weg zur Gestalt":

nötig: Studiere 6173—6306, 6307—6565, II. Akt (6566—8487)!
Überlege: Aufbau und Hauptpersonen in der Klassischen Walpurgisnacht.

möglich: Kurzreferate: Platons Ideenlehre.
Plotin.

Arb.=Gem.: Der Weg zu den Urbildern durch den Geist.
Der Weg zu den Urbildern durch die Natur.
Wer ist Homunculus?
Vorbereiten mit verteilten Rollen: Mütterszene; Gespräch Faust= Chiron=Manto.

Der Weg zur Gestalt

Goethe, dem Neuplatonismus nahestehend, war überzeugt, daß alles nach Ur= bildern entstehe, die unbewußt in den Tiefen der Natur wie im Mutterschoße lägen, sich aber in vielen Formen verwirklichten. Er nannte sie Ur=Phänomene. Schönheit ist ein solches Urphänomen.

Um Helena zu bannen, muß Faust dorthin, wo sich aus dem Nichts die Bilder gestalten, zu den Müttern. Goethe bemerkte am 10. Januar 1830 zu Eckermann, daß er von Plutarch angeregt worden sei.

In Plutarchs „Lebensläufen" wird in der Biographie des Marcellus von Göttinnen Mütter berichtet, denen Stadt und Tempel auf Sizilien gehöre (Kap. 20). In „Über den Verfall der Orakel" des gleichen Schriftstellers stellt sich Plato viele, im Dreieck ange= ordnete Welten vor; in der Mitte des Dreiecks aber läge die Wahrheit; dort ruhten die Gedanken und Ideen (λόγοί), Formen und Bilder alles Geschehenen und Geschehen= den; einmal alle 10 000 Jahre sei menschlichen Seelen, die fromm waren, ein Blick dort= hin gewährt.

Mehr konnte Goethe bei Plutarch nicht finden: den Mythos von den Müttern schuf er selbst.

Der erste Interpret der Mütter=Szene war Eckermann. An das Gespräch am 10. Januar 1830 knüpft er seine Gedanken:

„Das Neue, Ungeahnte des Gegenstandes, sowie die Art und Weise wie Goethe mir die Szene vortrug, ergriff mich wundersam, so daß ich mich in die Lage von Faust versetzt fühlte, den bei der Mitteilung des Mephistopheles gleichfalls ein Schauer über= läuft.

Ich hatte das Dargestellte wohl gehört und wohl empfunden, aber es blieb mir so vieles rätselhaft, daß ich mich gedrungen fühlte, Goethe um einigen Aufschluß zu bitten. Er aber, in seiner gewöhnlichen Art, hüllte sich in Geheimnisse, indem er mich mit großen Augen anblickte und mir die Worte wiederholte:

,Die Mütter! Mütter! s' klingt so wunderlich!'

,Ich kann Ihnen weiter nichts verraten', sagte er darauf, ,als daß ich beim Plutarch gefunden, daß im griechischen Altertume von *Müttern* als Gottheiten die Rede gewesen. Dies ist alles, was ich der Überlieferung verdanke, das übrige ist meine eigene Erfin= dung. Ich gebe Ihnen das Manuskript mit nach Hause, studieren Sie alles wohl und sehen Sie zu, wie Sie zurechtkommen.

Ich war darauf glücklich bei wiederholter ruhiger Betrachtung dieser merkwürdigen Szene und entwickelte mir über der Mütter eigentliches Wesen und Wirken, über ihre Umgebung und Aufenthalt die nachfolgende Ansicht.

Könnte man sich den ungeheuren Weltkörper unserer Erde im Innern als leeren Raum denken, so daß man Hunderte von Meilen in *einer* Richtung darin fortzustreben ver= möchte, ohne auf etwas Körperliches zu stoßen, so wäre dieses der Aufenthalt jener unbekannten Göttinnen, zu denen Faust hinabgeht. Sie leben gleichsam außer allem Ort, denn es ist nichts Festes, das sie in einiger Nähe umgibt; auch leben sie außer aller Zeit, denn es leuchtet ihnen kein Gestirn, welches auf= oder unterginge und den Wechsel von Tag und Nacht andeutete.

So in ewiger Dämmerung und Einsamkeit beharrend, sind die Mütter das schaffende Wesen, sie sind *das schaffende und erhaltende Prinzip*, von dem alles ausgeht, was auf der Oberfläche der Erde Gestalt und Leben hat. Was zu atmen aufhört, geht als geistige Natur zu ihnen zurück, und sie bewahren es, bis es wieder Gelegenheit findet, in ein neues Dasein zu treten. Alle Seelen und Formen von dem, was einst war und künftig sein wird, alles schweift in dem endlosen Raum ihres Aufenthalts wolkenartig hin und her, es umgibt die Mütter; und der Magier muß also in ihr Reich gehen, wenn er durch die Macht seiner Kunst über die Form seines Wesens Gewalt haben und ein früheres Geschöpf zu einem Scheinleben hervorrufen will.

Die ewige Metamorphose des irdischen Daseins, des Entstehens und Wachsens, des Zerstörens und Weiterbildens, ist also der Mütter nie aufhörende Beschäftigung. Und wie nun bei allem, was auf der Erde durch Fortzeugung ein neues Leben erhält, das *Weibliche* hauptsächlich wirksam ist, so mögen jene schaffenden Gottheiten mit Recht *weiblich* gedacht, und es mag der ehrwürdige Name Mütter ihnen nicht ohne Grund beigelegt werden."

Faust muß ins Unbeschreibliche und Grenzenlose:

> „Göttinnen thronen hehr in Einsamkeit,   (6213)
> Um sie kein Ort, noch weniger eine Zeit;
> Von ihnen sprechen ist Verlegenheit.
> Die *Mütter* sind es!"

Mephistos Sprache stockt und beginnt zu versagen: der breite fünfhebige Takt krampft sich zusammen fast in ein einziges Wort, in zwei unendlich schwere Sil=

ben. Man horcht auf. Der Böse selbst scheint erschüttert. Denn das Reich der Mütter liegt jenseits seiner Grenzen. Er ist der ewige Zerstörer, der jede Gestalt niederreißt und eben deswegen an die Gestalt gebunden ist.

> „... denn alles, was entsteht, (1339)
> Ist wert, daß es zugrunde geht;
> Drum besser wär's, daß nichts entstünde."

In den Müttern aber wird jene „ewig rege, heilsam schaffende Gewalt" (1379) genannt, die Mephisto bekämpft. Dort entstehen die Gedanken der Schöpfung, die Bilder des Lebens, dort waltet der schaffende Kern des Geistes und der Natur, welch beide das Eine nur in zwei unterschiedenen Bereichen verwirklichen, dort ist das ἓν καὶ πάν, das Eine in Allem.

> „... Euer Haupt umschweben (6429)
> Des Lebens Bilder, regsam, ohne Leben.
> Was einmal war, in allem Glanz und Schein,
> Es regt sich dort; denn es will ewig sein.
> Und ihr verteilt es, allgewaltige Mächte,
> Zum Zelt des Tages, zum Gewölb der Nächte."

Bei den Müttern werden die Gedanken Gottes gedacht in unendlicher Formung.

> „... Gestaltung, Umgestaltung (6287)
> Des ewigen Sinnes ewige Unterhaltung.
> Umschwebt von Bildern aller Kreatur."

Niemals kann der Mensch den Ort der Schöpfung betreten, weil er Geschöpf aus Raum und Zeit ist. Niemals kann er die Urbilder empfangen, weil er nur die Abbilder auszuhalten fähig ist. Niemals kann er wirklich ins Ungestaltete, rein Gedachte vordringen, ohne seine menschliche Gestalt einzubüßen. Es gibt keine unmittelbare Verwirklichung der Urbilder. Kein Mensch kann die Idee als solche unmittelbar ins Leben rufen.

Die Göttinnen entlassen die Ideen, geben Richtung, Auftrag und Ziel. Hier be= ginnt die *Entelechie* ihren Weg — Entelechie: aus dem griechischen ἐν und τέλος (= zu einem Ziele hin) gebildet, eine Kraft, die auf ein Ziel zu wirkt, das schon in ihr angelegt ist. Nach der Auffassung des späten Goethe ist der Lebenstag des Menschen Teilstrecke des Weges seiner Entelechie.

„Mich läßt dieser Gedanke (an den Tod, d. V.) in völliger Ruhe; denn ich habe die feste Überzeugung, daß unser Geist ein Wesen ist ganz unzerstörbarer Natur: es ist ein fortwirkendes von Ewigkeit zu Ewigkeit." (Zu Eckermann, 2. 5. 1824)

„Jede Entelechie ist ein Stück Ewigkeit und die paar Jahre, die sie mit dem Körper verbunden ist, machen sie nicht alt." (Zu Eckermann, 11. 3. 1828)

„Ich zweifle nicht an unserer Fortdauer, denn die Natur kann die Entelechie nicht entbehren." (Zu Eckermann, 1. 9. 1829)

Die Entelechie hat einen unendlichen Weg, bis sie zurückkehren darf zum Schöpfer. Die Natur ist das Feld ihrer Entfaltung und Bewährung. Die Entelechie

steigt von Stufe zu Stufe empor, wenn die jeweils niedere bestanden ist. Des=
wegen ist die Natur das unendliche Reich des Werdens, weil alles sich zu Höherem
verwandeln will. In der Person erreicht die Entelechie diese höhere Form und
kehrt durch das Feld des Geistes wieder körperlos, als reine Idee eines Gewesenen,
in das Reich der Ideen, zu den Göttinnen zurück, wo sie durch ihre Bewährung
als „geprägte Form" (Urworte Orphisch) fortdauert. Homunculus hat den Weg
vor sich, Helena hat ihn hinter sich. Faust müßte, will er am Entstehen teilhaben,
im Mittelreich der Natur ansetzen, wo Idee langsam Erscheinung wird und wo
Idee als Erinnerung an Erschienenes sich neu verkörpern kann.

Faust will, genötigt auch vom Kaiser, nicht den Umweg durch die Natur antre=
ten. Er will unmittelbar zum Urbild. Der Gang zu den Müttern, die Berührung
des Absoluten ist ein äußerstes Wagnis. „Die Gefahr ist groß" (6291), sagt Me=
phisto. Dort ist für ihn das Nichts; denn das ewige Wirken ist sinnlos. Er ist
erbost —

> „Unsinnig war's, leichtsinnig zu versprechen" — (6188)

wird ernst und bedenklich:

> „Hier stehen wir vor steilern Stufen, (6194)
> Greifst in ein fremdestes Bereich,
> Machst *frevelhaft* am Ende neue *Schulden*."

Der Gang ist Hybris: Frevel und Schuld, wie alle Magie. Mephisto erklärt es
nun selbst; denn niemals ist die Gefahr, Faust zu verlieren, so groß: Untergang
der Person, keine Rückkehr nach der Schau der Urbilder. Mephisto bleibt ungewiß
zurück.

> „Wenn ihm der Schlüssel nur zum besten frommt! (6305)
> Neugierig bin ich, ob er wiederkommt."

Groß wird seine Bedrängnis — bildhaft als Außenwelt an der Gesellschaft dar=
gestellt — als Faust lange ausbleibt.

> „O Mütter, Mütter! Laßt nur Fausten los!" (6366)

Auch Homunculus, als Gedanke unmittelbar von den Müttern kommend, weiß
um die abgründige Gefahr. Später, nach der Landung in Griechenland, ermuntert
er Faust:

> „Wer zu den Müttern sich gewagt, (7060)
> Hat weiter nichts zu überstehen."

Als Faust von den Müttern zurückkehrt, kann ihm weiterhin Mephisto mehr
Spielraum gewähren und ihn unbedenklich ziehen lassen, selbst in die Unterwelt
zu Persephoneia.

Der *Wille zum Unbedingten* ist in Faust neu aufgebrochen. Er ist bereit, das
„Grenzenlose" (6118, 6240, 6428) zu wagen, weil er im Nichts Mephistos die
Möglichkeit erkennt, mit einem Griff das All zu erfassen.

> „In *deinem* Nichts hoff' *ich* das All zu finden." (6256)

Faust ist nicht dem Gewordenen zugewandt, sondern dem Werden, nicht dem Gebilde, sondern dem Bilden.

> „Doch im Erstarren such' ich nicht mein Heil, (6271)
> Das Schaudern ist der Menschheit bestes Teil."

Erstarren heißt: den Weg zur Materie gehen, Materie werden, Kruste, seelenlos und ungeistig, Versteinerung der Seele und des Gemüts. Das ist das Ende des Menschentums, der schlimme Teil. Faust erstrebt das Lebendige, das Wachsen, Aufsteigen, All=Empfinden, Fühlen in tiefster Erschütterung: Schauen sein Organ, Staunen und Schaudern das Zeichen. Im Schaudern öffnet sich der Mensch erschreckend einem Größeren. Er ist „grenzenlos" bereit, sich von Absolutem erfassen und erfüllen zu lassen.

Dreimal rührt Faust der Schauder (6216, 6264–65, 6271). Vor allem macht ihn das Wort „Mütter" schaudern. Was mag seine Seele berühren? Das Bild der eigenen Mutter? Gretchens Mutter? Gretchen als Mutter? Ist der Vorhang des Vergessens durchlöchert? Steigt Vergangenes wieder auf?

> „Hier wittert's nach der Hexenküche, (6229)
> Nach einer längst vergangnen Zeit."

> „Den Müttern! Trifft's mich immer wie ein Schlag! (6265)
> Was ist das Wort, das ich nicht hören mag?"

Mephisto eilt ihn abzulenken:

> „Dich störe nichts, wie es auch weiter klinge." (6269)

Die Erinnerung, damit auch das Personale, ist in Faust wieder aufgebrochen. Mit seinem Erleben ist auch sein altes Wesen wieder da. Denn von den Müttern zurückgekehrt, vergleicht er Helena, „der Schönheit Quelle" (6488), mit jenem Zauberbild in der Hexenküche (2429 ff), bei deren Verlassen Mephisto den Namen Helenas so eben hinwarf (2603/4). Jetzt fesselt Faust das Urbild der Schönheit.

> „Die Wohlgestalt, die mich voreinst entzückte, (6495)
> In Zauberspiegelung beglückte,
> War nur ein Schaumbild solcher Schöne! —"

Faust wagt das Ungeheure, weil mit seinem alten Wesen die Verzweiflung wieder aufkommt.

> „Mußt' ich nicht mit der Welt verkehren? (6231)
> Das *Leere* lernen, *Leeres* lehren? —
> Sprach ich vernünftig, wie ich's angeschaut,
> Erklang der Widerspruch gedoppelt laut;
> Mußt' ich sogar vor widerwärtigen Streichen
> Zur *Einsamkeit*, zur Wildernis entweichen
> Und, um nicht ganz versäumt, allein zu leben,
> Mich doch zuletzt dem Teufel übergeben."

> „Wie war die Welt mir nichtig, unerschlossen!" (6490)

Aus dem Gefühl der Leere und Fremde in der Welt wagt sich Faust in „ewig leere Ferne" (6246), „in ein *fremdestes* Bereich" (6195). Er fürchtet nicht die „Ein= samkeiten" (6226, 6428, 6552, vgl. 10039) — der Plural ist superlativisch wie „Fin= sternisse" (11458) — weil er selbst zur Einsamkeit floh. Es ist verzweifelte Ein= samkeit, die Faust hinaustrieb, die ihn jetzt schöpferisch „niederstreben" (6303) läßt zur absoluten Einsamkeit der Urschöpfung. Auch der Knabe Lenker, Verkör= perung der Poesie, wird in die Einsamkeit entlassen.

„Zur Einsamkeit! — Da schaffe deine Welt." (5696)

Das geistige Schöpfertum ist beschrieben. Zwei Attribute bezeichnen es: Schlüs= sel und Dreifuß. Der *Schlüssel*, der „wittert" (6263), ein Zauberstab, der auf= leuchtet, ein feinstes, tastendes Sensorium, wird Faust „im tiefsten, allertiefsten Grund" (6284) der Einsamkeit die Urbilder erschließen. Der *Dreifuß*, Sitz der Pythia zu Delphi, Ort der Verkündigung, Zeichen des vates, des prophetischen Dichters. Faust soll den Dreifuß gewinnen (6292), von dem aus er dann magisch die höchste Schönheit erwirken und verkünden kann. Schlüssel und Dreifuß: Er= spüren und Verkündigen — Zeichen und Weise des Dichters. Priesterlich ist die Stellung des vates, des sagenden Sehers, zwischen Urbild und Welt. Das ist seine äußerste Bedrohung — und seine Seligkeit.

„Mein *Schreckens*gang bringt *seligsten* Gewinn." (6489)

„Was ist sie nun (die Welt, d. V.) seit meiner *Priester*schaft?" (6491)

Zwei Wege führen „des Lebens Bilder", die Urbilder, herauf: der Weg durch die Natur und der Weg magischer Bannung durch Geist und Wort.

„Die einen faßt des Lebens holder Lauf, (6435)
Die andern sucht der kühne Magier auf;
In reicher Spende läßt er, voll Vertrauen,
Was jeder wünscht, das Wunderwürdige schauen."

So entstehen zwei Reiche, Natur und Kunst, ebenbürtig im Gehalte des Abso= luten. Nur der Magier des Worts fügt dem natürlichen den geistigen Bereich als Bild gültig hinzu und schafft das „Doppelreich" der stofflichen und geistigen Realität.

„Von hier aus darf der Geist mit Geistern streiten, (6554)
Das *Doppelreich*, das große, sich bereiten."

Äußerste, prophetische Kunst darf Absolutes aussagen — unter Gefährdung der Existenz des vates. Wieviel verletzlicher aber und vergänglicher ist das Kunst= gebild gegenüber dem der Natur. Als er es mit einem Körper verwechselt, zer= springt das magische Schöne — Form ohne Stoff — und zerstört fast die Existenz des Magiers. Faust ist auf lange „paralysiert", verliert das Bewußtsein, und den= noch: tief innen besessen von dem Urbild alles Schönen, Helena.

„Wen Helena paralysiert, (6568)
Der kommt so leicht nicht zu Verstande."

Wo wurde das Urbild der Schönheit Wirklichkeit, wo ihr höchster Gedanke Gestalt?

Die vollendete Gestalt ist das Erbe des klassischen Hellas. Dorthin wendet sich Fausts Geist, der nordischen Barbareien überdrüssig. Der deutschen Seele wird die Antike gegenwärtig. Wie Goethe und Hölderlin lauscht auch Faust, „das Land der Griechen mit der Seele suchend" (Iphigenie I, 1). Der Körper „paraly=siert", die Seele sucht — tief innen die Begegnung. Das ist die „Sternenstunde" (6667), die der Famulus spürt.

> „Gemäuer scheint mir zu erbangen;   (6668)
> Türpfosten bebten, Riegel sprangen."

Der innere Vorgang wird als Bild erwirkt. Fausts Seele konzentriert sich, sieht und sucht, und wird von der neu entstandenen Entelechie gespiegelt, bis das Suchen endet, bis Faust den Weg zu Helena hat.

Der rein geistige Spiegel, die noch ungelebte Entelechie: es ist *Homunculus*.

So sehr sich Doctor Wagner, jetzt der berühmteste Gelehrte, auch müht (6642 bis 6682), seit Fausts Verschwinden fehlt ihm das Begeisten, der spiritus rector, und er ersehnt Fausts Rückkehr.

> „Von dessen Wiederkunft erfleht er Trost und Heil."   (6662)

Seiner unermüdlichen Kleinarbeit ist viel gelungen, allein Wagners Wesen fehlt der große Wurf, die Fähigkeit zu geistiger Begegnung, wie sie augenblicklich im vollkommen inwendigen Faust geschieht. Durch Fausts Genius gelingt jetzt Wag=ners Werk. Im Zeichen Fausts steht der „Stern der Stunde" (6832). Sein Genius entläßt den Gedanken, der werden und wandern will hin zur Gestalt.

Homunculus heißt Menschlein. Sein In=die=Welt=treten ist das Erscheinen des Gedankens vom homo, die Idee des Humanum in den Studierstuben nordischer Gelehrsamkeit, Ausdruck der Begegnung mit der antiken humanitas. Deswegen wendet sich des Homunculus Sehen — es ist Fernsicht, Weitsicht und Hellsicht einer „Sternenstunde" — nach Süden. Er ist schon unterwegs, nachdem er kaum da ist. Daß hier Fausts Genius zeugend wirkt, begreifen Mephisto und Wagner nicht: sie sprechen von der Zeugung im Felde der Natur, von deren Überwindung (6835—6878). Sie leben nicht, wie Faust, im „Doppelreich" der Wirklichkeiten, sind vom Urbild nicht berührt. Wagner hat nur das Verdienst der Herstellung, nicht von Zeugung und Geburt. Seine Hervorbringung löst sich sofort von ihm ab, entfernt sich, weitet sich, verläßt ihn. Erschrocken bleibt er zurück, nicht Vater, nur Geburtshelfer (6987—7000). Homunculus ist nicht Geist von Wagners Geiste.

Wie befremdend und doch wahr erscheint das Los der Wissenschaft. Das Werk überwächst den Forscher. Er bleibt seiner Wirkungen nicht Herr, wird abhängig von Kreaturen, die er machte (7004). Wagners Schicksal ist Erfinderschicksal. Es geht ihm ähnlich wie dem modernen Atomphysiker, nur daß Wagner, entgegen Newton, nicht die Analyse, sondern Synthese, Formung neuer lebendiger Ganz=heit, das Wesen des Bios sucht.

Kaum ist Homunculus aus Fausts Wesen hervorgegangen, strebt er nach Tätigkeit.

> „Dieweil ich bin, muß ich auch tätig sein. (6888)
> Ich möchte mich sogleich zur Arbeit schürzen."

Mephisto weist in die Richtung, indem er auf Faust zeigt. In dem Augenblick wird Homunculus selbständig. „Die Phiole entschlüpft aus Wagners Händen, schwebt über Faust und beleuchtet ihn", sagt die Bühnenanweisung (6903). Das Innere, seine Idee, ist aus ihm herausgesetzt, waltet „über Faust" und gibt dem fast leblosen Körper Licht — „beleuchtet" und erleuchtet ihn. Auf der Fahrt dann „leuchtet er vor" (6987). Homunculus spricht Fausts Innenwelt aus, den Traum von Leda mit dem Schwan (6903—6920). Zeus naht sich in Gestalt eines Schwanes der badenden Königin und zeugt mit ihr Helena. Dorthin, zur Zeugung, zur Entstehung Helenas, zum Ansatz der Erscheinung des Urbildes in der Welt der Erscheinungen, dorthin schaut Fausts Wesen.

> „Waldquellen, Schwäne, nackte Schönen, (6931)
> Das war sein ahnungsvoller Traum;
> Wie wollt' er sich hierher gewöhnen!"

Homunculus selbst ruft „Bedeutend" (6903) aus, bevor er den Traum berichtet, macht selbst aufmerksam, daß er jetzt bedeutet, ins Wesen deutet. Als einziger begreift er Faust. Mephisto bleibt von der geistigen Begegnung ausgeschlossen.

> „So klein du bist, so groß bist du Phantast. (6922)
> *Ich sehe nichts —"*

Der Norden — „Nebelalter", „Rittertum und Pfäfferei", „Düsteres" — verwehrt ihm das Sehen.

> „Wo wäre da dein Auge frei!" (6926)

Mephisto begreift Faust nicht, weiß den weiteren Weg nicht und ist über den „*Ausweg*" (6936) erfreut. Mephisto ist in einer Sackgasse, Faust bedarf seiner Führung nicht. Fausts Wesen eilt weit voraus.

Homunculus deutet zur Natur Griechenlands. Wenn das Klassische das Gestaltete bedeutete, muß die Fahrt zum Werdenden gehen, zum archaischen Chaos, aus dessen Selbstgestaltung (Seismos!) die gültige Form entsteht.

> „Denn im Osten wie im Westen (7620)
> Zeugt die Mutter Erde gern."

Wie der Traum zu Helenas Zeugung, führt Homunculus zum zeugenden Boden des Klassischen, wie er in einer südlichen Walpurgisnacht figuriert.

> „Jetzt eben, wie ich schnell bedacht, (6940)
> Ist klassische Walpurgisnacht;
> Das Beste, was begegnen könnte.
> Bringt ihn zu seinem Elemente!"

Das Wort „klassisch" kennzeichnet die Walpurgisnacht im Gegensatz zur nor=

dischen als südlich, griechisch, antik. Denn eigentlich entwirft sie eine geisterhafte
Welt aus Märchen und Sage, Mythe wie ein Reich der Romantik.

„... daß schon immer in diesen früheren Akten das Klassische und Romantische an=
klingt und zur Sprache gebracht wird, damit es, wie auf einem steigenden Terrain, zur
Helena hinaufgehe, wo beide Dichtungsformen entschieden hervortreten und eine Art
von Ausgleichung finden." (Zu Eckermann, 16. 12. 1829)

Das Klassische und das Romantische gehören komplementär zusammen, be=
dingen sich gegenseitig, vereinigen sich auf höherer Ebene zu einem höheren
Ganzen.

„Die Klassische Walpurgisnacht muß in Reimen geschrieben werden, und doch muß
alles einen antiken Charakter tragen. Eine solche Versart zu finden ist nicht leicht."
(Zu Eckermann, 15. 1. 1827)

Weil Fausts Wesen der Ganzheit des Daseins zustrebt, muß ihm Mephisto
durch beide Pole folgen.

> „Romantische Gespenster kennt ihr nur allein;   (6946)
> Ein echt Gespenst, auch klassisch hat's zu sein."

Beide, *Homunculus und Mephisto*, sind Darstellungen von Seelenkräften
Fausts, Komponenten des Ganzen. Als dämonische, in Goethes Verständnis: wir=
kende, geistige Urkräfte sind sie verwandt. „Herr Vetter", sagt Homunculus zu
Mephisto (7002).

„... daß der Mepistopheles gegen den Homunculus in Nachteil zu stehen kommt, der
ihm an geistiger Klarheit gleicht und durch Tendenz zum Schönen und förderlich Tätigen
so viel vor ihm voraus hat. Übrigens nennt er ihn Herr Vetter; denn solche geistige
Wesen wie der Homunculus, die durch eine vollkommene Menschwerdung noch nicht
verdüstert und beschränkt wurden, zählte man zu den Dämonen, wodurch denn unter
beiden eine Art von Verwandtschaft existiert." (Zu Eckermann, 16. 12. 1829)

Während Homunculus die *Antike* sucht, ist sie *Mephisto* fremd. Über das
„Heidenvolk" (6210) hat er keine Gewalt. Teufel einer anderen — abendländisch=
christlichen, nordischen — Welt (6923, 6950) fehlt ihm auch im Negieren jegliches
Verständnis antiker Weise.

> „Das Griechenvolk, es taugte nie recht viel!   (6972)
> Doch blendet's euch mit freiem Sinnenspiel,
> Verlockt des Menschen Brust zu heitern Sünden;
> Die unsern wird man immer düster finden."

Als er den Namen Pharsalus vernimmt, wo 48 v. Chr. mit Caesars Sieg über
Pompeius die Republik zu Ende ging, kennt er den historischen Tatbestand, deutet
ihn aber auf seine Weise.

> „Sie streiten sich, so heißt's, um Freiheitsrechte;   (6963)
> Genau besehn, sinds Knechte gegen Knechte."

Seit Pharsalus gibt es Monarchen (7021 ff), denen Caesar durch Jahrtausende
den Namen lieh: Kaiser, Zaren. Vor Pharsalus — und über diese Ebene führt geo=

graphisch, historisch und geistig der Weg zurück — waltet Republik und Demo=
kratie. Es gibt keine Hierarchie, im Guten wie im Bösen.

„Die alte Walpurgisnacht ist monarchisch, indem der Teufel dort überall als entschie=
denes Oberhaupt respektiert wird. Die klassische aber ist durchaus republikanisch, in=
dem alles in der Breite nebeneinander steht, so daß der eine so viel gilt wie der andere
und niemand sich subordiniert und sich um den anderen bekümmert."

(Zu Eckermann, 21. 2. 1831)

Selbst das Verhältnis Faust — Mephisto ist lockerer, ein „Nebeneinander". Es
gibt in der Antike nicht das absolut Böse, weil die Antike Natur ist. Selbst ihre
„Sünden" sind „heiter" (6974), ein Wort, das immer bei Goethe etwas Jupiter=
haftes, Durchlichtetes, vielleicht auch Begeistetes bedeutet. Das Böse ist nicht aus=
gebildet, weil die Antike die Kategorien des Sollens nicht ausgebildet hat in der
Schärfe wie das christliche Abendland. Der Anfang der neuen Ethik liegt mit
Christi Geburt in der Nähe von Pharsalus. Mephisto, der Verneiner, muß aus
seiner Welt von Gut und Böse in eine Welt reinen Seins, deren Krone das voll=
kommene Sein, die vollendete Gestalt, die Schönheit ist. Seine Spur durch die
klassische Walpurgisnacht ist eine Kette von Nichtverstehen.

> „So find' ich mich doch ganz und gar entfremdet, (7081)
> Fast alles nackt, nur hie und da behemdet..."

> „Zwar sind auch wir von Herzen unanständig, (7086)
> Doch das Antike find' ich zu lebendig;
> Das müßte man mit neustem Sinn bemeistern
> Und mannigfaltig modisch überkleistern..."

> „Die nordischen Hexen wußt' ich wohl zu meistern, (7676)
> Mir wirds nicht just mit diesen fremden Geistern."

> „Wer weiß denn hier nur, wo er geht und steht, (7684)
> Ob unter ihm sich nicht der Boden bläht?"

> „Verflucht Geschick! Betrogne Mannsen! (7710)
> Von Adam her verführte Hansen!"

> „Viel klüger, scheint es, bin ich nicht geworden." (7791)

> „In deinem Lande sei einheimisch klug, (7959)
> Im fremden bist du nicht gewandt genug."

Während die Sphinxe, die Jahrtausende sahen, Mephisto erkennen (7132 bis
7137), lehnen die Greife ihn ab (7138).

> „Sphinx milde: ...
> Wirds dich doch selbst aus unsrer Mitte treiben." (7143)

Die Lamien, verlockende Vampyre, narren ihn (7700 ff):

> „Es ist so heiter,
> Den alten Sünder
> Uns nachzuziehen,
> Zu schwerer Buße.
> Mit starrem Fuße
> Kommt er geholpert,

Einhergestolpert;
Er schleppt das Bein,
Wie wir ihn fliehen,
Uns hinterdrein!"

Gegenseitiges Mißverstehen begleitet Mephistos Bewegung. Seine Spur endet bei den *Phorkyaden.* Es sind Personifikationen des Chaos der Urzeiten, dem Ur= grund nahe in Höhlen wohnend, ferne jedem Licht, das als gestaltende Kraft der Gestalt zugehört. Alle drei haben nur ein Auge und einen Zahn und müssen sich wechselseitig aushelfen.

> „Wir litten sie nicht auf den Schwellen   (7976)
> Der grauenvollsten unsrer Höllen.
> Hier wurzelt's in der Schönheit Land,
> Das wird mit Ruhm antik genannt..."

Die Phorkyaden kennzeichnen sich selbst.

> „Versenkt in Einsamkeit und stillste Nacht."   (8000)

> „In Nacht geboren, Nächtlichem verwandt."   (8010)

Während Faust die Schönheit im Grunde des chaotischen Werdens findet, den Gedanken höchster Form, findet Mephisto nur das Chaos.

> „Mephisto:... Da steh ich schon,   (8026)
>   Des Chaos vielgeliebter Sohn!
> Phorkyas: Des Chaos Töchter sind wir unbestritten."

Mephisto verwandelt sich in Phorkyas, „hermaphroditisch" (8029), Hermes und Aphrodite zugleich, geschlechtslos, häßlich, mit einem Auge und einem Zahn. Er hat seine Weise als Widerpart der Schönheit gefunden, nicht mehr der Böse, sondern das Häßliche. Helena wird es als „grause Nachtgeburt" (8695), als „Wi= derdämon" (9072) empfinden.

Homunculus, mit dem der Gedanke Körper werden will, hat den weitesten Weg durch diese Nacht gärenden Werdens, auf deren Höhepunkt im Kult der Natur sein Entstehen anhebt. Mephistos Weg ist nicht so weit; er endet im Ent= standenen, wenn auch Chaotischen. Fausts Weg ist der kürzeste: zur „geprägten Form". Rechtes Geleit weist ihn bald zu Helena.

Aus der Dreiheit der Wege *gliedert* sich auch das Drama *„Klassische Walpurgis= nacht",* mit 1482 Versen abendfüllend wie etwa „Torquato Tasso" oder Kleists „Zerbrochener Krug", in fünf Szenen, die man Akte nennen könnte.

Pharsalische Felder: Umriß des Raumes, Landung, Erwachen.
Am oberen Peneios: Wegweisung durch Sphinxe. Faust findet Rat.
Am unteren Peneios: *Fausts* Weg (Chiron) zu Manto.
Am oberen Peneios: Erdentstehung. *Mephistos* Wandlung zu Phorkyas.
Felsbuchten des Ägäischen Meeres: *Homunculus'* Metamorphose beginnt
          im Kulte der Natur.

Jeder von den Dreien sucht anderes, jeder das Seine. Fausts Suchen aber ist entschieden und klar bestimmt. Sein Streben ist die Mitte auch dieses nächtigen Dramas: indem er sein Ziel erreicht, kann sich Mephisto zum Gegenpol verwandeln, Homunculus als Spiegel seines Geistes aufhören, um als eigenes Wesen zu entstehen.

Den Luftfahrern nach Süden weht mit dem Hauch griechischer Luft der Klang griechischer Sprache entgegen durch das Metrum der Antike, den Hexameter. *Erichtho*, bei Lucan (Pharsalia IV, 507) eine thessalische Zauberin, die man im Lager des Pompeius befragt habe, sie stimmt die Atmosphäre, indem sie den Vorabend des Jahrestages jener Entscheidungsschlacht als „Nachgesicht" aus der Erinnerung hervorruft. Auch die Geschichte wird Natur, die sich ewig wiederholt (7009—7017).

> „Wie oft schon wiederholt' sich's! wird sich immerfort   (7012)
> Ins Ewige wiederholen..."

Alles ist in dieser Welt der Antike Natur, die Schönheit Gipfel dieses reinen Seins. In der Schönheit gipfelt auch die Kunst. Schönheit ist die Brücke beider Reiche und beider höchster Ausdruck. In ihr gelingt das „Doppelreich".

> „Die Kunst wird mir wie eine zweite Natur."   (Italienische Reise, 11. 8. 1787)

> „Diese hohen Kunstwerke sind zugleich als die höchsten Naturwerke..."
> (Italienische Reise, 6. 9. 1787)

Wie sich Geschichte als Natur wiederholt, kann sich Schönheit, weil sie auch Natur ist, wiederholen. Das aber ist Fausts Bestreben: Helena wieder holen. In Erichthos Worten wird die Möglichkeit laut.

Der Raum ist erreicht, der Gedanke muß verwirklicht werden.

Faust erwacht: *„Wo ist sie? —"* (7056). Sein Bewußtsein setzt genau an der Stelle ein, wo es aussetzte:

> „Ich rette sie, und sie ist doppelt mein.   (6557)
> Gewagt! Ihr Mütter! Mütter! müßt's gewähren!
> Wer sie erkannt, der darf sie nicht entbehren —"

Das waren Fausts letzte Worte. Jetzt, aus Schlaf, Ohnmacht, erdhaften Kräften abermals neu erstanden, spürt er die Luft Helenas.

> „Wo ist sie? — Frage jetzt nicht weiter nach...   (7070)
> Wär's nicht die Scholle, die sie trug,
> Die Welle nicht, die ihr entgegenschlug,
> So ist's die Luft, die ihre Sprache sprach.
> Hier! durch ein Wunder, hier in Griechenland!
> Ich fühlte gleich den Boden, wo ich stand;
> Wie mich, den Schläfer, frisch ein Geist durchglühte,
> So steh' ich, ein Antäus an Gemüte."

Ihre Welt wird die seine. Er vermag die Antike, im Gegensatz zu Mephisto, sich anzueignen, zu verstehen, zu deuten (7181—7188).

> „Vom frischen Geiste fühl' ich mich durchdrungen;   (7189)
> Gestalten groß, groß die Erinnerungen."

Er befragt die „Ungeheuer" (7194), die Spinxe, richtig und sie weisen weiter zu Chiron, weil ihr Leben nicht in Helenas Lebzeiten „hinaufreichte" (7197).

In der Natur, am „Schilfgeflüster" (7249) des Peneios, wiederholt sich geistig die Zeugung Helenas. Die Bilder rufen einander hervor. Aber jetzt spricht Faust die Vision mit glücklichem Wort selbst aus (7271—7312).

> „So wunderbar bin ich durchdrungen! (7274)
> Sind's Träume? Sind's Erinnerungen?
> Schon einmal warst du so beglückt."

Sein Eros drängt.

> „Mein Auge sollte hier genießen, (7290)
> Doch immer weiter strebt mein Sinn."

Das allgewaltige Sehnen zieht *Chiron* herbei, den Helfer. Der Kentaure, halb Pferd, halb Mensch, war ein berühmter Arzt und der berühmteste Erzieher der griechischen Sage. Er erzog Helenas Brüder Castor und Pollux. Faust weiß sich bei ihm einzuschmeicheln (7336—7358) und Chiron zu befragen, indem er klug des Kentauren Erzählen von Heroen (7359—7394) auf die Heroin lenkt.

> „Vom schönsten Mann hast du gesprochen, (7397)
> Nun sprich auch von der schönsten Frau!"

Chiron überbietet noch diese Frage: Helena war nicht nur die Schönste an Körper, sondern auch an Seele und Geist. Er steigert Fausts Ideal der Schönheit zu dem der vollkommenen Harmonie weiblicher Begnadung, zur Anmut.

> „Was! ... Frauenschönheit will nichts heißen, (7399)
> Ist gar zu oft ein starres Bild;
> Nur solch ein Wesen kann ich preisen,
> Das froh und lebenslustig quillt.
> Die Schöne bleibt sich selber selig;
> Die Anmut macht unwiderstehlich,
> Wie Helena, da ich sie trug."

Der Bezug zu Helena wird immer dichter. Sie saß *so* auf Chirons Rücken, sie hielt sich *so* fest wie Faust (7406—7410). Chiron läßt Helenas Leben als Be=gegnung erstehen, nicht aus Philologie und Historie. Er hebt ihre Erscheinung über die bloße Zeitlichkeit.

> „Ganz eigen ist's mit mythologischer Frau, (7428)
> Der Dichter bringt sie, wie er's schaut, zur Schau:
> Nie wird sie mündig, wird nicht alt,
> Stets appetitlicher Gestalt,
> Wird jung entführt, im Alter noch umfreit;
> Gnug, den Poeten bindet keine Zeit."

Fausts Sehnen tritt aus der Zeit heraus. Es rührt ewiges Sein an. Alle Zeiten verdichten zum Heute.

> „So sei auch sie durch keine Zeit gebunden!" (7434)

Faust ist ins Wesen der Antike wie der Schönheit eingegangen. Er antwortet Chiron:

> „Du sahst sie einst; *heut* hab' ich sie gesehn."　　　　　　　(7442)

Fausts Eros verlangt unwiderstehlich.

> „Und sollt' ich nicht, sehnsüchtigster Gewalt,　　　　　　　(7438)
> Ins Leben ziehn die einzigste Gestalt?
> Das ewige Wesen, Göttern ebenbürtig,
> So groß als zart, so hehr als liebenswürdig."

> „So schön wie reizend, wie ersehnt so schön.　　　　　　　(7443)
> Nun ist mein Sinn, mein Wesen streng umfangen;
> Ich lebe nicht, kann ich sie nicht erlangen."

Die höchste Erscheinung des Daseins im ewigen Augenblick bedeutet „höchstes Dasein" (4685). Es fordert immer neu den Einsatz des ganzen Lebens. Und Fausts Unbedingtheit erschließt, wie zu den Müttern, erneut den Weg. Fausts „Ver=rückt"=sein (7447) soll durch Manto, die Sibylle, Tochter des Heilgottes Äskulap, geheilt werden. Goethe erhob die Tochter des Teiresias und Priesterin Apollos, nach Vergils Vorbild im sechsten Gesang der Aeneis, zur Seherin, aus deren Mund göttliche Wahrheit spricht. Die Heilung besteht in der Stillung unendlichen Ver=langens durch die Schönheit. Schönheit stillt Verzweiflung. Manto vermag den Weg zu weisen, weil sie in der Stille zeitlos west.

> „Chiron: Wohnst du noch immer still umfriedet,　　　　　　　(7479)
> 　　　　 Indes zu kreisen mich erfreut.
> Manto:　Ich harre, mich umkreist die Zeit."

Manto ist willens, den Weg in die Unterwelt zu öffnen, wie einst dem Orpheus, der Eurydike vorübergehend wiedergewann. Dort kann Faust Helena losbitten. Manto ist bereit, weil sie sein unbedingtes Streben nach höchster Existenz an=erkennt.

> „Den lieb' ich, der Unmögliches begehrt."　　　　　　　(7488)

Von der bloßen Nennung des Namens in der Hexenküche nähert sich Faust Helena immer dringlicher: er faßt das Urbild, formt es suchend im Traum, erlebt es werdend als Naturvision, erfährt es fragend als Erleben, schaut es staunend als Dichtung und greift es trunken als zeitloses Dasein.

Der Seele Suchen landet an.

Vorbereitung für Kap. „Helena":

nötig:　 Studiere den III. Akt!
　　　　 Überlege: Die Begegnung und der Aufbau des Aktes.
möglich: Kurzreferate: Winckelmann, Die Ästhetik Schillers, Helena bei Homer, Das
　　　　 Herzogtum Achaia.

　　　 Arb.=Gem.: Die Rolle der Phorkyas; Der Chor; Euphorion.
　　　 Spiel vorbereiten: Helenas Auftritt; Begegnung im Reim; Trauergesang.

Helena

Goethe nannte den III. Akt des zweiten Teiles des „Faust" stets nur „Helena". Er nahm die Handlung wie ein *eigenes Drama:* es erschien gesondert 1827 in der Ausgabe letzter Hand. Goethe wollte es sogar einmal aus dem Zusammenhang mit „Faust" herauslösen. Mit 1551 Versen bildet der Helena=Akt ein Drama für sich, das aus den aktgleichen Szenen „Vor dem Palast des Menelas zu Sparta", „Innerer Burghof" und „Schattiger Hain" aufgebaut ist. Die erste Szene ist die breiteste (640 Verse). Sie exponiert eine Begegnung, die in der Mitte des Aktes sich erfüllt und in der dritten Szene in einem wirkungsvollen, opernhaften Schluß endet. Der Helena=Akt ist die Mitte des zweiten Teils und seine Mitte wiederum ist die Begegnung Fausts mit Helena. Die Linien des zweiten Teiles steigen zu diesem Höhepunkt auf und drängen dann rascher zum Ende. Die zentrale Stel= lung in der Tragödie gibt der Helena=Handlung besonderes Gewicht.

Helena wird nicht, wie es die Faustsage will, am Kaiserhof zu Innsbruck oder in der Studierstube des Magus beschworen, bei Goethe begegnet ihr Faust auf klassischem Boden; sie ist nicht Teufelsgeburt, sondern königliche Verkörperung höchster Schönheit, deren gültige Ausprägung die Menschheit dem griechischen Geiste verdankt.

Der *Humanismus* des 15. und 16. Jahrhunderts hat die Erinnerung an Helena geweckt. Allein der ethische Rigorismus der Reformationszeit, der Totentänze und jener metaphysischen Erregtheit des ausgehenden Mittelalters billigte der sinnlichen Schönheit so wenig Eigenrecht zu wie dem Kult des nackten Körpers. Helena erschien als die sinnlich=weltliche, heidnisch=teuflische, antichristliche Seite des neuen Humanismus und konnte nur in der Sphäre der alchimistischen Gaukler und Magier auftreten, kein Gegenstand der vornehmen Wissenschaft, der bonae litterae. Notwendig verwuchs die heidnische Welt Helenas mit der unchristlichen des schwarzen Magiers, das Helena=Motiv verband sich der Gestalt Fausts.

Es bedurfte des neuen Sehens eines Johann Joachim *Winckelmann,* um die Sinnenschönheit der Antike anzuerkennen, der neuen Ästhetik auf dem Boden der Aufklärung, dazu der Sprachleistung des Barock, dann Klopstocks, Lessings und Herders, um das Wesen des Klassischen als der Ebenbürtigkeit von Innen und Außen auch ebenbürtig im Wort auszusagen. Es bedurfte einer neuen Men= schenbildung der im Sturm und Drang aufgebrochenen jungen Generation, bis die deutsche Dichtung den Augenblick ihrer Klassik erreicht, die etwa mit dem Jahre 1800 und wohl in den Gestalten Iphigenies und Helenas gipfelt.

Winckelmann war der Freund Oesers in Dresden und Oeser war der Zeichen= und Kunstlehrer Goethes eben in den Monaten Mai und Juni des Jahres 1768, als sie den Kunstforscher erwarteten und statt seiner die Schreckensnachricht von seiner Ermordung in Triest (8. 6. 1768) eintraf. Zeitlebens hatte sich Winckel=

mann nach Griechenland gesehnt und hatte, wie Goethe, seinen Boden nicht be=
treten. Auf der Schwelle zum Raum seines Lebens ereilte den Zweiundfünfzig=
jährigen der Dolch. Winckelmanns und Goethes Griechensehnsucht spiegelt das
Bild jener Iphigenie, „das Land der Griechen mit der Seele suchend".

In dem jungen Stürmer und Dränger aber konnte der Impuls zum Faust=Drama
nicht von Helena ausgehen; ebensowenig konnte sie im Urfaust und im ersten
Teil Raum finden. So nahe die, wie Goethe später sagte, „alte Konzeption" lag,
so lange mußte sie ausreifen. Goethe mußte erst erleben, mit eigenen Augen
schauen, was er bei Winckelmann las.

„Der einzige Weg für uns, groß, ja wenn es möglich ist, unnachahmlich zu werden,
ist die Nachahmung der Griechen."
   (Winckelmann, Gedanken über die Nachahmung der griechischen Werke in der
   Malerei und Bildhauerkunst, 1755, in Sammlung Dietrich, Bd. 126, S. 3).

„Das Heftige, das Flüchtige geht in allen menschlichen Handlungen voraus; das Ge=
setzte, das Gründliche folgt zuletzt."   (ebenda, S. 22)

„Die höchste Schönheit ist in Gott, und der Begriff der menschlichen Schönheit wird
vollkommen, je gemäßer und übereinstimmender derselbe mit dem höchsten Wesen
kann gedacht werden, welches uns der Begriff der Einheit und der Unteilbarkeit von
der Materie unterscheidet. Dieser Begriff der Schönheit ist wie ein aus der Materie
durchs Feuer gezogener Geist, welcher sich sucht ein Geschöpf zu zeugen nach dem
Ebenbilde der in dem Verstande der Gottheit entworfenen ersten vernünftigen Kreatur.
Die Formen eines solchen Bildes sind einfach und ununterbrochen und in dieser Einheit
mannigfaltig, und dadurch sind sie harmonisch."

(Winckelmann, Von der Kunst unter den Griechen, Sammlung Dietrich 126, S. 124)

In Rom nimmt Goethe Winckelmanns „Geschichte der Kunst des Altertums"
(erschienen 1764) zur Hand und seine Briefe. Dort liest er:

„In Rom, glaub' ich, ist die hohe Schule für alle Welt, und auch ich bin geläutert und
geprüft."   (Zitiert nach Rehm, Sammlung Dietrich 126, S. 9)

Goethe absolviert diese „hohe Schule". Die „Römischen Elegien" bezeugen es.
Es ist die Weihe vollen Sinnenglückes, der Schönheit in Stein und Gestalt:

> „Doch bald ist es vorbei: dann wird ein einziger Tempel,
> Amors Tempel nur sein, der den Geweihten empfängt.
> Eine Welt zwar bist du, o Rom; doch ohne die Liebe
> Wäre die Welt nicht die Welt, wäre denn Rom auch nicht Rom."
> „O wie fühl' ich in Rom mich so froh! gedenk' ich der Zeiten,
> Da mich ein graulicher Tag hinten im Norden umfing,
> Trübe der Himmel und schwer auf meine Scheitel sich senkte,
> Farb= und gestaltlos die Welt um den Ermatteten lag,
> Und ich über mein Ich, des unbefriedigten Geistes
> Düstre Wege zu spähn, still in Betrachtung versank.
> Nun umleuchtet der Glanz des helleren Äthers die Stirne,
> Phöbus rufet, der Gott, Formen und Farben hervor.
> Sternhell glänzet die Nacht, sie klingt von weichen Gesängen,
> Und mir leuchtet der Mond heller als nordischer Tag."

Das Erlebnis Fausts ist hier ausgesprochen. Goethe, dem Zurückgekehrten, wird Winckelmann Symbol für die Sehnsucht nach dem klassischen Süden: 1805 widmet er ihm ein Buch — „Winckelmann". Dort heißt es im Abschnitt „Rom":

„Winckelmann war nun in Rom, und wer konnte würdiger sein, die Wirkung zu fühlen, die jener große Zustand auf eine wahrhaft empfängliche Natur hervorzubringen imstande ist. Er sieht seine Wünsche erfüllt, sein Glück begründet, seine Hoffnungen überbefriedet. Verkörpert stehen seine Ideen um ihn her, mit Staunen wandert er durch die Reste eines Riesenzeitalters, das Herrlichste, was Kunst hervorgebracht hat, steht unter freiem Himmel; unentgeltlich, wie zu den Sternen des Firmaments, wendet er seine Augen zu solchen Wunderwerken empor, und jeder verschlossene Schatz öffnet sich für eine kleine Gabe. Der Ankömmling schleicht wie ein Pilgrim unbemerkt umher, dem Herrlichsten und Heiligsten naht er sich in unscheinbarem Gewand; noch läßt er nichts Einzelnes auf sich eindringen, das Ganze wirkt auf ihn unendlich mannigfaltig, und schon fühlt er die Harmonie voraus, die aus diesen vielen, oft feindselig scheinen= den Elementen zuletzt für ihn entstehen muß. Er beschaut, er betrachtet alles und wird, auf daß ja sein Behagen vollkommener werde, für einen Künstler gehalten, für den man denn doch am Ende so gerne gelten mag."

Im Kapitel „Schönheit" erläutert dann Goethe jenes „Doppelreich" von Natur und Kunst, das mit dem Namen Helena in die Faustdichtung eintritt.

„Das letzte Produkt der sich steigernden Natur ist der schöne Mensch. Zwar kann sie ihn nur selten hervorbringen, weil ihren Ideen gar viele Bedingungen widerstreben, und selbst ihrer Allmacht ist es unmöglich, lange im Vollkommenen zu verweilen und dem hervorgebrachten Schönen eine Dauer zu geben... Dagegen tritt nun die Kunst ein, denn indem der Mensch auf den Gipfel der Natur gestellt ist, so sieht er sich wieder als eine ganze Natur an, die in sich abermals einen Gipfel hervorzubringen hat. Dazu stei= gert er sich, indem er sich mit allen Vollkommenheiten und Tugenden durchdringt, Wahl, Ordnung, Harmonie und Bedeutung aufruft und sich endlich bis zur Produktion des Kunstwerkes erhebt, das neben seinen übrigen Taten und Werken einen glänzenden Platz einnimmt. Ist es einmal hervorgebracht, steht es in seiner idealen Wirklichkeit vor der Welt, so bringt es eine dauernde Wirkung, es bringt die höchste hervor; denn indem es aus den gesamten Kräften sich geistig entwickelt, so nimmt es alles Herrliche, Verehrungs= und Liebenswürdige in sich auf und erhebt, indem es die menschliche Ge= stalt beseelt, den Menschen über sich selbst, schließt seinen Lebens= und Tatenkreis ab und vergöttert ihn für die Gegenwart, in der das Vergangene und Künftige begriffen ist."

Winckelmann hatte sich so ausgebildet, daß er seine Gestalt auch nach dem Tode behielt — ähnlich wie Helena. Im Abschnitt „Hingang" heißt es:

„Er hat als Mann gelebt und ist als ein vollständiger Mann von hinnen gegangen. Nun genießt er im Andenken der Nachwelt den Vorteil, als ein ewig Tüchtiger und Kräftiger zu erscheinen: denn in der Gestalt, wie der Mensch die Erde verläßt, wandelt er unter den Schatten, und so bleibt uns Achill als ewig strebender Jüngling gegenwär= tig. Daß Winckelmann früh hinwegschied, kommt auch uns zugute. Von seinem Grabe her stärkt uns der Anhauch seiner Kraft und erregt in uns den lebhaftesten Drang, das, was er begonnen, mit Eifer und Liebe fort= und immer fortzusetzen."

Winckelmann war der Vater der klassischen Ästhetik, Bruder und mitgestal= tender Freund war *Schiller*. Nicht nur, daß Schiller den Faust wieder hervorrief, seine Ideen wirken grundlegend am „Wilhelm Meister" und der Fortgestaltung des Faustdramas mit. Seine Ästhetik bildet theoretisch und allgemein die einmalige Situation des ästhetischen Zustandes des Helena=Aktes vor.

„Den Schritt von der rohen Materie zur Schönheit, wo eine ganz neue Fähigkeit in ihm eröffnet werden soll, muß die Natur ihm erleichtern, und sein Wille kann über seine Stimmung nichts gebieten, die ja dem Willen erst Dasein gibt ... Es gehört also zu den wichtigsten Aufgaben der Kultur, den Menschen auch schon in seinem bloß physischen Leben der Form zu unterwerfen, und ihn, so weit das Reich der Schönheit nur immer reichen kann, ästhetisch zu machen, weil nur aus dem ästhetischen, nicht aber aus dem physischen Zustand der moralische sich entwickeln kann."

(Schiller, Über die ästhetische Erziehung des Menschen, 1793. 23. Brief)

Aus dem Geiste Winckelmanns, unter der Teilnahme Schillers entstehen 1800 die ersten 265 Verse (8489—8802), zu denen später lediglich vereinzelte Zeilen ergänzt werden. Es beginnt ein griechisches Drama, Monolog und Dialog, ganz im Raume der Antike. Dann legt Goethe die Feder wieder aus der Hand: Krankheit lähmt ihn (1801) — bei Goethe fast immer Ausdruck inneren Unvermögens. Es ist ihm unmöglich, das Nordische und Antike zusammenzuführen und =fügen, die Begegnung Helenas und Fausts zu gestalten.

Er mußte erst durch die Strömung der Romantik ein neues Verhältnis zum ritterlichen Mittelalter gewinnen, die Gotik des Kölner Domes durch Sulpiz Boisserée wieder verstehen lernen und durch die Nibelungen erschüttert werden (1814 bis 1815). Noch aber fehlt der persönliche Bezug, die überragende Gestalt, das Symbol dieser „romantischen" Gegenwelt zu Helena.

In Lord *Byron* verehrte Goethe einen Dichter der jüngeren Generation der Romantik als ebenbürtig. Er widmete ihm zwei Gedichte und besprach 1817 das Drama „Manfred", das man den „Faust Byrons" nannte:

„Er hat die seinen Zwecken zusagenden Motive auf eigene Weise benutzt, so daß gar keines mehr dasselbe ist und gerade deshalb kann ich seinen Geist nicht genugsam bewundern."

Byron verkörperte für Goethe das Bewegte und Unbefriedigte der jungen Romantiker. Als 1821 der Aufstand der Griechen gegen die türkische Herrschaft ausgebrochen war, eilte Byron, der gefeierte Dichter, Philhellene, zum Befreiungskampf. Er fiel am 19. 4. 1824 vor Missolunghi. In ihm vereinigte sich das faustische Streben mit der Griechenlandsehnsucht, so daß ihn Goethe bald als Sohn des Abendlandes und der Antike empfand.

„Ich konnte als Repräsentanten der neuesten poetischen Zeit", sagte Goethe, „niemand gebrauchen als ihn, der ohne Frage als das größte Talent des Jahrhunderts anzusehen ist. Und dann, Byron ist nicht antik und ist nicht romantisch, sondern er ist wie der gegenwärtige Tag selbst. Einen solchen mußte ich haben. Auch paßte er übrigens ganz wegen seines unbefriedigten Naturells und seiner kriegerischen Tendenz, woran er in Missolunghi zu Grunde ging ...

Ich hatte den Schluß früher ganz anders im Sinne, ich hatte ihn mir auf verschiedene Weise ausgebildet und einmal auch recht gut; aber ich will es euch nicht verraten. Dann brachte mir die Zeit dieses mit Lord Byron und Missolunghi, und ich ließ gern alles übrige fahren. Aber haben sie bemerkt, der Chor fällt bei dem Trauergesang aus der Rolle; er ist früher und durchgehends antik gehalten oder verleugnet doch nie seine Mädchennatur, hier aber wird er mit einmal ernst und hoch reflektierend und spricht Dinge aus, woran er nie gedacht hat und auch nie hat denken können."

(Zu Eckermann, 5. 7. 1827)

So sieht Goethe im Chor das Problem mitgespielt, das es zu gestalten galt: das Sein des antiken Dramas mit den Reflexionen der Moderne zu verbinden oder, wie Schiller formulierte, die „naive" mit der „sentimentalischen Dichtung"

„...daß schon immer in diesen früheren Akten das Klassische und Romantische an= klingt und zur Sprache gebracht wird, damit es, wie auf einem steigenden Terrain, zur Helena hinaufgehe, wo beide Dichtungsarten entschieden hervortreten und eine Art von Ausgleichung finden." (Zu Eckermann, 16. 12. 1829)

In dem Augenblick, da Goethe die Erscheinung Byrons als Symbol begriff, konnte der Helena=Akt vollendet werden. Es geschah 1826. Nunmehr war das Problem der Begegnung zweier Welten im dichterischen Symbol gelöst.

Mit der Vollendung des Helena=Aktes wurde der *Weltliteratur* eine Sternstunde geschenkt. Auf der Höhe abendländischer Kultur glückt die Wiederkunft der An= tike nicht als Wissenschaft, die ja vorausgegangen war, sondern als Bild und Existenz. „Homunculus geht der Wiedergeburt der Helena voran wie der Huma= nismus der Klassik" (J. Obenauer, S. 94). Durch Winckelmanns und Schillers Ästhetik war Helena nicht nur gerechtfertigt, der abendländische Geist war, in Byron verkörpert, nach dem Lande der höchsten Schönheit unterwegs. Helena erscheint nicht, wie im Volksbuch, in einem gotischen Studierzimmer des Nor= dens, im Gegenteil, ihre Welt hat solchen Eigenwert, daß die Gestalt nur in ihrer Umwelt, auf dem Boden Griechenlands, gesehen und ergriffen werden darf. Helena bleibt, antikem Weltgefühl gemäß, in ihrem *Raum*, Faust, dem abendlän= dischen entsprechend, in seiner *Zeit*. Das Sein ruht in Helena, das Werden be= stimmt Faust. Jedes bleibt in seiner Welt und doch finden beide zu einer Hoch=Zeit zusammen.

Der Raum ist unverändert; Hellas, Peloponnes, Arkadien, Sparta. Die Zeit aber spannt über 3000 Jahre, einbeziehend den Fall Trojas, das Zeitalter der Kreuzzüge und die Befreiung des modernen Griechenlands. Nachdem 396 Alarich mit seinen Westgoten Sparta zerstört hatte, gründeten normannisch=französische Kreuzritter auf dem vierten Kreuzzug 1204 auf dem Peloponnes das Herzogtum Achaia und herrschten seit 1249 von der mittelalterlichen Burg Mistra aus, die eine Stunde oberhalb Spartas im Felsen des Taygetos liegt. Dort, auf griechischem Boden, tritt Faust als Herrscher des Mittelalters auf, in der Mitte der Zeit zwischen Antike und Moderne. Magisch weitet sich das Zeitgefühl über Jahrtausende und verbindet sie,

eine Leistung des abendländischen, historischen Gesichts, das neben dem for=
schend entdeckenden Auge das forschend rückschauende geschärft hat.

„Ich habe von Zeit zu Zeit daran fortgearbeitet, aber abgeschlossen konnte das Stück
nicht werden als in der Fülle der Zeiten, da es denn jetzt seine volle 3000 Jahre spielt,
von Trojas Untergang bis zur Einnahme von Missolunghi. Dies kann man also auch für
eine Zeiteinheit rechnen, im höheren Sinne; die Einheit des Ortes und der Handlung
sind aber auch im gewöhnlichen Sinn aufs genaueste beobachtet."

(Zu Eckermann, 22. 10. 1826)

Die „Zeiteinheit" der 3000 Jahre ist eine magische Zeit: Zeit, in der Wissen=
schaft denkt und Kunst schaut. Die Einheit der Zeit ist nicht antik, sie fließt aus
abendländischem Geiste, die Einheit des Ortes und der Handlung beruht auf
dem Erbe der griechischen Tragödie.

Die drei großen Szenen spiegeln das Weltgespräch. Im Sein der Antike beginnt
und im Werden der Moderne endet der Akt. Der Monolog hebt an wie bei Euri=
pides, im Dialog tragen nur zwei Spieler das dramatische Geschehen, begleitet
vom Chor antiker Prägung; der Akt endet in einem opernhaften Schlußakkord,
den Goethe gerne von Sängern dargestellt wissen wollte.

„Es wird", sagte ich, „auf der Bühne einen ungewohnten Eindruck machen, daß ein
Stück als Tragödie anfängt und als Oper endigt. Doch es gehört etwas dazu, die Groß=
heit dieser Personen darzustellen und die erhabenen Reden und Verse zu sprechen." —
„Der erste Teil", sagte Goethe, „erfordert die ersten Künstler der Tragödie, sowie nach=
her im Teile der Oper die Rollen mit den ersten Sängern und Sängerinnen besetzt wer=
den müssen."

(Gespräch mit Eckermann, 29. 1. 1827)

Der Akt beginnt in der Ruhe und Gelassenheit griechischer Tragödie und endet
in melodischer Bewegtheit moderner Dramatik. Breit setzt Helena an im antiken
jambischen Trimeter, euripideisch in Wortstellung und Sprachgebärde.

> „Bewundert viel und viel gescholten, Helena,   (8488)
> Vom Strande komm ich, wo wir erst gelandet sind."

Der Klang hält sich im Vers die Waage (viel und viel, Strande — gelandet,
komm' ich, wo wir), der Name als der entscheidende Begriff hat eine Gipfelstel=
lung, nicht das „Ich", das nachzieht und sogleich vom „Wir" aufgehoben wird.
Helena spricht aus königlichem Abstand, maßvoll, gesetzhaft, auch von sich
selbst. Am Ende des Aktes spricht sie mit Faust und dem Chor gemeinsam:

> „Helena und Faust: Bändige! bändige   (9737)
> Eltern zuliebe
> Überlebendige,
> Heftige Triebe!
> Ländlich im stillen
> Ziere den Plan."

Zweihebige Reimverse, locker in Daktylen, hüpfen dahin. Sprachmelos herrscht
jetzt vor, nicht logisch=distanter Bau. Am Anfang bindet die Architektur des
Palastes das Auge, am Ausgang entläßt die Natur des „schattigen Hains" den
Blick in die anmutige Landschaft Arkadiens.

Beide Gesichter des Aktes, das klassische und das romantische, wenden sich in der Mitte zueinander und schauen sich an. Dort ereignet sich Begegnung: Antike und Abendland, Gestalt und Gehalt, Form und Streben, Schönheit und Kraft, Sein und Werden. Helena und Faust finden sich, der Geist zweier Welten feiert Hochzeit. Es ist ein durchaus geistiges, ein künstlerisches Ereignis, als der gewaltige Magier die „einzigste Gestalt" ergreift. Kunst ist gültige Wirklichkeit und Wirklichkeit ist gültige Kunst. Die Vermählung antiken und modernen Geistes geschieht als Ineinander=eingehen der Weisen und Wesen, als Verschmelzen der *Lebensrhythmen.*

Helena spricht auftretend im Maß des antiken Trimeters, sechshebigen Jamben im Deutschen:

> „Genug! mit meinem Gatten bin ich hergeschífft   (8524)
> Und nun von ihm zu seiner Stadt vorausgesandt."

Der Chor der Trojanerinnen unterbricht mit odenähnlichen Strophen (8516 bis 8523 und 8560—8567), knapp, spröde, altertümelnd („Geschmuck" 8562), dann aber freier (8591—8604), um sich im Chorlied zu neunzeiligen Strophen zu sammeln (8610—8637). Zeilen und Strophen schwanken und wechseln stark (8697 bis 8753, 8882—8908), der Rhythmus der Mädchen spürt schon den „Zauber" der „alt=thessalischen Vettel", wie ihn Panthalis (9962/63) endlich nennt, als Phorkyas auftritt, die sich dem Rhythmus Helenas anpaßt.

> „Alt ist das Wort, doch bleibet hóch und wáhr der Sínn,   (8754)
> Daß Schám und Schönheit níe zusámmen Hánd in Hánd."

Dann spricht Phorkyas von Menelas' Plan, Helena zu opfern. Erregung befällt die Sprechenden, die Sprache zerfließt zu achthebigen Trochäen, löst das Versmaß in Rede und Gegenrede fast auf (8909—8929). Dieselben Rhythmen der Erregung brechen wieder hervor, als die Hörner des heranziehenden Heeres erschallen (9067—9071) und die Verwandlung die Mädchen furchtsam macht (9122—9125). Der Chor schwankt von breitesten zu mittleren wechselnden (9152—9164) und kürzesten (9165—9181) Rhythmen, während Panthalis, die Chorführerin, treu am Trimeter, dem Rhythmus der Herrin, festhält (9127 ff, 9141 ff, 9182 ff). Helena geht zu Faust und Faust kommt ihr entgegen: auch sprachlich, auch rhythmisch. Er verzichtet auf den Reim, sein Rhythmus hat fast die Breite des Trimeters, Faust braucht fünfhebige Jamben, den modernen Dramenblankvers, weniger statisch, aber doch getragen.

> „Statt feíerlichsten Grúßes, wíe sich zíemte,   (9192)
> Statt éhrfurchtsvóllem Wíllkomm bríng ich dír
> In Kétten hárt geschlóssen sólchen Knécht..."

Und Helena verläßt ihre rhythmische Weise und geht in Fausts Welt über: ihre sechshebigen werden zu fünfhebigen Jamben, werden ebenfalls Dramenblankverse:

> „So hóhe Würde, wie du sie vergönnst,   (9213)
> Als Ríchterin, als Hérrscherin, und wär's
> Versúchend núr, wie ích vermúten dárf —"

Helena und Faust schwingen im gleichen Rhythmus, empfinden im gleichen Takt, sprechen die gleiche Sprache.

Da kniet Lynkeus vor sie hin, ein mittelalterlicher Ritter — denn Helena ist in Fausts Burg ins Mittelalter eingegangen — und trägt hingerissen ein Minnelied vor (9218—9245): vierhebige Trochäen, Kreuzreim klingend=stumpf, vierzeilige Strophen. Im Raum der Antike klingt der Reim aus dem Geiste des Mittelalters an Helenas Ohr. Lynkeus wiederholt seine Anbetung (9274—9332) in derselben Melodie. Helena spürt aus dem Rhythmus heraus, den sie mit Faust lebt, den Wohlklang.

> „Doch wünscht' ich Únterricht, warúm die Réde   (9367)
> Des Manns mir seltsam klang, seltsam und freundlich.
> Ein Ton scheint sich dem andern zu bequemen,
> Und hat ein Wort zum Ohre sich gesellt,
> Ein andres kommt, dem ersten liebzukosen."

Helena hat den Reim beschrieben; sie ist ganz eingegangen in Fausts Sphäre. Es ist eine Welt des Hörens und Sinnens, weniger des Schauens. Der Reim

> „Befriedigt Ohr und Sinn im tiefsten Grunde."   (9374)

> „Faust: Die Wechselrede lockt es, ruft's hervor.   (9376)

> Helena: So sage denn, wie sprech' ich auch so schön?

> Faust: Das ist gar leicht, es muß von Herzen *gehn.*
> Und wenn die Brust von Sehnsucht überfließt,
> Man sieht sich um und fragt —

> Helena: wer mit*genießt.*

> Faust: Nun schaut der Geist nicht vorwärts, nicht zurück,
> Die Gegenwart allein —

> Helena: ist unser *Glück.*

> Faust: Schatz ist sie, Hochgewinn, Besitz und Pfand;
> Bestätigung, wer gibt sie?

> Helena: Meine *Hand.*"

Faust zeigt ihr den ersten Reim, dann bietet er Helena Vers und Reim und sie findet aus dem Wesen der Vermählung des Geistes das Reimwort. Ein unend= liches Ereignis hat sich vollzogen. Aus antikem Formgefühl und mittelalterlichem Sang wird der Reim geboren: ein Neues, das Gestaltende moderner Poesie ist gezeugt — Euphorion. Phorkyas=Mephisto äfft eintretend das Neue nach:

> „Buchstabiert in Liebesfibeln,   (9419)
> Tändelnd grübelt nur am Liebeln ..."

Faust wird aus seiner Gestimmtheit gerissen. Nun weist er den Störer in an= tiker Form ab:

„Verwégne Stórung! widerwärtig dríngt sie ein." (9435)

Dann aber befiehlt er, sich sammelnd und Helenas Ohr zuliebe, dem Heer in Liedstrophen, wie sie Lynkeus sang (9442—9481), dann entwirft seine Melodie das Hirtenland Arkadien, die schöne Idylle (9506—9573). Die Trojanerinnen sprechen dazwischen, sie denken an Sicherheit, sie haften am Vordergrund, sie gehen nicht auf den Reim ein, sie nehmen an dem zeugenden, zündenden, schöpferischen Augenblick nicht teil. Ihnen wird keine Begegnung. Sie schlafen, während Euphorion geboren wird.

Phorkyas=Mephisto, jetzt betont antik als Widerpart, meldet es in antiken Trimetern.

„Wie lange Zeit die Mädchen schlafen, weiß ich nicht." (9574)

Die Nachricht des Neuen erregt wieder zum breiten Maß achttaktiger Trochäen (9582—9627). Euphorion ist da: weniger Allegorie und mehr Person als der „Knabe Lenker", versinnbildet er die Poesie: „In der Hand die goldne Leier" (9620).

„Denn wie leuchtet's ihm zu Haupten? Was erglänzt ist schwer zu sagen, (9623)
Ist es Goldschmuck, ist es Flamme übermächtiger Geisteskraft?
Und so regt er sich gebärdend, sich als Knabe, schon verkündend
Künftigen Meister alles Schönen, dem die ewigen Melodien
Durch die Glieder sich bewegen; und so werdet ihr ihn hören
Und so werdet ihr ihn sehn zu einzigster Bewunderung."

Der Chor aber widerstrebt, indem er, ohne Reim in wechselnden Rhythmen, an antike Dichtung erinnert (9629—9678). Sobald aber Euphorions Saitenspiel ertönt, sind die Mädchen umgestimmt: sie reimen (9678—9687), wie Phorkyas= Mephisto reimt (9679—9686), in vierhebigen Trochäen.

Der Genius der modernen Poesie bestimmt nun Rhythmen und Melodien (im Maße trochäischen Taktes). Faust und Helena stimmen ein:

„Euphorion: Hört ihr Kinderlieder singen, (9695)
Gleich ist's euer eigner Scherz."

Euphorions Takt wird eilender, springender, kürzer seine Zeile: daktylisch, zweihebig.

„Zu allen Lüften (9713)
Hinaufzudringen,
Ist mir Begierde,
Sie faßt mich schon."

Faust und Helena, der Chor folgen erneut diesem Maß (9717 ff). Euphorions Lebensrhythmus waltet, willig fügen sich die Mädchen, während die Eltern war= nen. Dabei werden ihre Trochäen wieder vierhebig (9785 ff). Ein Streit drängen= der zweitaktiger und zögernder vierhebiger Rhythmen hebt an (9811 ff), aus dem schließlich die Euphorionstrophe — vier Verse vierhebige Jamben, zwei Zeilen zweihebige Chorjamben, ein vierhebiger jambischer Vers abschließend — sieg= reich hervorgeht, eine Strophe, die wie Marschtakt klingt:

„Und hört ihr donnern auf dem Meere? (9884)
Dort widerdonnern Tal um Tal,
In Staub und Wellen, Heer dem Heere,
In Drang um Drang, zu Schmerz und Qual.
Und der Tod
Ist Gebot,
Das versteht sich nun einmal."

Alle folgen auch diesem Takt (9870 ff), bis er abbricht (9891 ff). Der Chor hat den Genius der Poesie begriffen.

„Heilige Poesie, (9863)
Himmelan steige sie!
Glänze, der schönste Stern,
Fern und so weiter fern!
Und sie erreicht uns doch
Immer, man hört sie noch,
Vernimmt sie gern."

Der Chor stimmt aus dem Geiste Euphorions den Trauergesang an (9907 bis 9938): achtzeilige Strophen im Kreuzreim und vierhebigen Trochäen. Mit der Totenklage verklingt die Rhythmik und Melodik der modernen Poesie. „Völlige Pause. Die Musik hört auf", sagt die Szenenanweisung.

Die Antike ist auf den Anfang zurückverwiesen, zwar zeugendes Prinzip, aber jetzt allein nicht mehr möglich. Helena sagt ihr Wort des Abschieds im antiken Trimeter:

„Ein altes Wort bewährt sich leider auch an mir: (9939)
Daß Glück und Schönheit dauerhaft sich nicht vereint."

Phorkyas=Mephisto folgt jetzt dem rhythmischen Prinzip der Entschwindenden nicht mehr, nähert sich Faust in fünfhebigen Jamben, im Dramenblankvers (9945 bis 9954), dann in vierhebigen reimenden Jamben (9955—9961). Er kehrt in die Sphäre des nordischen, faustischen Rhythmus zurück, verläßt sprachlich die Phorkyas=Maske.

Der Chor zerfällt in seinem Takt (9962 ff). Panthalis bleibt der Herrin treu, nicht nur im Logos, auch im Rhythmus: antike Trimeter. Der Chor jedoch kehrt nicht in die antike Rhythmik zurück, sondern verbleibt in vierhebigem Takt, ohne aber zu reimen: er schließt sich keinem der großen rhythmischen Prinzipien und Formen an. Da erfaßt ihn der Takt der Dionysos=Dithyramben (9992) und er löst sich in breiten achthebigen Trochäen — wieder Zeichen der Erregtheit, die zerfließen macht — auf in die ewigen Elemente.

Durchgängig liefen der antike und der faustisch=moderne Lebensrhythmus, fanden sich, umspielten sich, fingen sich, vereinigten sich und ließen sich endlich wieder los. Im untergründig=unbewußten Lebenstakt geschah die Begegnung ebenso wie in der hohen Bewußtheit. Die Prinzipien kehren zum Ursprung zurück.

Nur der Chor gehört keiner dieser rhythmischen Welten an: er trägt keinen

eigenen Takt, keine Entelechie äußert sich in eigenem Rhythmus oder in ent=
schiedenem Bekenntnis zu einer der Sphären. So muß zurück zu den Elementen,
was auch als Sprache und Takt „keinen Namen sich erwarb" (9981), kein Profil,
kein Gesicht, kein Ich.

Im Takt der Dichtung vollzieht sich die Handlung, der Rhythmus bereits
charakterisiert die Gestalten.

Der *Chor* ist Abbild. Er spiegelt vielfältig Helenas Dasein, ohne von ihrer Art
zu sein. Er rühmt die einzige Schönheit der Herrin, staunt und bewundert, ohne
des Adels und der Hoheit teilhaft zu sein. Er ist Echo des Schönen, selbst nur
Fleisch, ohne Form und Geist. Er strahlt Helenas Glanz zurück, Medium ihrer
Helle.

In Helenas Gefolge schlägt der Chor sogleich das Thema an: Schönheit und
Liebe.

> „Denn das größte Glück ist dir einzig beschert,   (8518)
> Der Schönheit Ruhm, der vor allen sich hebt."

> „Doch beugt sogleich hartnäckigster Mann   (8522)
> Vor der allbezwingenden Schöne den Sinn."

Für diese jungen Trojanerinnen aber ist die Schönheit ein Glück, das ewig
währt. Sie sehen das Ende nicht, wenden sich ab vom Tode, weil sie ihn fürchten,
schließen die Augen, wollen nur leben, immer überleben, wie nach Trojas Fall.
So trösten sie die Königin mit dem Überleben in Troja (8591—8603). Wie sie
Helenas Schönheit überschwänglich preisen — „das Schönste der Erde" (8602),
„die Gestalt der Gestalten" (8907) —, so beschimpfen sie haltlos Phorkyas: „dies
Gräßliche" (8723), „Phorkyas Tochter" (8728), „Scheusal" (8736), „unsäglicher
Augenschmerz" (8746), „Mißblickende, Mißredende du!" (8883)

> „Wie häßlich neben Schönheit zeigt sich Häßlichkeit."   (8810)

Phorkyas bleibt nichts schuldig; denn sie durchschaut die Mädchen:

> „Wer seid denn ihr, daß ihr des Königes Hochpalast   (8771)
> Mänadisch wild, Betrunknen gleich, umtoben dürft?
> Wer seid ihr denn, daß ihr des Hauses Schaffnerin
> Entgegenheulet, wie dem Mond der Hunde Schar?
> Wähnt ihr, verborgen sei mir, welch Geschlecht ihr seid,
> Du kriegerzeugte, schlachterzogne junge Brut?
> Mannlustige du, so wie verführt verführende,
> Entnervend beide, Kriegers auch und Bürgers Kraft!
> Zu Hauf euch sehend, scheint mir ein Zikadenschwarm
> Herabzustürzen, deckend grüne Feldersaat.
> Verzehrerinnen fremden Fleißes! Naschende
> Vernichterinnen aufgekeimten Wohlstands ihr!
> Erobert', marktverkauft', vertauschte Ware du!"

Die Stichomythie der schlagartigen Antworten (8810—8825) endet Helena, aber die Erinnerungen Phorkyas' erschüttern ihr Selbstbewußtsein. Der Tod droht. Kleinlaut bangt der Chor um das Leben.

> „Doch am hohen Balken drinnen, der des Daches Giebel trägt,   (8928)
> Wie im Vogelfang die Drosseln, zappelt ihr der Reihe nach."

Und Phorkyas kündet die Wahrheit des Irdischen, den Tod.

> „Gespenster! — Gleich erstarrten Bildern steht ihr da,   (8930)
> Geschreckt, vom Tag zu scheiden, der euch nicht gehört.
> Die Menschen, die Gespenster sämtlich gleich wie ihr,
> Entsagen auch nicht willig hehrem Sonnenschein;
> Doch bittet oder rettet niemand sie vom Schluß;
> Sie wissen's alle, wenigen doch gefällt es nur."

Ohne die Wirklichkeit des Todes ist das Leben unwirklich, Täuschung und alle Menschen, welche die letzte Realität weglügen, sind Gespenster „gleich wie ihr". Die Funktion des Chores, Menschliches zu verallgemeinern, wird deutlich.

Jetzt schlägt die Haltung des Chores von Frechheit zu Schmeichelei um. Phor= kyas heißt nun:

> „Ehrwürdigste der Parzen, weiseste Sibylle du."   (8957)

Die Mädchen, sich sehnend nach „Liebchens Brust", betteln bei Phorkyas um Rat und Hilfe. Während der Verwandlung des Ortes furchtsam, sich gefangen wähnend (9078—9125), gebärden sie sich im Burghof sofort wieder mannstoll (9152—9162). Selbst Helena messen sie mit ihrem Maß (9385 ff).

> „Fraun, gewöhnt an Männerliebe,   (9393)
> Wählerinnen sind sie nicht,
> Aber Kennerinnen."

Sie loben den Mächtigen und Starken (9482—9505), pochen auf die große Dich= tung Hellas', bewundern aber schon im folgenden Augenblick, „zur Tränenlust er= weicht" (9690), Euphorions modernes Wesen, seinen Gesang, und spielen auf= reizend mit ihm.

> „Denn wir verlangen   (9775)
> Doch nur am Ende,
> Dich zu umarmen,
> Du schönes Bild!"

Ergreifend der Trauergesang (9908—9938), der Euphorions letztes Wort „Nicht allein" aufnimmt, aber doch in neue Lebenslust ausklingt.

> „Denn der Boden zeugt sie wieder,   (9937)
> Wie von je er sie gezeugt."

Als die Mädchen Helena wieder in die Unterwelt folgen sollen, da ist ihr Rühmen der Königin vorbei. Sie schmähen neidisch die Herrin.

> „Königinnen freilich, überall sind sie gern;   (9970)
> Auch im Hades stehen sie obenan,

Stolz zu ihresgleichen gesellt,
Mit Persephonen innigst vertraut;
Aber wir im Hintergrunde ..."

Sie wollen leben in der „ewig lebendigen Natur" (9989) und anstatt der Per=
son, die vom Tod als dem Letzten geformt wird, suchen sie den ewigen diony=
sischen Taumel.

„Nichts geschont! Gespaltne Klauen treten alle Sitte nieder,   (10034)
Alle Sinne wirbeln taumlich, gräßlich übertäubt das Ohr."

Der Chor ist lediglich Feld des Spiels: Teilchen, die jederzeit anders gepolt wer=
den können. Er faßt Erinnerung zusammen und gibt Furcht und Trauer, Freude
und Schmerz bewegten Ausdruck wie ein Instrument. Er versucht Deutung des
Handelns ohne zu handeln. Ein negatives Tun, Angst, lenkt schließlich die Hand=
lung Helenas, wie eben der Herrscher Rücksicht auf das Volk nehmen muß.

„Laß diese bangen! Schmerz empfind' ich, keine Furcht!"   (8962)

Der Chor ist das Volk. Es ist alltäglich, unheroisch, anonym, feige und unbe=
dacht, lebensgierig und diesseitig. Es ist Rahmen und Gegensatz der hohen könig=
lichen Welt der Persönlichkeiten. Eine Gestalt nur tritt aus der Masse heraus,
Panthalis, die Chorführerin. Sie kennzeichnet ihre Genossinnen so, wie es Phor=
kyas tat.

„Vorschnell und töricht, echt wahrhaftes Weibsgebild!   (9127)
Vom Augenblick abhängig, Spiel der Witterung,
Des Glücks und Unglücks! Keins von beiden wißt ihr je
Zu bestehn mit Gleichmut. Eine widerspricht ja stets
Der andern heftig, überquer die andern ihr;
In Freud' und Schmerz nur heult und lacht ihr gleichen Tons."

Panthalis hebt sich ab: sie überwindet sich und verhandelt, als die Not groß,
mit Phorkyas (8947–8953).

„Mir aber deucht, der Ältesten, heiliger Pflicht gemäß,   (8949)
Mit dir das Wort zu wechseln, Ur=Urälteste."

Panthalis überwindet den Eindruck der Verwandlung in den inneren Burghof
zuerst und findet Worte (9127–9149). Sie spricht als erste nach Helenas Ver=
schwinden aus antikem Geiste. Sie ist von Helenas Wesen berührt.

„Mit meiner Königin zu sein, verlangt mich heiß;   (9983)
Nicht nur Verdienst, auch Treue wahrt uns die Person."

Panthalis tritt aus der Masse heraus, wahrt und bewährt den personalen Zu=
stand der Entelechie, geschichtsfähig, weil willig zu eigener Begrenzung im Tod.
Sie allein ist Helenas würdig.

Helena selbst ist Geschichte im Sinne einer einmaligen, fortwirkenden For=
mung und sie ist geschichtslos als Erscheinung höchster Schönheit, ewig gültig
und stets gegenwärtig. Nicht mehr Idee oder Urbild bei den Müttern, hat diese
Helena den Weg durch die Natur vollendet und als Natur die höchste Idee der
Kunst, das vollkommen Schöne, erreicht.

„Das letzte Produkt der sich immer steigernden Natur ist der schöne Mensch", heißt es im Abschnitt „Schönheit" in Goethes Winckelmannbuch. In dem Aufsatz „Polygnots Gemälde in der Lesche zu Delphi" steht: „Außerordentliche Menschen als große Naturerscheinungen bleiben dem Patriotismus eines jeden Volkes immer heilig. Ob solche Phänomene genutzt oder geschadet, kommt nicht in Betracht... So scheint auch den Griechen das Andenken seiner Helena entzückt zu haben."

Helena ruht in sich; wo sie ist, ist „Ordnung", waltet Form (8541, 8555, 8569, 8580, 9337). Sie kennt keine Sorge. Daß sie göttliche Schönheit irdisch verkörpert, Kunst und Natur verwirklicht, in diesem Auftrag höchsten Seins ruht sie; darin beruht aber auch die innere Spannung und ihr Problem. Es ist Mitgift der Herkunft. Von Gott und Mensch, Zeus, als Schwan, und Leda gezeugt, wurde Schicksal der Halbgöttin, der Inkarnation eines höchsten Gedankens, die Welt des Mannes zu entzünden: zehnjährig von Theseus nach Amphidna bei Athen entführt (7415—7425), den Patroklos liebend, aber Menelas vermählt, während dessen Kriegszug in Kreta aus dem Tempel der Aphrodite auf Cythere von Paris geraubt, Anlaß und Ziel des trojanischen Krieges, nach Paris' Tod Gattin seines Bruders Deiphobos, der nicht willens war, sie herauszugeben und ihretwegen von den Siegern grausam verstümmelt wurde. Wer sie sieht, wagt letzten Einsatz.

„Unteilbar ist die Schönheit; der sie ganz besaß,   (9061)
Zerstört sie lieber, fluchend jedem Teilbesitz."

Nach Homer bemächtigten sich Sage und Dichtung der Gestalt Helenas. Die „Orestie" knüpft an die „Ilias" an und in Aischylos „Agamemnon", dem ersten Teil der 454 v. Chr. aufgeführten Trilogie, die Goethe „das Kunstwerk der Kunstwerke" nannte, klagt der Chor:

„Wer nur gab so treffend diesem Weib seinen Namen:
Helena — Brandfackel?
Unheil brachte sie nur, eine wahre Kampfbraut.
Einem Löwenjungen glich sie,
Das ein Mann in sein Haus nahm, ganz jung noch,
Seinen Kindern zum lustigen Spielzeug.
Doch mit der Zeit, als es heranwuchs,
Brach die angeborene Art durch.
Die Löwin ward zum reißenden Tier,
Das die Herden des Hauses zerfleischte.
So kam sie nach Troja,
Heiter wie friedliche See,
Wie ein berauschender Blick der Liebe. —
Doch die Täuschung wich,
Und zurück blieben Blut und Tränen.
Ein alter Spruch sagt,
Daß aus vollem Glück notwendig Unglück erwachse."
       (In der Übertragung von P. Stephan Schaller)

412 formte Euripides eine weitere Sage zum Drama „Helena", in dem Paris über Ägypten flieht, wo ihm die eigentliche Helena entrückt wird und er nur ein

Abbild nach Troja mitnimmt. (Hugo von Hofmannsthal und Richard Strauß ge=
stalten in der „Ägyptischen Helena" den Stoff neu.)

„Und so verdiente nach vieljähriger Kontroverse Euripides gewiß den Dank aller
Griechen, wenn er sie als gerechtfertigt, ja sogar als völlig unschuldig darstellte und so
die unerläßliche Forderung des gebildeten Menschen, Schönheit und Sittlichkeit im Ein=
klange zu sehen, befriedigte."   (Goethe in: „Polygnots Gemälde...")

In der Tragödie „Orestes" des Euripides (408) will Orest alle Blutschuld im
Atridenhaus an der Urheberin Helena rächen, als aber die Mörder auf sie ein=
dringen, entrückt sie der Gott. Eine andere Sage weiß, daß später Achill, der
göttliche Held des Altertums, aus der Unterwelt zurückkehrt und mit der schön=
sten Frau auf der Insel Leuke zusammenlebt und Euphorion zeugt.

Das alles ist Helena. Eine „mythologische Frau", wie Chiron sagt, der Mythos
der Schönheit, wo „den Dichter keine Zeit bindet".

     „Bewundert viel und viel gescholten, Helena..."   (8488)

Und doch ruht sie ganz in sich und *ist* Gegenwart. Erinnerung schiebt sie als
Bedrohung beiseite, dem neuen Dasein fraglos zugewandt, unbedenklich, anders
als Gretchen. Phorkyas deckt zwar die Vergangenheit auf und erschüttert das
antik=statische Bewußtsein durch die Macht der Zeit (8843—8878).

     „Ist's wohl Gedächtnis? war es Wahn, der mich ergreift?   (8838)
     War ich das alles? Bin ich's? Werd' ich's künftig sein,
     Das Traum= und Schreckbild jener Städteverwüstenden?"

     „Verwirre wüsten Sinnes Aberwitz nicht gar.   (8874)
     Selbst jetzo, welche denn ich sei, ich weiß es nicht."

     „Ich als Idol, ihm dem Idol verband ich mich.   (8879)
     Es war ein Traum, so sagen ja die Worte selbst.
     Ich schwinde hin und werde selbst mir ein Idol."

Helena wird an sich irre, verliert das Bewußtsein und, ohnmächtig, „sinkt dem
Halbchor in die Arme". Der Chor tadelt Phorkyas:

     „Nun denn, statt freundlich mit Trost reich begabten,   (8895)
     Letheschenkenden, holdmildesten Worts
     Regest du auf aller Vergangenheit
     Bösestes mehr denn Gutes
     Und verdüsterst allzugleich
     Mit dem Glanz der Gegenwart
     Auch der Zukunft
     Mild aufschimmerndes Hoffnungslicht."

Helena wird am Zeitbewußtsein irre, nicht am Wesen. Durch Bewußtlosigkeit
versammelt sie sich neu zum Wesen der überzeitlichen Schönheit, sammelt sich
zu Faust hin, zur ewigen Begegnung, wie Faust sich in Bewußtlosigkeit sich zu
Helena hin versammelt hatte. Existenz begegnet der Existenz. Und so versam=
melt sich Helena auf ihre Mitte hin und findet sich wieder. Die Szenenanweisung
lautet: „Helena hat sich erholt und steht wieder in der *Mitte*."

171

Die Zeit gilt der Schönheit gleich viel. So tut, auf Phorkyas=Mephistos Anstoß hin, Helena die Zeit der Antike ab, bevor sie ins Mittelalter Fausts eintreten kann. Unverändert ist sie mehr denn je zuvor sie selbst. Ihr Entschluß hängt nur von einem Kern ab: *„Ist einer Herr?"* (9005). *„Wie sieht er aus?"* (9010). Phor= kyas=Mephisto ist um die Antwort nicht verlegen (9010—9044): „Nicht übel! Mir gefällt er schon." Fausts Wesen und der mittelalterliche Stil überglänzen im Be= richt die Antike. So entschließt sich Helena, auch jetzt aber voll Hoheit.

> „Vor allem aber folgen will ich dir zur Burg;   (9074)
> Das andre weiß ich; was die Königin dabei
> Im tiefen Busen geheimnisvoll verbergen mag,
> Sei jedem unzugänglich. Alte, geh voran!"

Kaum in dem neuen Ort der mittelalterlichen Burg, entflammt sie Lynkeus, den Türmer, der sie als erster sieht, so daß Faust eingreifen muß. Lynkeus' Schuld ist, daß er ihre Schönheit sah und Fausts Anklage des Türmers vor Helena wird höchste Huldigung. Die hoheitsvolle Begnadigung entfesselt erst recht Verehrung und Hingabe und Faust läßt Lynkeus gewähren.

So kommt die Schönheit aus der Antike in das germanische Mittelalter, aufge= schlossen, bereit zum Zeugen neuer Schönheit. Euphorions Schicksal ist darum Helenas Schicksal.

> „Sind denn wir   (9881)
> Gar nichts dir?
> Ist der holde Bund ein Traum?"

Weil Euphorion das Leben nicht erträgt, folgt Helena seinem Ruf.

> „Laß mich im düstern Reich,   (9905)
> Mutter, mich nicht allein!"

Die Verbindung mißlang zwar nicht, aber ihr ward keine Dauer gewährt. Die Erscheinung klassischer Schönheit war nur ein Augenblick.

> „Zerrissen ist des Lebens wie der Liebe Band;   (9941)
> Bejammernd beide, sag' ich schmerzlich Lebewohl."

Leben und Liebe sind des Jammers wert und Abschied davon ist Schmerz. Faust bleiben „Kleid und Schleier", Zeichen. Im Gedicht „Zueignung" empfangen wir „der Dichtung Schleier aus der Hand der Wahrheit". Was die Begegnung mit der Antike hinterläßt, ist Symbol der Dichtung, der Kunst. Der Schleier, die „Ge= wande" werden zu Wolken, tragen Faust magisch über Raum und Zeit nach Nor= den, Wirkungen und Weg der Poesie.

Tragisch endet das *Drama um Schönheit* und Kunst. Obwohl göttlicher Her= kunft und eben deswegen hat Schönheit auf Erden keine ewige Dauer.

> „Ein altes Wort bewährt sich leider auch an mir: (9939)
> Daß Glück und Schönheit dauerhaft sich nicht vereint."

(Zehnmal hat Goethe den entscheidenden Vers 9940 umgeformt.)

Helena weiß die Summe. Die Tragik ist die von Sein und Zeit. Und Phorkyas hatte mit dem Auftreten sogleich den anderen unlösbaren Konflikt genannt:

> „Alt ist das Wort, doch bleibet hoch und wahr der Sinn,   (8754)
> Daß Scham und Schönheit nie zusammen, Hand in Hand,
> Den Weg verfolgen über der Erde grünen Pfad.
> Tief eingewurzelt wohnt in beiden alter Haß ..."

Unvereinbar sind — gerade der nordische Teufel besteht darauf — Schönheit und Sittlichkeit, Ästhetik und Ethik als letzte Werte. So wird Helenas Dasein schuld=lose Schuld.

Schönheit ist vergänglich und bringt Schuld: altes tragisches Wissen in Helenas Gestalt erneuert. Und doch: uns bleibt läuternd der Schein, der „Abglanz" der Kunst.

Mephisto deutet „Kleid und Schleier":

> „Halte fest, was dir von allem übrigblieb.   (9945)
> Das Kleid, laß es nicht los. Da zupfen schon
> Dämonen an den Zipfeln, möchten gern
> Zur Unterwelt es reißen. Halte fest!
> Die Göttin ist's nicht mehr, die du verlorst,
> Doch göttlich ist's. Bediene dich der hohen,
> Unschätzbaren Gunst und hebe dich empor:
> Es trägt dich über alles Gemeine rasch
> Am Äther hin, so lange du dauern kannst.
> Wir sehn uns wieder, weit, gar weit von hier."

Faust ist Helenas Mitspieler, *Phorkyas*=Mephisto entschiedener Gegenspieler. Er kennt ihre Schwäche in der Zeit und doch wird selbst er, Zerstörer der Ge=stalt, von solcher Erscheinung so bewegt, daß er Helena „Göttin" nennt. Phor=kyas=Mephisto sieht stets das Scheinhafte des Spiels, während Faust das Spiel höchste Wirklichkeit bedeutet. Er bleibt immer in der Logik der Dinge und gehört, wenn auch als Verneiner, unabtrennbar der germanisch=christlichen Welt zu. Er rühmt den gotischen Stil (9017 ff), er liebt die Musik der Moderne (9625—9628), den schmeichelnden Ton.

> „Höret allerliebste Klänge,   (9679)
> Macht euch schnell von Fabeln frei!
> Eurer Götter alt Gemenge,
> Laßt es hin, es ist vorbei.
>
> Niemand will euch mehr verstehen,
> Fordern wir doch höhern Zoll:
> Denn es muß von Herzen gehen,
> Was auf Herzen wirken soll."

Wie Faust gegenüber Wagner (544 ff), fordert mit denselben Worten Phorkyas=Mephisto, nordischer Inwendigkeit gemäß, innere Form gegenüber der äußeren

Gestalt. Der Weg nach Griechenland war ihm „Ausweg". Nie überbrückt er die Kluft zur Antike. Wenn er auch das Schöne kennt (8912), bleibt er doch, solange es da ist, in der Häßlichkeit, „Widerdämon" (9017) der vollendeten Form. Wenn Helena im Sein ruht, verfügt Mephisto über die Zeit. Er wirkt die Handlung, indem er das Zeitgefüge beherrscht. Er weckt Helenas Erinnerung und erschüttert von innen her das Bewußtsein reinen Seins. So drängt er die Antike ins Mittelalter. Wo Helena und Faust sich im reinen Sein, im Glück der Gegenwart begegnen, ist er abwesend. Wartet er auf das „Verweile doch!"? Aber eben dort, wo es möglich wäre, greift er ein, „heftig eintretend", und drängt zur Tat. Will er Faust seiner Sphäre nicht entgleiten lassen? Denn Schönheit ist, wie die Wahrheit, der Gretchen lebt, göttlich. Darf er also hier den Augenblick des Verweilens wünschen?

Phorkyas=Mephisto setzt die Euphorion=Handlung in Gang. Dann aber zieht er sich zurück und tritt erst wieder hervor, als die Begegnung tragisch gescheitert ist und es Faust nach Norden zurückzuführen gilt.

Faust ist in Griechenland ein anderer. Das Suchen des Geistes, in Homunculus gestaltet, hat ihn verlassen. Dafür tritt aus ihm eine andere Kraft und wird Person: das sonnenhafte Auge in der Gestalt des *Lynkeus* (wörtlich: der Luchsäugige, vgl. dazu 7377), geschaffen als Organ, die Sonne der Antike, Helena, ganz aufzunehmen. So nämlich nennt sie Phorkyas:

> „Tritt hervor aus flüchtigen Wolken, hohe Sonne dieses Tags,   (8909)
> Die verschleiert schon entzückte, blendend nun im Glanze herrscht."

Das Wesen reiner Schau ist das Wesen der Lyrik. Lynkeus erscheint als Minnesänger und ihm kommt die Aussage der reinsten Lyrismen zu. Das Helle strömt durch sein schlackenloses Wesen fast ungebrochen ins Lied, überschwänglich da, wo das Licht der Schönheit übermächtigt.

> „Laß mich knieen, laß mich schauen,   (9218)
> Laß mich sterben, laß mich leben,
> Denn schon bin ich hingegeben
> Dieser gottgegebnen Frauen.
>
> Harrend auf des Morgens Wonne,
> Östlich spähend ihren Lauf,
> Ging auf einmal mir die Sonne
> Wunderbar im Süden auf.
>
> Zog den Blick nach jener Seite,
> Statt der Schluchten, statt der Höhn,
> Statt der Erd= und Himmelsweite
> Sie, die Einzige, zu spähn."

Ein großer, lichter Strom ist in ihm, durch kein Wollen gehindert. Denn alles andere, Geld und Edelstein sind wertlos.

„Denn du bestiegest kaum den Thron,   (9321)
So neigen schon, so beugen schon
Verstand und Reichtum und Gewalt
Sich vor der einzigen Gestalt.

Das alles hielt ich fest und mein,
Nun aber, lose, wird es dein.
Ich glaubt' es würdig, hoch und bar,
Nun seh' ich, daß es nichtig war.

Verschwunden ist, was ich besaß,
Ein abgemähtes, welkes Gras.
O gib mit einem heitern Blick
Ihm seinen ganzen Wert zurück!"

Lynkeus spricht Fausts innere Situation aus: das Dasein wird erfüllt von der Schönheit. Faust ist gestillt. Sein Streben ist zu Ende gekommen.

„Ich atme kaum, mir zittert, stockt das Wort;   (9413)
Es ist ein Traum, verschwunden Tag und Ort."

Der ewige *Augenblick* ist da — und zugleich die Sorge um seine Bewahrung durch Pflege.

„Dasein ist Pflicht, und wär's ein Augenblick."   (9418)

Sogleich muß Faust den Besitz der höchsten Schönheit verteidigen. Der ewige, einzige Augenblick hat keine Dauer, der Zenit des Daseins ruht nicht.

Phorkyas mischt die Zeiten, indem sie Menelas Anmarsch meldet, so daß Faust sich auf *seine* Zeit besinnt: die Zeit der Kreuzzüge. Faust waltet als Herzog von Achaia und Herr seiner Vasallen und sendet sie in den Kampf. Verspürt er dabei den Weltengang der Zeiten, die Kluft zwischen seiner Zeit und ihrer? Er zieht sich mit Helena auf das reine Sein, in die ewige Natur Griechenlands zurück.

Dann schildert er *Arkadien*, Herzlandschaft des Peloponnes, das zeitlose Land der Hirten, vollkommene Natur (9510—9561).

„Denn wo Natur im reinen Kreise waltet,   (9560)
Ergreifen alle Welten sich."

Die Zeit verliert sich in Raum und Sein.

„So ist es mir, so ist es dir gelungen;   (9562)
Vergangenheit sei hinter uns getan!
O fühle dich vom höchsten Gott entsprungen,
Der ersten Welt gehörst du einzig an.

Nicht feste Burg soll dich umschreiben!
Noch zirkt in ewiger Jugendkraft
Für uns, zu wonnevollem Bleiben,
Arkadien in Spartas Nachbarschaft.

Gelockt, auf sel'gem Grund zu wohnen,
Du flüchtetest ins heiterste Geschick!
Zur Laube wandeln sich die Thronen,
Arkadisch frei sei unser Glück!"

Aber auch Arkadien ist nur ein schöner Traum; denn der ihn leben soll, der Erbe des „arkadisch freien Glücks", *Euphorion*, scheitert. Als Sohn Helenas ist ihm das Schöne, als Sohn Fausts das Streben eingeboren. So findet er die Melo= die, selbst Symbol der Poesie. Von Helena ist ihm das Ruhen im Augenblick eigen, von Faust der Drang zum Fliegen zugekommen: so springt er in immer heftigeren Bögen, aber die Gewande tragen nicht — „Ikarus!" (9901). Von Faust ist ihm die Flamme des Eros gegeben, von der Heroin das königliche Tun: so überschreitet er die Grenzen in einem kurzen, absoluten Lauf — Spiel, Liebe, Krieg, Tod. Euphorion, Kind Arkadiens, sprengt Arkadien. Das reine Sein ver= sinkt, weil es dem Menschen als Person keine Dauer gewähren kann. Helena und Faust müssen in ihre Zeit zurück.

„Man glaubt in dem Toten eine bekannte Gestalt zu erblicken": hier wird der Bezug auf Byron deutlich, der scheiterte wie Euphorion.

> „Doch du ranntest unaufhaltsam   (9923)
> Frei ins willenlose Netz,
> So entzweitest du gewaltsam
> Dich mit Sitte, mit Gesetz;
> Doch zuletzt das höchste Sinnen
> Gab dem reinen Mut Gewicht,
> Wolltest Herrliches gewinnen,
> Aber es gelang dir nicht."

Ein Glanz geht von solcher Existenz über das Firmament. „Die Aureole steigt wie ein Komet zum Himmel auf, Kleid, Mantel und Lyra bleiben liegen". Mittel und Instrumente der modernen melodischen Dichtung, des lyrischen Tones (Lyra) bleiben zurück.

Über dem *Helena=Akt* leuchtet südlicher Tag. In einer ewigen Natur gelingt der Höhepunkt des ästhetischen Zustandes, in Arkadien Seligkeit, wie sie Goethe in Italien empfand: „Auch ich in Arkadien" setzt er als Motto vor seine „Italie= nische Reise". Der schöne Augenblick Arkadiens aber ist Stille, kein Stillstand, höchste schöpferische Stille, Zeugung, nicht „Faulbett", nicht Genuß. Faust ver= liert in Helena das Glück der Schönheit, wie er das Glück der Liebe in Gretchen verlor. Beide heben sich in Wolkenbildern (10039—10066) von ihm ab, beiden bleibt „das Beste seines Innern" verhaftet.

Der Faust, der von Hellas zurückkehrt, ist reicher und ärmer. Er besaß höch= stes Glück und er verlor es. Wesentliche Kräfte sind verbraucht und doch konnte das Göttliche nicht dauern auf Erden. So wird der Helena=Akt für Faust als Künstler tragisch, wird *Tragödie der Kunst*.

Faust ist auf sich zurückgeworfen. Seine Schwingen sind gebrochen. Er muß seinen Weg ohne sein Bestes zu Ende gehen. Mephisto nähert sich dem Ziel.

Am Kaiserhof berührte Faust die Sphäre der Herrschaft, in Hellas trat er herr= scherlich auf, als Herrscher will er nun selbst hohe Ziele verwirklichen.

nötig: Studiere 10039—11042, 11043—11383!
         Überlege: Verwirklicht Faust seine Herrschermaximen?
möglich: Kurzreferat: Die goldene Bulle.

      Arb.=Gem.: Warum kolonisiert Faust?
               Fausts Erlebnis auf dem Hochgebirge.
               Warum will Faust die beiden Alten entfernen?
               Vorbereiten: Philemon und Baucis=Szene mit verteilten Rollen.

Der Herrscher

Faust landet inmitten „starrer, zackiger Felsengipfel" auf dem „Hochgebirg":
„Einsamkeiten" (10039) sind um ihn. Das Bild zeigt, wie sich Fausts Wesen auf
sich versammelt. Die Fruchtlosigkeit magischer Bemühung erfuhr er beim Ent=
schwinden Helenas. Wie eine Wolke löst sich nun das Inbild der Antike von ihm,

    „Und spiegelt blendend flüchtiger Tage großen Sinn."   (10054)

Aus der Erinnerung steigt ein Bild der Jugend: Gretchen, wie es in einem Para=
lipomenon namentlich bezeichnet wird.

    „... Täuscht mich ein entzückend Bild,   (10058)
    Als *jugenderstes*, längstentbehrtes, *höchstes Gut?*
    Des *tiefsten* Herzens *frühste* Schätze quellen auf ...
    Wie *Seelenschönheit* steigert sich die holde Form
    Und zieht *das Beste meines Innern mit sich* fort."

An der Erfahrung und dem Verlust der Körperschönheit ist Fausts Empfinden
für Seelenschönheit, die in reiner hingebender Liebe liegt, wiedererwacht. „Die
holde Form löst sich nicht auf", aber von ihm ab und entfernt sich in die Regio=
nen des Äthers. Der Bereich des Erlösenden existiert. Fausts „Bestes" bleibt jener
Sphäre verhaftet und wird „mit fortgezogen". Die Reinheit in Streben und Liebe
siedelt in reinerer Region. Die „holde Form", „die Seelenschönheit" hebt sich
hinweg. Zurück bleibt Faust, Schale seiner selbst, *ohne sein Bestes*. Ein Bruch=
stück zum IV. Akt (Hochgebirg) verdeutlicht:

    „Ein irdischer Verlust ist zu bejammern,
    Ein geistiger treibt zu Verzweiflung hin."

Fausts Wesen ist der Eros genommen, die verjüngende Kraft. Er beginnt zu
altern. Das nie unterbrochene, nur im Unterbewußten fortwirkende Zeitgefühl
ist im Erwachen. Sprach er nicht vom „großen Sinn flüchtiger Tage"? Natur be=
rührt ihn im Urgestein des Fels. Spendet ihm diese unmittelbare Berührung mit
dem Urgrund neue Lebenskraft, so wendet sich Faust nun auch ins Endliche. Er
möchte in den „Einsamkeiten" zu sich kommen, neu beginnen. Der Teufel ver=

sucht ihn erneut — ausdrücklicher Hinweis auf die Bibel — und zeigt „Die Reiche der Welt und ihre Herrlichkeiten" (Matth. 4) (10131). „Ein Großes" (10134) zieht Fausts Geist auf der Oberfläche der Erde an. Nicht der „Ameiswimmel=haufen" (10151) einer Hauptstadt, nicht die Zier eines Rokoko=Lustschlößchens mit seiner Gartenkunst (10160 ff), nicht die „Schönen im Plural" (10175), nicht das Reich des Mondes (10180).

> „Mit nichten! *dieser* Erdenkreis (10181)
> Gewährt noch Raum zu großen Taten."

Das Paralipomenon 90 legt Mephisto als Einflüsterung in den Mund, was sich in Faust vollzieht:

> „Und wenn das Leben allen Reiz verloren,
> Ist der Besitz noch immer etwas wert."

In der Endfassung:

> „*Herrschaft* gewinn ich, *Eigentum!*" (10187)

Faust will, auf das Unendliche verzichtend, diesem Erdenkreis den Stempel seines Geistes aufprägen. Er will gestalten.

> „*Die Tat ist alles* . . ." (10188)

Faust ist immer noch derselbe, dessen letztes Begreifen die „Tat" (1237) war, der als Gelehrter das Gut und die Ehre der Welt bitter mißte (374). Faust will „Besitz, Herrschaft, Eigentum" nicht um ihrer selbst willen, sondern nur als Vor=aussetzung „großer Taten", für welche „dieser Erdenkreis noch Raum gewähre". Die Erde ist noch nicht gestaltet. Fausts Geist stößt zusammen mit dem Unge=stalteten. Es ist das „ungebändigte" *Meer:*

> „Unfruchtbar selbst, Unfruchtbarkeit zu spenden . . . (10213)
> Da herrschet Well' auf Welle kraftbegeistet,
> Zieht sich zurück, und es ist nichts geleistet."

Das Element, das keine Ordnung, kein Gesetz, kein „Recht" — im menschlichen Sinne — angenommen hat, das Unbezwungene, das freie Meer, ruft Fausts Geist auf den Plan. Die freie Herrschaft der Welle stößt auf den herrscherlichen Men=schen.

> „Und das verdroß mich; wie der Übermut (10202)
> Den freien Geist, der alle Rechte schätzt,
> Durch leidenschaftlich aufgeregtes Blut
> Ins Mißbehagen des Gefühls versetzt."

Faust vergleicht sich selbst einem „freien Geist" und glaubt von sich sagen zu können, er „schätze alle Rechte". „Freier Geist" bedeutet im Munde Fausts einen Geist, der für sich jede Freiheit beansprucht, ohne rück=gebunden zu sein. Es ist die „Kür" des „allgewaltigen Willens" (11255). Dieser „freie Geist schätzt alle Rechte", die sich aus den Ordnungen ergeben, die *er* in seiner Freiheit, sprich: „Willkür" geschaffen hat. Freiheit dieses Geistes ist das Gegenteil von Geistes=

freiheit, von Duldsamkeit im Geiste. Es ist die Freiheit zu handeln, auch gewalt=
sam und mit allen Mitteln, erlaubten und unerlaubten, eine durchaus unduldsame
Freiheit, die *Freiheit des Despoten*. Die anderen sind nur „Rebellen" (10159).

Dieser Freiheit quer läuft jede andere Freiheit. Solange noch die Elemente der
Natur zu bezwingen sind, ist es deren Freiheit, welche als Revolution empfunden
wird, als „Übermut leidenschaftlich aufgeregten Blutes". Ist die Natur unterwor=
fen, muß es zwangsläufig die Freiheit der letzten freien Menschen sein, die das
„Miß=Behagen des Gefühls" erweckt. Auch hier Gründe des Despoten: koloni=
siert wird, weil das unbezwungene Element das „Mißbehagen des *Gefühls*" er=
regt. Vielleicht mehr Bedürfnis zu tun als bloßer „Verdruß", Gestaltungswille,
aber doch in erster Linie Selbstbefriedigung maßlosen Gefühls, kein Dienen. Es
ist ein machtvolles Streben nach Tat. Die Folgen erscheinen durchaus zweitrangig,
nebensächlich, nichts=sagend. Gleichgültig scheint dabei der Zweck zu sein, gleich=
gültig die Entgegennahme dieses Tuns durch die Zeitgenossen und die Geschichte,
von denen bei „großen Taten" „Ruhm" zu erwarten wäre.

> „Die Tat ist alles, nichts der Ruhm."   (10188)

Soziale und ethische Motive scheiden für den Entschluß zur Kolonisation aus.
Andererseits ist Faust keineswegs nur ein nackter Despot, obwohl sein Wille
immer dahin drängt. Rühmt Faust die „Seligkeit des Befehlens" (10252), so ver=
achtet er aber auch das „Genießen", das „gemein macht" (10259), ein Befehlen
also, das sich seiner Würde bewußt scheint. So fragt sich nun, ob Faust die Macht
der Ordnung, für die er antritt, durch Wahrung des Rechts, „durch Schätzung aller
Rechte" als dauerhaft bewähren kann.

Zunächst einmal kommt ihm alles auf Gestaltung an: „Die Tat ist alles". Es
ist die *Tat an sich*, die verkündet wird. Diese „Tat" ist nichts als eine andere Form
des „Weiterschreitens". Ohne höheren Auftrag, ohne Sinn und Ziel muß jede
Tat frag=würdig bleiben, würdig der Frage nämlich, ob diese Tat und ihre Folge
gerecht ist. Un=geduldiges Handeln steht keinesfalls über geduldig=abwartendem
Nicht=Handeln, wenn auch Nicht=Handeln das Scheitern oft ebensowenig ver=
meiden kann, wie Hamlets Schicksal zeigt. Man muß auch hier nach den seeli=
schen Zusammenhängen fragen, aus denen dieses „Tat ist alles" emporsteigt.
Faust hat im Fluch die heilen Kräfte verbannt und hat sich mit dem Bösen ver=
bunden. „Das Beste seines Innern" ist von ihm abgelöst. Faust beginnt die Sinn=
losigkeit des Versuches mit der Magie zu fühlen. Er fühlt das Chaos wiederkom=
men. Nun begegnet ihm im Meer dieselbe „zwecklose Kraft" auch von außen.

> „Was zur Verzweiflung mich beängstigen könnte!   (10218)
> Zwecklose Kraft unbändiger Elemente!"

Es ist eben „beängstigend", dieselbe „zwecklose Kraft" täglich vor Augen rasen
zu sehen, so „ungebändigt", so „ohne Zweck und Ruh" (3349), wie sie im Inneren,
einem „Wassersturz" gleich, wühlt. Das Element des Wassers bildet die innere
Unordnung ab. Das Bild muß also verschwinden, als ob im Abbild das Urbild

getroffen werden könnte! Faust hegt die Hoffnung, mit der Ordnung außen auch die innere wiederzugewinnen. Diese Ordnung scheint nun Faust jeder Anstren= gung wert. Faust hat ein neues, gewaltiges Ziel.

> „Da wagt mein Geist sich selbst zu überfliegen, (10220)
> Hier möcht' ich *kämpfen*, dies möcht' ich *besiegen*."

Der sich „überfliegende Geist", dessen „übereiltes Streben" (1858) über den ihm gegebenen Flug hinauswill, bedarf wieder zur Verwirklichung seiner nun endlichen Pläne der magischen Mittel Mephistos. Faust ruft Mephisto zum Dienst auf.

Faust erkennt aus der Überschau des Hochgebirges, in der Stille der „Einsam= keiten", daß er die Unrast seines Inneren durch Gestaltung der Außenwelt, durch schöpferische Tätigkeit befriedigen könnte. Wie er den Plutonismus, den Mephi= stopheles vertritt (10075–10121), und die Revolution, die aus dem Boden der großen Städte aufschießt, also die jähe Gewaltsamkeit, ablehnt, so sucht er sich für sein Bilden und Schaffen das Element, aus dem alles entstand, das Wasser. Ein geduldig=evolutionäres Wachsen soll es sein, ein fruchtbares Werken, Leben dem chaotischen Element abzugewinnen. Faust wählt selbst seine Aufgabe — auf das Meer hat ihn Mephisto aus seiner ganz anderen Einstellung heraus nicht hingewiesen. Und er geht an dieses Beginnen mit einem neuen Ideal, dem des Herrschers als des „Würdigsten": „Genießen macht gemein" (10259). Faust nimmt sich vor, was Goethe in den „Maximen und Reflexionen" feststellt:

> „Herrschen und genießen geht nicht zusammen. Genießen heißt, sich und anderen in Fröhlichkeit angehören; herrschen heißt, sich und anderen im ernstlichsten Sinne wohltätig sein."

Scheint Faust also letzten Endes und unausgesprochen das Glück und die Wohl= fahrt der Menschen zum Ziel zu erheben? Scheint er sich, wenigstens im vollen Verständnis seines Ideals, dem menschlichen Du zuzuwenden, indem er Mephisto abwehrt?

> „Was weißt du, was der Mensch begehrt? (10193)
> Dein widrig Wesen, bitter, scharf,
> Was weiß es, was der Mensch bedarf?"

Wir erinnern uns Fausts stolzen Worts vor dem Pakt:

> „Was willst du armer Teufel geben? (1675)
> Ward eines Menschen Geist, in seinem hohen Streben,
> Von deinesgleichen je gefaßt?"

Faust will in guter Absicht neu beginnen in einem Raum, dem er niemand streitig machen muß, den erst er der Menschheit neu gewinnt. Aber er beginnt wieder mit Mephisto.

Kaum hat Faust seinen „Wunsch" (10233) ausgesprochen, leitet Mephisto schon die Verwirklichung ein. Am Bild von Haupt= und Staatsaktionen zieht im IV. Akt die Welt vorüber, in die Faust als Herrschender aufrückt, die politische

Welt mit der Notwendigkeit einer Ordnung, mit Glanz und Schwächen. Nicht Fausts Belehnung mit dem Küstenstrich wird auf der Szene dargestellt — sie wird nur nebenher in zwei Zeilen erwähnt (11035) — sondern wie es dazu kam. Krieg und Schlacht, Verhandlung und Zeremonie sind nur Mittel. Die geplante Beleh= nungsszene, von der Bruchstücke zeugen, blieb schließlich weg. Die Mittel sind nun dem alten Goethe — wie auch an der formelhaften Sprache und den breiten Wortzusammensetzungen sichtbar — wichtiger, der Zustand, das Sein dieses Reiches. Auch Faust bewegt und ändert dies morsche Gefüge nicht, er beginnt außerhalb und stellt dem Egoismus der Erstarrung (Kurfürsten) den Egoismus des Schöpferischen gegenüber, der sich schließlich weitet zur Vision vom „Ge= meindrang" (11572) des Volkes. Obwohl Mephisto die Zustände im Reich wie die während des mittelalterlichen Interregnums oder im Ancien régime schildert und man das bessere Recht doch wohl auf des Gegenkaisers Seite suchen muß, entscheidet sich Faust für den „guten Kaiser" (10243): er war „so gut und offen" (10291), er ist der angestammte, rechtmäßige Herr, die Gegenseite bringt „Auf= ruhr", der sogar von „Pfaffen" ausgeht (10285), die ihn noch „heiligen" (10287).

Schon seines Bündners Mephisto wegen muß Faust die unpfäffische Partei (siehe 10454) nehmen, wegen der aufgerufenen Magie den wählen, der in den Mitteln nicht mehr wählen kann, weil er sich „vielleicht zur letzten Schlacht" (10290) stellen muß, der Hilfe braucht und durch diese Hilfe abhängig wird.

Mephisto führt nun die Kräfte der Magie, des „Zauberblendwerks" und des „hohlen Scheins" (10300) herauf, voran „die drei Gewaltigen": Raufebold, Habe= bald, Haltefest, unterschieden in Alter, Bewaffnung und Kleidung, eins in der Erscheinung des Grauenhaften des Krieges. „Allegorisch wie die Lumpe sind" (10329): es sind Allegorien, sinnbildliche Darstellungen — und eigentlich doch mehr: das Wesen des Krieges wird in ihnen Leib und Laut.

So vorteilhaft auch militärisch die Stellung gewählt scheint (10351—10374), dennoch droht Niederlage (10680—10706). Mephisto rettet den Sieg durch Magie, durch Trug und Schein, über den er ja verfügt (10715, vgl. dazu 10300). Urge= walten — Wasser, Feuer, tosender Lärm — werden in der Phantasie der Angreifer wachgerufen (10748—10782). Der Kaiser, in dessen Gunst Magie als Dankbar= keit für die Errettung eines Nekromanten aus Norcia durch ihn selbst bei der Krönung in Rom eingeschmeichelt wurde, der Kaiser, dem das symbolische Spiel von Adler und Greif (10620—10639) schmeicheln sollte, der dann widerwillig (10705) den Oberbefehl Mephistos Künsten überließ — er ist Faust und Mephisto verpflichtet und muß ihre Dienste bei der Neuordnung des Reiches belohnen: er belehnt sie mit dem Strand, ein Lehen, das ihm nichts kostet.

Der „gute Kaiser" hat aus seinem Schicksal nichts gelernt. Die „falschen An= verwandten" (10375) des Reichs nimmt er entgegen seinen Einsichten vor der Entscheidung, daß nämlich Selbstsucht den Staat zerstöre (10393—10397) und mutiger Einsatz die Herrschaft gewinne (10407—10422), nun wieder auf und ver=

gibt urkundlich seine königlichen Rechte, die Regalien (10945–10950). So wie er den Zauber verdeckt (10857–10864), findet er auch keine herrscherliche Haltung seinen Fürsten gegenüber. Er stiftet die Erzämter und vergibt sie, beurkundet durch den Erzkanzler, dem Primas der deutschen Kirche, dem Erzbischof von Mainz. So wird die Goldene Bulle des Jahres 1356 vollzogen: die Kurfürsten, nicht der Kaiser sind die domini terrae (10930 ff, 10953 ff). Und die alte Kirche, obwohl Seele des Aufruhrs gegen den Kaiser, erhebt ihre Stimme und grenzenlos (11004) räumt der Herrscher ihr Macht ein, weltliches Gut, das sie begehrt.

Der barocke, umständliche Alexandriner gibt den zeremoniösen Formen die zeremoniöse Sprachgestalt.

Eigenartig, wie die letzten Verse weit in Goethes Jugenderinnerung zurückgreifen. 1764 erlebte er in Frankfurt die Wahl und Krönung Josefs II. (Dichtung und Wahrheit, 5. Buch). Zur Arbeit an der Belehnungsszene lieh er sich Olenschlagers „Neue Erläute= rung der Guldenen Bulle Kaysers Carls des IV." (erschienen in Frankfurt 1766) im Juli 1831 aus der Weimarer Bibliothek. Olenschlager war ein Freund der Familie. Im 4. Buche von „Dichtung und Wahrheit" berichtet Goethe von Olenschlager:

„Ich war um ihn, als er eben seine ‚Erläuterung zur Güldenen Bulle' schrieb; da er mir denn den Wert und die Würde dieses Dokuments sehr deutlich herauszusetzen wußte. Auch dadurch wurde meine Einbildungskraft in jene wilden und unruhigen Zeiten zu= rückgeführt, daß ich nicht unterlassen konnte, dasjenige, was er mir geschichtlich erzählte, gleichsam als gegenwärtig, mit Ausmalung der Charaktere und Umstände und manchmal sogar mimisch darzustellen; woran er denn große Freude hatte und durch seinen Beifall mich zur Wiederholung aufregte.

Ich hatte von Kindheit auf die wunderliche Gewohnheit, immer die Anfänge der Bücher und Abteilungen eines Werkes auswendig zu lernen, zuerst der fünf Bücher Mosis, sodann der ‚Äneide' und der ‚Metamorphosen'. So machte ich es nun auch mit der gol= denen Bulle und reizte meinen Gönner oft zum Lächeln, wenn ich ganz ernsthaft unver= sehens ausrief: Omne regnum in se divisum desolabitur: nam principes ejus facti sunt socii furum. Der kluge Mann schüttelte lächelnd den Kopf und sagte bedenklich: ‚Was müssen das für Zeiten gewesen sein, in welchen der Kaiser auf einer großen Reichsversammlung seinen Fürsten dergleichen Worte ins Gesicht publizieren ließ'."

Der Kaiser hat seine Macht weggegeben. Er ist nicht mehr Herr. Selbst das noch nicht gewonnene Land Fausts muß er bereits beleihen zu der Kirche Gunsten.

> „So könnt' ich wohl zunächst das ganze Reich verschreiben."   (11042)

Faust aber hat die Freiheit, nach seinem Willen am Strand zu schalten. Jetzt bedarf er, durch Teufelsspiel zur Macht gekommen, der Magie Mephistos erst recht und zwingt der Natur seinen Willen auf.

Durch das Verzweifelte des Tuns aber verkehrt sich Fausts Verhältnis zur Natur. Hat er noch in unmittelbarem Bezug zur Ur=Natur auf dem Fels des Hoch= gebirges Mephistos Vorschläge —

> „Wald, Hügel, Flächen, Wiesen, Feld   (10162)
> Zum Garten prächtig umbestellt.
> Vor grünen Wänden Sammetmatten,
> Schnurwege, kunstgerechte Schatten,
> Kaskadensturz, durch Fels zu Fels gepaart,
> Und Wasserstrahlen aller Art" —

als „schlecht und modern" abgelehnt, so sitzt er als Herrscher, einer Spinne gleich, selbst im Netz eines „weiten Ziergartens" an einem „gradgeführten Kanal". Magie griff in den geheiligten Bereich der Natur ein und „umbestellte" ihn nach mathematischen Plänen eines Menschenhirnes. Künstlich, unnatürlich entstanden Hafen, Dämme, Neuland: „Wasserboden", dem Baucis nicht traut (11137). Welch ungeheure Transparenz im vordergründigen Bild! Was Faust erringt, ist „Wasser= boden", gefahrvoll Genommenes, ständig Bedrohtes. Werk und Leben: unsicher und am Ende den Wellen zum Raub bestimmt. Es entstand keine in sich gegrün= dete Höhe, keine gewachsene Düne. Faust sitzt in der *Niederung,* die noch ein Sumpf verpestet, ohne Sicht des Sonnenunterganges, ohne Sicht auf das Enden des Tages, wie dann auch *ohne „Aussicht"* (11442) in jedem Sinne. Sein Verhält= nis zur Natur ist kein natürliches, ist gewaltsam und frevelnd. Konnte Magie einen Boden von zweifelhafter Dauer gewinnen, sie konnte keine Bäume wachsen lassen. Die *Linden* auf der Düne werden Symbol des organischen Wachstums, gesunder Natur, natürlichen Reifens in *„offener Gegend".*

Dieses der Natur eingeordnete andere Dasein reizt den Herrscher. Nicht das Wachstum der Jahrhunderte —

> „Was sich sonst dem Blick empfohlen (11336)
> Mit Jahrhunderten ist hin" —

nicht die Schönheit der Natur oder des Fernblickes will Faust genießen. Er findet sich schnell mit der Zerstörung der Linden ab:

> „Doch sei der Lindenwuchs vernichtet (11342)
> Zu halbverkohlter Stämme Graun,
> Ein Luginsland ist bald errichtet,
> Um ins Unendliche zu schaun."

Was vordem geplant, den Linden „ein Gerüst von Ast zu Ast" aufzusetzen, wird nun ohne Linden und ohne Schmerz um die Linden begonnen: der Natur die Konstruktionen seines Geistes aufzuzwingen. Nicht Linden, nicht Erholung, nicht Fernblick, der *Besitz ist das Entscheidende:* „Herrschaft . . . Eigentum!" (10187). Der Gedanke eines Besuches und einer Erholung unter den Linden als Gast bei den Alten ist Faust unerträglich, wie ihm niemals das Gast=sein gelingt.

> „Und wünscht' ich dort mich zu erholen, (11159)
> Vor *fremdem* Schatten schaudert mir."

Es geht nicht um Natur, nicht um ein schönes Fleckchen Erde. Es geht um die Grenzen der Macht. In der „Natürlichen Tochter" beschreibt der Sekretär neid= voll diese Willkür des Mächtigen:

> „Willkürlich handeln ist des Reichen Glück!
> Er widerspricht der Forderung der Natur,
> Der Stimme des Gesetzes, der Vernunft,
> Und spendet an den Zufall seine Gaben."
>
> (Natürliche Tochter, II, 1)

Eher wünscht der Herrscher die Naturschönheit zerstört, als sie nicht zu be=
sitzen.

> „Die Linden wünscht' ich mir zum Sitz, (11240)
> Die wenig Bäume, nicht mein eigen,
> Verderben mir den Weltbesitz."

Aber was plant Faust mit diesem neuen Besitz? Er will das letzte Stückchen
der „offenen Gegend" in den Dienst seiner Selbstbespiegelung stellen. Immer
wieder schließt sich der Zirkel.

> „Zu sehn, was alles *ich* getan, (11246)
> Zu überschaun mit einem Blick
> Des *Menschengeistes Meisterstück*."

Fausts „große Taten" bedeuten ihm selbst das „Meisterstück des Menschen=
geistes". Die Natur ist nur für Fausts Willkür da. Sie duldet schweigend. Wer die
Mittel hat, sie zu vergewaltigen, hat das Recht.

Aber auch der Mensch muß Mittel dieser Willkür werden. *Verschiedenes Altsein*
grenzt im V. Akt aneinander, stößt gegeneinander. Das Altsein des freien Men=
schen in „offener Gegend": Philemon und Baucis, ein Paar, das nach Goethes
eigenen Worten weniger die Analogie mit der antiken Sage wecken, als das natür=
liche Altsein schlechthin bezeichnen soll (Zu Eckermann, 6. 6. 1831). Schon der
Umstand, daß überhaupt ein Paar, „sehr alt" und in Liebe zueinander alt gewor=
den, dem Einsiedler gegenübersteht, schärft den Gegensatz. Das liebende Dasein
der Alten bestätigt die Möglichkeit, ein Leben in liebender Geduld auszuleben,
und bedeutet für Faust die fortwährende Erkenntnis und Erinnerung, daß den
beiden gelungen ist, was ihm nicht gelang, obwohl es auch ihm gegeben und auf=
gegeben war: die geschenkte Liebe aufzufangen und für die Dauer eines Lebens
zu hüten, anstatt den Liebenden zu zerstören. Dieses andere Dasein erzeugt das
Wissen, daß er sein Leben völlig verfehlt hat. Triebe uferlosen Neides mögen wohl
starke Kräfte seines despotischen Handelns sein. Er allerdings schiebt die Miß=
gunst den andern zu. Das Glöckchen hat für ihn *„neidische* Laute" (11155).

Es ist ein grundsätzlich anderes Alt=sein: „hilfsbereit" (11052), „gastfreundlich"
(11057), „fromm" (11055), ein Altsein, zu dem der Wanderer gerne findet, zu
danken für „jenes grausen Abenteuers Lösung" (11074), für die Rettung vom
Schiffbruch. Für den Wanderer hat das Glöckchen *„Silber*laut" (11072). Ein Alt=
sein, gelebt im Besitze der diesseitigen Sicht in „offener Gegend" wie der „Aus=
Sicht nach drüben". „Der Wanderer", vielleicht Fausts innerste Besinnung ver=
körpernd, wandert zu jenem rettenden, glaubensfesten Sein, zu seinem eigenen
Herkommen, in das „jugenderste" Reich des Heilen —

> „Sonst stürzte sich der Himmelsliebe Kuß" — (771)

dessen Erinnerung durch das Glöckchen Faust aber jetzt „wie ein tückischer Schuß
verwundet" (11152).

Möglichkeit, ja Dasein solchen glücklichen Alters fordert heraus. Es kann nicht neben dem seinen bestehen, nur untergeordnet.

> „ ... ihn gelüstet   (11131)
> Unsre Hütte, unser Hain;
> Wie er sich als Nachbar brüstet,
> Soll man untertänig sein."

Daß ein andersartiges, untergeordnetes, doch würdiges Altsein im Dienste Fausts bis zu einer gewissen Grenze doch möglich ist, lehrt die Gestalt des *Lyn= keus*. Obwohl im Dienste eines frevelnden Herrn, hat er im Dienen sein gesundes Menschentum bewahrt, durch Dienen sich selbst Wert gegeben.

Das *Lied des Türmers* ist eine der wenigen lichten Stellen im Faustdrama. Ähn= lich wie die helle Szene mit Philemon und Baucis bedeutet sie Lichtung in den Schatten und Düsternissen, die den Herrscher umgeben, Ausgleich und Gegen= gewicht. War der Gelehrte in seinem unendlichen Erkenntnisdrang, der Liebende in seiner allmächtigen Sehnsucht, der Künstler in seinem grenzenlosen Anschauen des Schönen, immer wieder der lyrischen Schwingung und des lyrischen Tones mächtig, seit dem Verlust Helenas versiecht die reine, strömende seelische Emp= findung. Die letzte lyrische Regung Fausts wird laut, als er in den Wolkenbildern Helena und Gretchen erkennt. Aber sie hebt sich von ihm ab wie jene Wolke. Seine Wendung ins Diesseitige setzt den Verlust jener himmelstrebenden Kom= ponente voraus. Damit tritt, ähnlich wie die Erscheinung Mephistos, auch das lyrische Element, das auf dem Höhepunkt ästhetischen Daseins in der Gestalt des Lynkeus körperhaft wurde, aus ihm heraus und ihm als dramatische Verkör= perung gegenüber. Faust, der Herrscher, hat auch diese Seelenkraft eingebüßt, allein, er kann sie in Lynkeus Person wieder in seinen Dienst stellen und so empfindet er im Gesang den Verlust nicht so wie den der kirchlichen Sphäre beim Läuten des Glöckchens als Vorwurf, als „tückischen Schuß".

In feierlichen, gelösten Rhythmen schwingt das Lied dahin, hymnisch, in den Metren (Daktylen) den Chören der Osternacht und der Engel verwandt. Obwohl metrisch (zweihebig) genau die Ordnung wahrend und im Kreuzreim (klingend= stumpf) und in vier ebenmäßigen Satzbögen das innere Gleichmaß abbildend, das Glück der Schau der schönen Welt, meidet es doch eine Strophenabgrenzung, sondern gibt sich als ein ungehemmtes Fließen. Bewegung und Ordnung strömen in eins, die große Ordnung erfüllt das dankende Dasein. Einfach sind die Dinge der Nähe und Ferne — Körper des Kosmos, Pflanze und Tier (bezeichnenderweise fehlt der Mensch!) — sie alle sind Zeichen Gottes, „ewige Zier", und an der Schönheit der Welt findet sich das sonnenhafte Auge bestätigt. Lynkeus hat „Gefallen" an der Welt — dreimal wiederholt er es — weil er reines Schauen üben darf, ungetrübt von jeder Tat („Dem Turme verschworen") und dem reinen Schauen wird auch die Schönheit des Inneren bewußt. Seine Augen sind „glück= lich", ein lichtes Medium, durch das hindurch sich Innen und Außen spiegeln und ausgleichen.

> „Und wie mirs gefallen,
> Gefall ich auch mir."

Das Schauen eines ganzen Lebens — „Was je ihr gesehn" — wird am Ende gesegnet; denn auch das Leben hier war Schauen der Schönheit Gottes in dieser Welt.

> „Es sei wie es wolle,
> Es war doch so schön!"

Ein Doch sagt dankbar Ja zum Leben, ein Doch deswegen, weil die Aussage des Lynkeus der Summe Fausts widerspricht. Und nicht nur „schön" war das Leben, es war „*so* schön": einmalig, unaussprechlich. „Es war": es endet, wie ein Märchen beginnt, es war Traum und Dichtung, war Kunst. Das Leben ist gelebt. Es war „so schön". Es war wert, gelebt zu werden.

Der Türmer sang sein Abendlied, sein Abschiedslied. Denn bald endet auch der Frieden seiner Schau. Eigentlich aber erklang *Fausts Abschiedslied* aus dem verlorenen und nun objektivierten „Besten" des Inneren.

Denn ganz anders existiert nun *Faust im „höchsten Alter"*:

> „Das verfluchte H i e r !   (11233)
> Das eben leidig lastets mir."

Und Faust, der die beiden Alten vernichtet, wirft zuletzt doch Schatten über des Lynkeus reines Schauen und verdüstert es: Fluch des Despotendienstes.

> „Was sich sonst dem Blick empfohlen   (11336)
> Mit Jahrhunderten ist hin...",

ist des Türmers letztes Wort. Auch das Schauen in die schöne Welt hat aufgehört. „Mein Türmer jammert", bemerkt dazu Faust.

Furchtbar steht das Alter Fausts gegenüber: einsam und mächtig, überheblich zu den Nachbarn, „mit ernster Stirn", unruhig und getrieben umherwandelnd, „nachdenklich", ohne Liebe. Unersättlich noch als Greis, muß er den Frieden der frommen Alten und des Türmers „glückliche Augen" mit sich ins Verderben reißen.

> „Sie, ihren Frieden mußt' ich untergraben!"   (3360)

Fausts Worte zu Gretchens Unglück klingen herüber. Hat er sich gewandelt?

Faust ist der Hybris der Macht erlegen. Die Schicksale von Philemon und Baucis und von Lynkeus sprechen für viele.

> „Menschenopfer mußten bluten,   (11127)
> Nachts erscholl des Jammers Qual."

Selbst der Erblindete befiehlt:

> „Arbeiter schaffe Meng' auf Menge,   (11552)
> Ermuntre durch Genuß und Strenge,
> Bezahle, locke, presse bei!
> Mit jedem Tage will ich Nachricht haben..."

Faust hat weder Ehrfurcht vor der Natur noch vor den Menschen. Alle sind Mittel zum Zweck, die er benützt, verbraucht, zerstört. Wie er sich bewußt in allem außerhalb des Natürlichen stellt, so stellt er sich ebenso bewußt außerhalb des Sittlichen.

> „Außerordentliche Menschen, wie Napoleon, treten *aus der Moralität heraus.* Sie wirken zuletzt wie physische Ursachen, wie Feuer und Wasser." (Zu Riemer, 3. 2. 1807)
> „Faust bringt mich dazu, wie ich Napoleon denke und gedacht habe."
> (Zu Sulpiz Boisserée, 3. 8. 1815)
> „Napoleon gibt uns ein Beispiel, wie gefährlich es sei, sich ins Absolute zu erheben und alles der Ausführung einer Idee zu opfern." (Zu Eckermann, 10. 2. 1830)

So steht also Faust für Goethe außerhalb der Moralität, ein „außer=ordentlicher Mensch". Er steht aber auch, wie Napoleon, in der Notwendigkeit des Unter= ganges. Fausts Tun ist im Raume der Sittlichkeit nicht zu rechtfertigen. Ob ein Mensch überhaupt „aus der Moralität" heraustreten könne und dann nicht mehr ethisch zu messen sei, verneint allerdings Goethe, und zwar durch den Fortgang der Fausthandlung zu Schuld und Scheitern. Das Heraustreten aus der Moralität besagt, daß der Herrscher als Repräsentant des Staates Vollstrecker geschicht= licher Notwendigkeit ist. Im Unpersönlichen seines Handelns steckt seine Hybris.

Dem Jenseits hat Faust abgesagt. Das Diesseits ist seine einzige Realität. Hat er sich ehedem noch schmerzhaft als „Gottverhaßten" (3356) empfunden, so wird er beim Herantritt der Sorge Gott als eine „Erdichtung" leugnen. Er betet seine Tat, sein Werk, seinen Willen an.

> „Mein Hochbesitz, er ist nicht rein, (11156)
> Der Lindenraum, die braune Baute,
> Das morsche Kirchlein ist nicht mein."

Nicht nur der „Weltbesitz" ist beschränkt, mehr noch: er wird beschränkt durch das Dasein der Alten, die im Heilen leben. Obwohl das Kirchlein „morsch" ist, der Raum der Kirche entzieht sich, wie immer, seiner Allgewalt. Das Dasein jenes Raumes schon trifft ihn wie Vorwurf.

> „*Gottlos ist er...*" (11131)

wie Baucis untrüglich spürt. Philemon unterstreicht den Gegensatz zu diesem *neuen Gott* der Macht, des Besitzes, der Arbeit, der Tat, des Intellekts, der sich selbst vergottet.

> „Laßt *uns* läuten, knien, beten (11141)
> Und dem *alten* Gott vertraun."

Es ist nicht so, daß erst die Auseinandersetzung mit dem Element Fausts Geist selbst zum Element gehärtet hätte, seine Seele etwa Opfer seines Herrscheramtes geworden wäre. Beides bedingt sich. Niemand wird wider Willen zum Herrschen gezwungen. Lautete nicht Fausts Maxime vor Antritt der Herrschaft:

„... Wer befehlen soll, (10252)
Muß im Befehlen Seligkeit empfinden.
Ihm ist die Brust von hohem Willen voll,
Doch was er will, es darf's kein Mensch ergründen.
Was er den Treusten in das Ohr geraunt,
Es ist getan, und alle Welt erstaunt.
So wird er stets der Allerhöchste sein,
Der Würdigste —"

Dazu findet sich in Erichthos Worten ein sprechender Hinweis:

„... Denn jeder, der sein innres Selbst (7015)
Nicht zu regieren weiß, regierte gar zu gern
Des Nachbars Willen, eignem stolzem Sinn gemäß ..."

Fausts Herrschaft war von vornherein absolut, gegen Aufklärung, Revolution
und Liberalismus. Absolute Herrschaft selbst kann gerecht sein, wenn sie sich in
die natürlichen, sittlichen und göttlichen Ordnungen einfügt. Faust aber tritt aus
allen diesen Ordnungen heraus. Sein Herrschertum, dessen höchste Aufgabe doch
sein sollte und wollte, Ordnung zu schaffen und das friedliche Zusammenleben
menschlicher Gemeinschaft zu sichern, wird von zwei Zügen gekennzeichnet:
Beglückung der Untertänigen, Vernichtung der Freien. Solange sein Wille grenzen=
los gilt, ist Faust vielleicht der Beglücker seiner Völker und mag Gerechtigkeit
aus der „Seligkeit des Befehlens" wahren.

„Betätigend mit klugem Sinn (11249)
Der Völker breiten Wohngewinn."

Selbst in diesem scheinbaren Wirken für andere ist nicht das Herz, sondern
die ratio Mittelpunkt. Hatte doch auch Philemon die intellektuelle Fähigkeit be=
sonders unterstrichen:

„*Kluger* Herren kühne Knechte ..." (11091)

Gerade das Intellektuelle, das vereinseitigt Rationale, ruft Sorge auf. „Auch
die Sorge ist eine Klugheit ... Die Dummheit weiß von keiner Sorge", sagt
Goethe selber (Zu Eckermann, August 1824). Weil sie wesenhaft zu ihm gehört,
kann die „schlechte Litanei" der Sorge gerade den „*klügsten* Mann betören", wie
Faust dann selber feststellt (11470).

Findet aber der unumschränkte Wille Grenzen, dann bricht der Kern dieses
Herrschertums, die Gerechtigkeit, zusammen.

„Das Widerstehn, der Eigensinn (11269)
Verkümmern herrlichsten Gewinn,
Daß man, zu tiefer, grimmiger Pein,
Ermüden muß, gerecht zu sein."

Wie ähnlich die Tragödie des „King Lear":

„How malicious is my fortune
That I must repent to be just." (III/5)

Fausts Herrschertum ist gescheitert, bevor der letzte Frevel befohlen ist. Das Gesicht seines Reiches — „Krieg, Handel, Piraterie", geopferte Arbeitssklaven — spiegelt Fausts Seele.

> „Man hat Gewalt, so hat man Recht.   (11184)
> Man fragt ums *Was* und *nicht ums Wie*."

Gleichzeitig erscheint das untrügliche Zeichen unzureichender Herrscherquali= tät: Einbläserei, Schmeichelei.

> „Mephisto: Dein hoher Sinn, der Deinen Fleiß   (11231)
> Erwarb des Meers, der Erde Preis."

> „Natürlich! daß ein Hauptverdruß   (11259)
> Das Leben dir vergällen muß.
> Wer leugnet's! Jedem edlen Ohr
> Kommt das Geklingel widrig vor."

> „Mußt du nicht längst kolonisieren?"   (11274)

So bricht sich am Dasein der beiden Alten, an ihrer Natur, ihrer geduldigen Liebe, ihrem freien Besitz, ihrem dienenden Frommsein des Herrschers Wille.

> „Des allgewaltigen Willens Kür   (11255)
> Bricht sich an diesem Sande hier."

> „So sind am härtsten wir gequält,   (11251)
> Im Reichtum *fühlend*, was uns fehlt.

Das ist bereits Sorge, die sich später ähnlich schildert.

Mit dem Tod der Alten verliert Faust die letzte Ablenkung auf äußere Ziele. Die innere Chaotik, die nun kein Widerstand mehr bindet, überflutet ihn. Faust, ängstlich vor der Sorge und wohl fühlend die Notwendigkeit, sich der Magie zu entäußern, staut gerade durch das Äußere und Nicht=Befreiende von Herrschen und Tat die Sorge auf zu unfehlbarer Wucht. Ein Paralipomenon (201) umschreibt diese unausweichlichen Bezüge:

> „Faust: Muß befehlen.
> Sorge: Das hilft dir nichts, du wirst uns doch nicht los,
> *Grad im Befehlen wird die Sorge groß*."

Fausts Herrschertum ist gescheitert.

Wie das Drama des Gelehrten, des Liebenden, des Künstlers, so ist auch *das Drama des Herrschers Tragödie.*

Vorbereitung für Kap. „Schuld":

nötig: Studiere 11378—11407, 11511—11603!
         Überlege: Hat Faust keine Schuld?

möglich: Arb.=Gem.: Das Nachtwerden im V. Akt.
                    Mitternacht — in Goethes Dramen und Lyrik.

Schuld

Die in großen dramatischen Stößen von Mephisto verausgabte Lebenszeit Fausts geht zu Ende. Sein „Erdentag" (11449), wie er selbst die ihm zugemessene Zeit begreift, neigt sich. Dieses Zu=Ende=gehen eines Tageslaufes und den Über=gang in einen neuen Tag gestaltet der V. Akt.

Die „offene Gegend", in der *Philemon und Baucis* wohnen, ihre Hütte, Linden und Kapelle auf der Düne werden vom Scheideblick der Sonne erfaßt. Die Alten auf der „Düne des Glaubens", wie man sie bezeichnet hat, wissen um ihre Zeit, die sie Gott, „dem alten Gott", anheimstellen.

> „Laßt uns zur Kapelle treten,   (11139)
> *Letzten Sonnenblick* zu schaun!
> Laßt uns läuten, knien, beten
> Und dem alten Gott vertraun!"

Faust, in „Palast und Ziergarten", in der künstlich gestalteten Natur, kann den Sonnenuntergang selbst nicht beobachten. Das mag ihn verdrießen und die Linden wünschen lassen als Luginsland. Lynkeus, der Türmer, berichtet, die Schlußstimmung der Vorszene aufnehmend:

> „Die *Sonne sinkt*, die *letzten Schiffe*,   (11143)
> Sie ziehen munter hafenein."

Lynkeus rühmt Fausts Macht auf dem Höhepunkt und in der Fülle:

> „Dich grüßt das Glück zur *höchsten Zeit*."   (11150)

So sehen die Menschen am Reichen immer nur das Glück, das ihm zulächelt, das ihn grüßt. In den Preisgesang hinein *läutet das Glöckchen* auf der Düne". Es mahnt an Vergänglichkeit und an Gott. Wieder bricht die heile Schicht, die Faust verflucht hat, in sein Dasein ein. Durch dieses Läuten wird der Sinn von Lynkeus Worten jäh umgestimmt. Bedenklich, ja furchtbar deutet er nun „zur höchsten Zeit", zur letzten Zeit. Faust muß es so empfinden. Vom Gefühl des Hochbesitzes stürzt er in das Gefühl des Verlustes.

> „Verdammtes Läuten! Allzuschändlich   (11151)
> Verwundet's, wie ein tückischer Schuß."

Das Gefühl der eigenen Zeitlichkeit bricht durch. Im Mächtigsten ist Sorge am mächtigsten verborgen. Aber Faust bekennt sich nicht. Trotzig lenkt er den Willen nach außen. Es gelingt: zur Vollendung des „Weltbesitzes" gibt es noch ein Ziel, die Hütte der beiden Alten. Faust bannt, besser: verzögert nochmals die innere Katastrophe durch Herbeiführung einer äußeren, die andere Menschen verschlingt.

Mit dem Befehl, die letzten Raumgrenzen zu entfernen, die seinen „Hoch=besitz" vom „Weltbesitz" noch trennen, *setzen die Raumangaben aus*. Es ist ein anderer Ort erreicht als die Orte dieser Welt, die Faust alle „besitzt". Es ist ein Ort, der keiner Bezeichnung bedarf; denn er ist überall und wird niemals ver= fehlt. Es ist der „Ort der Unausweichlichkeit" (Kommerell), der Ort der letzten Entscheidung. Der Raum spielt keine Rolle mehr, wenn die Zeit erlischt. Die weiteren Hinweise, wie „Faust auf dem Balkon", „Faust im Palast", „Großer Vorhof des Palastes" sind ohne kennzeichnende Bedeutung und könnten fehlen. Sie deuten an, daß der Schauplatz noch ein irdischer ist. Dafür tritt *die Zeit* in ihr genauestes Recht. Über die szenische Stufe *„Tiefe Nacht"*, die noch von Mond und Sternen, von Brand und finsterer Welt weiß, wird die Zeit zu *„Mitternacht"*, zu deren Heraufkommen ein „Schauerwindchen Rauch und Dunst heranfächelt" (11380). Mit dieser letzten verwehenden Spur erstirbt die Außenwelt. Raum hat aufgehört für Faust zu sein. Er lebt nur noch im Gefühl der Zeit. Das Me= dium der reinen Zeit ist Raum der Sorge. Mit ihr hört auch die Zeit auf. Die Szenen nach „Mitternacht" bleiben ohne Zeitangaben.

Mitternacht ist für Goethe immer das *Symbol* der Entscheidung gewesen.

> Es ist Werthers Todesstunde:
> „Sie sind geladen — Es schlägt zwölfe! So sei es denn . . ."
> Es ist Götzens Todesstunde:
> „Meine Stunde ist gekommen. Ich hoffte nicht, daß es eine der
> mittermitternächtlichsten sein sollte." (Urfassung)

> Es ist die Stunde, in der der „Ewige Jude" (1774) lebendig wird:
> „Um Mitternacht wohl fang ich an,
> Spring aus dem Bette wie ein Toller."
> Es ist Gretchens Entscheidungsstunde:
> „Weg! Um Mitternacht! Henker, ist dir's morgen frühe
> nicht zeitig genug?" (Urfaust)

> „Du holst mich schon um Mitternacht. (4430)
> Erbarme dich und laß mich leben!
> Ists morgen früh nicht zeitig genung?"

In Goethes Drama ist Mitternacht die Stunde der Entscheidung. Denken wir nur an die Wendung Egmonts durch seine Traumvision, an die „Natürliche Toch= ter" (III, 1), wo der Weltgeistliche das entscheidende Gespräch mit dem Sekretär auf Mitternacht „versparen" will. Das gleiche Symbol ist in der Lyrik wirksam.

> „Um Mitternacht, wenn die Menschen erst schlafen,
> Dann scheinet uns der Mond . . ." (Elfenlied, 1780)

> „Euch bedaur' ich, unglückselige Sterne . . .
> Unaufhaltsam führen ew'ge Stunden
> Eure Reihen durch den weiten Himmel.
> Welche Reise habt ihr schon vollendet,
> Seit ich, weilend in dem Arm der Liebsten,
> Euer und der Mitternacht vergessen!" (Nachtgedanken, 1781)

> „Eben schlug die dumpfe Geisterstunde,
> Und nun schien es ihr erst wohl zu sein . . ." (Die Braut von Korinth, 1796)

„Mitternacht weint' und schluchzt' ich,
Weil ich dein entbehrte.
Da kamen Nachtgespenster
Mit langen Gesichtern,
Zogen vorbei,
Ob ich weise oder töricht,
Völlig unbekümmert."

(West=östlicher Divan: „Schlechter Trost", 1814/16)

„Bis dann zuletzt des vollen Mondes Helle
So klar und deutlich mir ins Finstre drang,
Auch der Gedanke, willig, sinnig, schnelle
Sich *ums Vergangne wie ums Künftige* schlang.
Um Mitternacht."

(Um Mitternacht, 13. 2. 1818)

„Um Mitternacht — der Sterne Glanz geleitet
Im holden Traum zur Schwelle, wo sie ruht.
O sei auch mir dort auszuruhn bereitet!
Wie es auch sei, das Leben, es ist gut."

(Der Bräutigam, 1828)

In der Epik wird die Enthebung zur Wende. Im „Märchen" (1775) heißt es:

„Und wirklich war Mitternacht herangekommen, man wußte nicht wie. Der Alte sah nach den Sternen und fing darauf zu reden an: Wir sind zur glücklichen Stunde bei=sammen: jedes verrichte sein Amt, jedes tue seine Pflicht, und ein allgemeines Glück wird die einzelnen Schmerzen in sich auflösen, wie ein allgemeines Unglück einzelne Freuden zerstört."

Ein Paralipomenon aus der ältesten Gestalt des V. Aktes skizziert bereits diese Mitternacht (Paralip. 91):

„Taubheit.
Mephisto: Und Mitternacht bezeichnet dieser Schlag.

Faust: Was fabelst du, es ist ja hoch Mittag.
Wie herrlich muß die Sonne scheinen.
Sie tut so wohl den alten Beinen.
Komm mit!

Mephisto: Du willst?
Faust: Ich fordr' es selbst von dir!"

Taubheit bezeichnet hier das Erlöschen der Hauptsinne, sinnliche Reiz= und Gefühllosigkeit. Mitternacht wird durch Glockenschläge verkündet. Goethe äußert einmal zu Eckermann die Absicht, die Szene „Mitternacht" durch zwölf Glocken=schläge anzukündigen, wie in den deutschen Volksschauspielen, in denen Faust die Schläge der Glocke zählt.

Auch bei Widmann=Pfitzer, Goethes stofflicher Vorlage, tritt Faust um Mitter=nacht vom Diesseits ab: „Mephistopheles erscheint um Mitternacht, den Tod zu verkünden."

Aus dem Wesen des Lebens steigt Mitternacht als Ziel, auf das der Held durch den Erdentag zuschreitet.

Mitternacht ist Ende eines vollen irdischen Kreislaufes. Sie ist der Anbruch

des neuen Tages. In ihr steht einen Augenblick die Zeit still: Null Uhr. Sie ist ge=
fühlter Stillstand zwischen zwei Zeiten. Sie schwebt geheimnisvoll zwischen den
Tagen, gehört beiden und keinem an. Mitternacht ist angehaltene Zeit tiefen
Geheimnisses in Polarität zur angehaltenen Stunde höchster Erkenntnis, dem
Mittag, wo Pan schläft. Das veranlaßt Fausts Verwechslung:

> „Was fabelst du, es ist ja hoch Mittag."   (Paral. 91)

Der „Taube" sucht durch Willen den angehaltenen Augenblick umzupolen in
die Gipfelzeit des Tages und der Tätigkeit. Morgen und Abend bergen nicht den
Sinn angehaltener Zeit wie Mittag und Mitternacht: sie laufen nur in eine Rich=
tung, in den Tag oder in die Nacht. Mittag, die Schwebe zwischen den Nächten,
und Mitternacht, die Schwebe zwischen den Tagen, aber sind doppeldeutig, haben
zwei Gesichter, schließen ab und schließen auf. Um die Schwebe der Mitternacht
aber breitet sich unheimlich die Dunkelheit, das Nicht=sehen, Nicht=erkennen=
können. Was der Mensch um Mittag kaum fühlt, weil er wirken kann, das fühlt
er um Mitternacht um so stärker: daß er zwischen den Zeiten aus der Zeit her=
ausgenommen ist, entweder schlafend und sich selbst nicht existent oder, wachend,
nur denkend existent, aber nicht handelnd; denn es ist Mitte der „Nacht, da
niemand wirken kann". Mitternacht ist die Stunde des Geistes, der jeder Gegen=
wart enthoben, zurückschaut und vorausblickt. Es ist die Stunde der Besinnung
und Rechenschaft, der Lösung vom Vergangenen und des Bereitens für ein Neues.
Vergangene und zukünftige Welt treffen sich in ihr. Die Lebenden existieren nur
als Geist und begegnen im Geist dem fortlebenden, um diese Stunde des Körpers
nicht bedürfenden, deswegen also existenten Geist der Toten. Es ist die Geister=
stunde.

Wiedererweckung des Vergangenen, Entkörperung und Vergeistigung des Ge=
genwärtigen fordern denn auch Vorfühlen des Künftigen, vor allem jenseitiger
Zukunft.

Mitternacht ist Brücke zwischen den Welten, Durchgang und Übergang vom
Erdentag in den Himmelstag, ist Zusammenfallen von Anfang und Ende, der
Augenblick der Verwandlung.

Die Dauer der Mitternacht im V. Akt ist klar umrissen. Vom Anfang der Szene,
über die Goethe „Mitternacht" schrieb, reicht sie zum vollzogenen Sterben Fausts.
Das Wort wird dann noch einmal aufgenommen:

> „Mephisto: Die Uhr steht still —   (11593)
>
> Chor: Steht still! Sie schweigt wie *Mitternacht*.
>   Der Zeiger fällt.
>
> Mephisto: Er fällt, es ist vollbracht.
>
> Chor: Es ist vorbei."

Zwischen „Vollbracht" und „Vorbei", in der Dialektik, endet die „Mitternacht".
Sie symbolisiert den zeitenthobenen Augenblick des Sterbens. Die Szene ist das
Herz des V. Aktes. Zu ihr hin herrscht die Zeit, von ihr weg die Ewigkeit.

Aus „Rauch und Dunst", herangeweht von einem „Schauerwindchen", er=
scheinen „Mangel, Schuld, Sorge, Not", *vier graue Weiber*, vor dem Palast,
von dessen „Balkon" aus Faust etwas „schattenhaft heranschweben" sah. Es
heißt nicht: *Die* vier grauen Weiber", nur: „vier graue Weiber", also offenbar
vier aus einer größeren Schar. Warum vier? Vom Reim her ist die Vierzahl nicht
nötig, wohl aber von der den „grauen Schwestern" eigenen strengen rhythmischen
Symmetrie. Das Stakkatohafte dieses Nennens, das die ganze Szene anstimmt,
käme bei weniger als diesen vier Halbversen, bei schmalerem Klangraum also,
nicht so bestimmend zur Wirkung. Außerdem muß die „Sorge" mehreren ihrer
Schwestern gegenüberstehen. Diese Mehrzahl der drei anderen steht für jene
Vielzahl der „Geschwister" des „Bruders Tod". Aus jener grauen Schar — wie oft
zählt Goethe ihre Namen auf! — wagen sich nur vier an Faust heran. Von ihnen
vermag nur die „Sorge" einzutreten. Von allen Kräften der Schwere erreicht nur
die „Sorge" einen Menschen wie Faust.

Wer sind diese drei anderen, vergeblich Ausgesandten? „Mangel, Schuld, Not".
Wenn auch auf Faust ohne unmittelbaren Einfluß, gehören sie doch zu den dem
Menschen gefährlichsten Kräften. *„Mangel"*: Goethe nennt ihn anderwärts „Be=
dürfnis". Es ist der Name dessen, wessen der Mensch zu seinem Dasein bedarf.
Mangel ist das im Sinne der Notdurft nicht gestillte Bedürfnis. Mangel ist eine
zerstörende Kraft im Physischen, ein Entzug der Lebens=Mittel. Mangel ist den
Armen, den ungesichert lebenden Menschen, allen, die nicht reich sind, tödlich.
„Reich", das heißt mächtig, vermögend durch die aus einem Reich, einer Herr=
schaft, fließenden Mittel. Reich ist einer, dessen Mittel, über die er verfügt, die
Mittel übersteigen, welche aus der reinen Existenz als Mensch kommen und deren
er zu seiner Existenz bedürfte. Reichtum ist also ein Mehr über die natürlichen
Mittel hinaus, er liegt im Felde der Magie. Faust ist „ein Reicher" (11387). „Da
werd' ich zum Schatten", bekennt der „Mangel". Er wird nicht „zu nicht" wie die
„Schuld", er bleibt vorhanden, sogar gegenwärtig auch im Leben des Reichen. Das
Wissen, daß Reichsein keine vererbbare und unverlierbare Eigenschaft des Reichen
ist, der immer davon bedroht ist, seine Mittel loszuwerden, ist die eingestandene
oder uneingestandene Sorge jedes, der als Mensch nur noch oder nichts als —
ein Reicher ist. Der „Mangel" kann zwar nicht an ihn heran, kann nicht eindrin=
gen. Dennoch ist er wirksam: als „Schatten", der Sorge erregt.

Dem „Mangel" am nächsten steht die *„Not"*. Sie „begleitet" den „Mangel" ganz
nah an der „Ferse", folgt ihm. Sie ist der Zustand, den der Mangel herbei=führt.
Als Entbehrung wirkt Not im Bereich des Physischen und jeder Mensch weiß,
daß ihr der Tod folgt.

"Ein düstres Reimwort folgte — Tod."   (11401)

Der Tod ist und bleibt das, was den Menschen Unruhe macht. Ihn abzuwehren sorgt der Mensch um das Kraut, das ihm gewachsen wäre. So wird der Blick auf den leiblichen Zustand der Not zum seelischen der Sorge. Not greift in beide Bereiche, sie ist die Umschlagstelle des physischen in den psychischen Schmerz. Darum wird auch die „Not" vor dem „Reichen" nicht „zu nicht", obwohl sie während der Dauer des Reich=seins „nicht ein kann", keinen unmittelbaren Zugang findet. Sie ist stets in der Gegenwart des Reichen vorhanden. Not ist der dunkle Grund, dem der Reiche entfliehen möchte. Nicht die Not aufheben und auflösen will er. Er läßt sie bestehen und geht an ihr vorüber. Schon fast zu viel der Mühe ist ihm, vor ihrem Antlitz das „Gesicht wenden zu müssen" (11389). Schon das bereitet Sorge. Diese Haltung des Wegsehens gilt als Attribut des Reichen — *man wendet von mir* . . ." — ebenso wie ihm „das verwöhnte Gesicht" zugehört. „Verwöhnt" ist, was über das Gewohnte, den Zustand, in dem man sonst wohnt, hinausgeht. Es ist Blasiertheit des Reichen. So ist Not der ständige Ruf an das Gewissen des Reichen. Aber der Ruf dringt nicht zu Faust. Not wirkt als Sorge.

„Man wendet von mir das verwöhnte Gesicht."   (11389)

Die *„Schuld"* aber wird vor dem Reichen „zu nicht". Handelte es sich um Schulden, so wäre leicht einzusehen, daß sie in der Sphäre des Reichen verschwinden. Doch auch Schulden sind kein nur wirtschaftlicher, sondern immer ein ethischer Bezug, bei dem es auf das Verpflichtetsein, auf das Tilgen ankommt. Reichsein tilgt noch keine Schulden, dazu gehört der Wille. Im Text aber steht „Schuld".

„Sorge, Mangel, Schuld und Not" stehen vor der *„verschlossenen Tür"*. Sie sind außen, Faust drinnen. Drei von ihnen gestehen, die verschlossene Türe hindere sie am Eintritt: „Wir können nicht ein" (11386). Sei es Ohnmacht, Abscheu oder Abneigung gegen den Reichen, sie müssen bekennen:

„Drin wohnet ein Reicher, wir mögen nicht 'nein."   (11387)

Die *„Sorge"* jedenfalls stellt es als ein Unvermögen fest: „. . . ihr *könnt* nicht und *dürft* nicht . . ." (11390). Das Unvermögen der anderen ist nicht nur ein äußeres, hervorgerufen durch das Verschlossene, sondern vor allem ein inneres. Die drei anderen sind nicht „am rechten Ort". Sie sind, obwohl nur die „Schuld" dem Wortlaut nach aufgehoben ist, alle drei nicht unmittelbar zuständig. Die „Sorge" aber darf und kann eintreten. Wo alles verschlossen scheint, findet sie Eingang.

„Die Sorge, sie schleicht sich durchs Schlüsselloch ein."   (11391)

Für sie gibt es keinen verschlossenen oder völlig verschließbaren Innenraum. Gerade das Verschließbare an der Tür, der Verschluß, das Schloß, bietet in der Öffnung, dem Loch für den Schlüssel, die winzige Blöße. Übertragen verstanden: das einfach Ausgeschlossene, das unverarbeitet Beiseite=Geschobene und Aus= Gesperrte, vor dem Hindernis gestaut und geballt, durchdringt jede winzige Öff=

nung und wird unter Druck und Ende ein tödlicher Strahl, nadelspitz und messer=
scharf. Psychologisch gesprochen: das Verschließen und Verdrängen ruft die
Gegenwirkung auf und steigert sie. In Anbetracht der Wirkung ist dabei der
Weg nicht so wesentlich, ob mit oder ohne Gewalt. Die „Sorge" jedenfalls
„schleicht". Sie dringt lautlos, unhörbar ein. Der Zeitpunkt ist nicht zu bestim=
men, wann sie das Außen verlassen, das Innen eingenommen hat. Die Sorge
ist auf einmal da. Man weiß nicht, wann und wie sie kam, wie lange sie da ist.
Dadurch wirkt sie ins Vergangene, das, auch wenn es hell war, als Sorg=losigkeit
unwirksam wird. Es scheint, als wäre Sorge nie und doch immer gewesen. Der
Mensch sieht sein gewesenes Leben, sieht alles vom „grauen Spinnenflor" der
Sorge umhüllt. So entwertet er auch seine echten Leistungen im Schleier der
Sorge. Schleichen kennzeichnet das unerkannte Dabei=sein, das Darinnen=sein.
Dieses Schleichen durchs Schlüsselloch spricht weiter von der wesenhaften Kör=
perlosigkeit, der Ursache ihrer Lautlosigkeit. Damit scheint der Sorge eine Fähig=
keit zugeschrieben, wie sie in Märchen und Heldenlied der Tarnkappe einwohnt.

„Sorge verschwindet", lautet die Anmerkung. Sie löst ihre vorübergehende
Körperhaftigkeit auf, um sie drinnen neu aufzurichten — auch dann nur vorüber=
gehend.

Die „grauen Geschwister" „entfernen" sich, voran der „Mangel", die „Schuld
ganz nah an der Seite", „an der Ferse die Not". Mit ihrer Entfernung, mit der
Macht der „Sorge" über Faust, wandelt sich das Bild, nebelhaftes Gebild ver=
hängt das Dauernde, das Gestirn.

> „Es ziehen die Wolken, es schwinden die Sterne!" (11395)

Mitternacht, die Stunde des Überganges, der Tod heißt, verwischt den Aus=
blick in die Ordnungen des Kosmos. Sie stellt den Menschen auf sich. Auch
äußerlich ist „die Aussicht verrannt". Das Bild entspricht der seelischen Lage
Fausts. „Mangel, Not, Schuld" beschwören es zu drei, indem sie auf das „Da=
hinter" verweisen, auf ihren „von ferne kommenden Bruder". Während die
„Sorge" Faust gefangen nimmt, naht sich der Tod und steht vor der Tür. „Die
grauen Geschwister" erwirken ihn vor allem rhythmisch durch Monotonie, welche
den einstimmenden Charakter des Auftritts großartig geltend macht.

> „Dahinten, dahinten! von ferne, von ferne, (11396)
> Da kommt er, der Bruder, da kommt er, der — Tod."

„*Schuld*" kam nicht zu Faust. Ist er nicht schuldig?

Niemals bekennt Goethe die grundsätzliche Schuldhaftigkeit des Daseins wie et=
wa Hebbels pantragische Schuld der Individuation an sich oder Heidegger, der sagt:

> „Das Schuldigsein resultiert nicht erst aus einer Verschuldung, sondern umgekehrt:
> diese wird erst möglich ,auf Grund' eines ursprünglichen Schuldigseins."
>
> (Sein und Zeit, 284)

196

Die Weltsicht des Dichters gründet, auf der einen Seite wenigstens, auf einem humanistischen Optimismus, auf dem Vertrauen in das Gute des Menschen.

> „Ein guter Mensch, in seinem dunklen Drange,   (328)
> Ist sich des rechten Weges wohl bewußt."

Das Dasein ist nicht grundsätzlich schuldhaft. Und doch ist ihm der Mensch unendlich viel schuldig.

> „Dasein ist Pflicht, und wär's ein Augenblick."   (9418)

Ein Verpflichtet=sein, ein Schuldigsein des Menschen dem Dasein gegenüber reicht auch in den Augenblick hinein, weil das Dasein nur im Augenblick gelebt wird und da seinen Wert erhält.

„Dasein ist Pflicht." Faust bekennt sich zum Schulden dem Dasein gegenüber, zum Sollen, das allein erlaubt, da zu sein. Faust weist mit dem guten Wort einer guten Stunde selbst die Wege. Es zeigt auf, daß Goethes Satz, „ohne das Sitt= liche machtlos zu sein", auch im Bereich des „Faust" gilt. Die Frage der Schuld kommt aus dem Wesen der Dichtung und des Dichters.

> „Das Gewissen ist ganz nahe mit der Sorge verwandt, die in Kummer überzugehen droht, wenn wir uns oder anderen durch eigene Schuld ein Übel zugezogen haben."
> (Wanderjahre, I. Buch, 7. Kap.)

Den Mittelpunkt des seelischen Gefüges, das zentrale Organ, bildet die Sorge. Sie berührt sich „ganz nahe mit dem Gewissen", von dem sie gerufen und aus= gelöst wird. Wo Sorge eintritt, muß vorher der Ruf des Gewissens ergangen sein. Erfolgt der Ruf aus *eigner Schuld*, wird die Last zur Drohung. Dann „droht" die Sorge „in Kummer überzugehen". Sie hört mit Mahnen und Warnen auf, beginnt das Zerstören. „Kummer" ist Sorge in dunkelster Färbung, ist „Gram, der wie ein Geier dir am Leben frißt" (1636). Erlaubt sonst die Sorge Abhilfe durch das Sorgen, so wird sie, übergegangen in „Kummer", ausweglos. Alles Zerstörende an ihr wendet sich ausschließlich gegen den Menschen, der sich ver= loren sieht und sich in Schweigen hüllt. Kummer waltet dann ohne Worte. „Schuld" hingegen bedeutet in diesem Zusammenhang mehr den Vorgang des Schuldigwerdens, des Etwas=Verschuldens, ist nicht eine seelische Kraft wie die Sorge.

Fraglos steht Goethe dem Phänomen Sorge näher als dem der Schuld. Sorge ist der Kern des einen Feldes seiner in Polaritäten schwingenden Welt, wie sie vom Gegenpol, jenem optimistischen Humanismus, mitgeformt wird. Schuld ist für ihn ein abgrundtiefer Vorgang, ausweglos, wenn sie einmal aufbricht.

> „Ihr führt ins Leben uns hinein,
> Ihr laßt den Armen schuldig werden,
> Dann überlaßt ihr ihn der Pein,
> Denn alle Schuld rächt sich auf Erden."   (Aus dem Lied des Harfners)

Schuld ist kaum darstellbar, weniger jedenfalls als die kosmischen Mächten zugeordnete Sorge. Der Untergang des Schuldlos=Schuldigen, das Verquicktsein von Schuld und Unschuld, die Aufhebung des Sittlichen oder dessen Bewährung nur durch Untergang, das Tragische mußte ihn „machtlos" machen. Goethe hielt sich, wie er an Schiller schrieb, „keiner wahren Tragödie" für fähig. Denn im Tragischen gibt sich das Dasein als schuldhaft kund.

Fausts Schuld ist die dunkle Magie. Es ist Generalschuld, sich außerhalb des Menschlichen setzen zu wollen, nur im Pakt mit dem Teufel vollziehbar. Schuld setzt Gewissen nicht außer Kraft, ruft es vielmehr auf. Gewissen ist in Faust vorhanden, sowohl in Gretchens Katastrophe als auch nach Helenas Verlust, dem mit Papiergeld betrogenen Kaiser gegenüber ebenso wie im letzten „wilden Streich". Aber das Gewissen ist unterdrückt, darf nicht die Schuld anmahnen, keine Reue bekennen, sich nicht durch Sühne lösen.

Wo die Regungen des Gewissens den Bestand an Schuld im Drama anzeigen, kann nicht gut davon gesprochen werden, daß der Zaubertrank Fausts Verant= wortlichkeit aufhebt. Dieser Hexentrank löscht wohl vorübergehend die Erinne= rung und entzieht eigene Lebenszeit. Er ist mehr ein sexuelles Aufpeitschen, wie Mephisto ihn meint, oder ein erotisches Aufleben, wie Faust ihn nimmt, aber keine Hülle um das Geschehende.

An Gretchen und dem Schicksal ihrer kleinen Familie, die mit ihr ins Grab sinkt, braucht Fausts Schuld nicht nachgewiesen zu werden. Selbst bei der „Mum= menschanz" verstrickt er sich in Schuld, weil „gerade sein warnendes Flammen= gaukelspiel dazu ausgenutzt wird, dem Kaiser die Unterschrift unter das Papier= geld abzulocken"(H. H. Borcherdt). Wegen dieser Schuld widersteht es ihm später, einen Krieg für denselben Kaiser wiederum durch magische Mittel zu gewinnen.

Die große Gefahr für Fausts Bindung an Mephisto bringt der Gang zu den Müttern. Da wird Mephisto deutlich und bekennt, daß es sich um „neue Schul= den" handelt. Mögen es sogar Schulden im Haushalt des Kosmos sein, es sind *„neue* Schulden", das heißt, daß bisher schon eine ausreichende Verschuldung vorliegt. Nicht zu übersehen ist die Weise, wie diese „neuen Schulden" zustande kommen: „frevelhaft". Diese Art der Schulden ist Frevel, ein Verfehlen gegen Göttliches und Heiliges, ein durchaus ethisches Verfehlen. Es ist Schuld.

> „Greifst in ein fremdestes Bereich,   (6196)
> Machst *frevel*haft am Ende neue *Schulden*."

Es bedarf großer Erschütterungen, um die Erinnerung an das längst Vergan= gene wachzurütteln, wie in der Mütterszene oder nach Helenas Verlust. Dabei zeigt sich das in der Tiefe wurzelnde Schuldgefühl, daß mit dem Schauder vor dem Worte „Mütter" die Schuld an Gretchen aufsteigen mag oder die Wolke, die Gretchen bedeutet, Fausts „Bestes", die Reinheit des Strebens und der Liebe, seine Unschuld, sich ablöst und er in Schuld zurückbleibt. *Die ethische Kontinui= tät ist nicht unterbrochen.* Sie liegt tief unter der Oberfläche, wie auch das Zeit= gefühl, dessen dramatische Darstellung auf Mephisto übergegangen ist.

Der V. Akt bringt neue Schuld, nicht „Realpolitik", wie man entschuldigt hat. Mephisto selbst ent=schuldigt nicht. Er weist auf „Naboths Weinberg" hin. König Ahab wollte den besitzen, Naboth aber verkaufte ihn nicht. Da intrigierte Isebel und Naboth wurde auf Grund falscher Zeugnisse wegen Gotteslästerung getötet. Mephisto stellt das Unrecht unzweideutig fest:

> „Auch hier geschieht, was längst geschah,   (11286)
> Denn Naboths Weinberg war schon da."   (Regum I, 21)

In dieser Umschreibung der Schuld könnte auch eine Hans Sachs=Stelle wirken. Das Spiel „König Ahab mit dem Nabot" (Kemptener Ausgabe 1614, III, 231) „beschleußt der Ehrenhold":

> „Wo sie aber ihr nicht verschonen
> Und ohn alle Gottesforcht darbei,
> Mit gwalt und grosser tyranney,
> Ihr unterthan trucken und pressen,
> Schinden, rauben und lebend fressen,
> Wider Gott, ehr und billigkeit,
> Auss frävel, mutwill und bossheit
> Vergiessen das unschuldig blut,
> Das denn zu Gott aufschreyen tut ...
> Schickt den solcher herrschaft zur straff
> Und ihn auch ihr leben abkürzt ...
> Thut Gott in angst und trübsal stossen."

Wie stark das Schuldgefühl in Faust geworden, erweist seine Antwort auf die Tat Mephistos, welche er zu verantworten hat. Er weiß: es ist „Raub", Raub= mord, Verbrechen, dessen Schuld auf ihn fällt. Und er „flucht" auf das „unge= duldige, unbesonnene" Vollbringen. Im Gefühl der Schuld flucht Faust auf die Un- geduld, auf die Tat, die „zu schnell getan" ward. Nimmt er jenen Fluch auf die Geduld und die Anbetung der Tat durch diesen Fluch zurück? Bekennt er sich, mittelbar zwar, zu Geduld und Besinnung? Scheint er im Innern bereit, das Menschliche auf sich zu nehmen und es in Geduld auszuhalten? Der Wandel kommt als Reue nicht zum Ausdruck. Reue bedeutet Eingeständnis, Bekenntnis und Schmerz über „eigene Schuld". Dessen ist Faust nicht fähig. Sein Ansatz einer Umkehr verfängt sich im Verneinen. Nicht von Reue, Faust spricht von „Verdruß".

> „... mich im Innern   (11340)
> Verdrießt die ungeduld'ge Tat."

Das „übereilte Streben" (1858) holt ihn ein.

> „Tausch wollt' ich, wollte keinen Raub.   (11371)
> Dem unbesonnenen wilden Streich,
> Ihm fluch ich; teilt es unter euch."

Ein „wilder Streich" ist ihm gespielt worden, dessen Verantwortung er nicht von sich wälzen kann. Faust möchte sich ärgerlich durch Flucht davon absetzen.

Dabei ist es gleichgültig — wenn man auch darüber verschiedener Meinung war —, ob die gedingten Gesellen den Fluch oder das Eigentum der Alten unter sich teilen sollen.

Faust tritt den neuen Besitz nicht an; sein Leben ist mit der letzten Schuld in die entscheidende Krise getreten, die nach Goethes Auffassung nie umgangen werden kann.

> „Es ist ganz einerlei, vornehm oder gering zu sein: Das Menschliche muß man im= mer ausbaden."　　　　　　　　　　　　　　　　　(Maximen und Reflexionen)

Fausts Herrschermaxime —

> „Was er den Treusten in das Ohr geraunt,　　　　　　　　　　　　(10256)
> Es ist getan, und alle Welt erstaunt" —

muß zusammenbrechen, weil Mephisto unter „den Treusten" der Treuste ist.

> „Geboten schnell, zu schnell getan! —　　　　　　　　　　　　　(11382)
> Was schwebet schattenhaft heran?"

Auch wenn man bedenkt, daß die Sorge=Szene bereits ein Jahr fertig war, als der kurze Auftritt der vier grauen Weiber zur Überleitung geschaffen wurde, und von den Vieren folglich nur die Sorge Einlaß finden durfte, tritt uns hier ein unauflösliches Problem entgegen: die „Schuld" wird „zu nicht", sie vergeht vor dem Reichen. Eine Spur von Reue, von Faust als innerer Verdruß ausge= sprochen, leitet die Sorge als Sühne der Schuld im Menschlichen ein. Gerade in dem Mächtigen ist die Sorge mächtig. Entzöge sich dieser der Moralität und damit der Schuld, wo sein Maß an Schuld doch wirklich voll ist?

Die Schuld verschwindet vor dem Mächtigen: ein ungeheures Wort. Es sagt nichts weniger als daß der „Reiche", Mächtige, der Herrscher, der Tyrann (be= reits die althochdeutschen Glossen übertragen tirannus als rihher: Steinmayer= Sievers 1,258, 25) herausgenommen ist aus der sittlichen Weltordnung, um ver= antwortungslos nach seines „Willens Kür" zu leben. Sah doch Goethe im Bilde Napoleons auch Faust „aus der Moralität herausgetreten". Der Mächtige ent= zieht sich der Folge von Schuld und Sühne. Selbst Element, unterliegt er nur dem Element.

Ein altes Sprichwort sagt: „Kleine Diebe hängt man, große läßt man laufen". Goethe nimmt es auf:

> „Kleine Diebe hängt man so weg, es haben die großen
> Starken Vorsprung, mögen das Land und die Schlösser verwalten."
> 　　　　　　　　　　　　　　　　　　　　　　　(Reinecke Fuchs)
> „Willkürlich handeln ist des Reichen Glück!
> Er widerspricht der Fordrung der Natur,
> Der Stimme des Gesetzes, der Vernunft..."

　　　　　　　　　　　　　　　　　　　　　(Natürliche Tochter, II, 1)

Am Widerspruch von *Sorge und Schuld* hellen sich die ontologischen Zusam= menhänge der Dichtung auf. Eindeutig durch „eigene Schuld" schuldig, tritt Faust aus der Sühne, aus der Moralität hinüber in das Reich der Natur. Schon nach Gretchens Tragödie fand er dorthin, als er sich im Schoße der von sittlichen Ord= nungen unberührten Natur aufruhte zu einem neuen, wenn auch bedingteren Leben.

> „Ob er heilig, ob er böse,   (4619)
> Jammert sie der Unglücksmann."

Die Natur urteilt und verurteilt nicht, hat nur Mitleid und Hilfe. Jetzt aber hat die Zeit ihre lindernde Wirkung verloren: sie ist abgelaufen. Kein Bad in „Lethes Flut" ist mehr gewährt. Die Sorge als eine Funktion des Kosmischen, der Zeitlichkeit, vollstreckt nunmehr mitleidlos hart. Schuld ist die innerste, per= sönlichste und verborgenste Tatsache. Mit der Sorge tritt sie als objektive Macht auf und zerstört.

Vorbereitung für Kap. „Die Sorge":

nötig: Studiere 11384—11510!
          Überlege: Siegt Faust oder siegt die Sorge?

möglich: Kurzreferat: Das Dämonische im 20. Buch von „Dichtung und Wahrheit".

Arb.=Gem.: Die Sprache Fausts und der Sorge.
          Was ist Sorge? (Selbstcharakteristik).
          Vorbereiten: Szene „Mitternacht" mit verteilten Rollen.

Die Sorge

Oswald Spengler hat die *abendländische Kultur* dargestellt als ein Wesen ge= waltiger *Sorge*. Das Zeitgefühl, das Fühlen der Vergänglichkeit, zeichne dem Ant= litz Europas tiefe Züge ein: von den mahnenden Glocken bis zu den modernen Lebensversicherungen — ein einziger Ausdruck der Sorge. Und je mehr die Kultur zu Zivilisation säkularisiere, je mehr also das humanum aus sich selbst leben wolle, desto unentrinnbarer wachse die Sorge. Alle „faustische" Tat des Abend= landes sei Versuch, ihre Macht zu überdecken.

In den Epochen des Glaubens wird die Sorge aufs Jenseits gewendet. Wo aber kein Jenseitsglaube die Existenz gründet, wo der Mensch das Geworfensein tra= gisch erfährt, wird Sorge die entscheidende Wirkung. Die griechische Tragödie ist Feld der Sorge und die moderne wird es wieder in dem Augenblick, in dem humanistische Wissenschaft das Studium der Alten nicht nur theoretisch auf= nimmt, sondern die Seele das Dasein der Antike als Lebensgrund sucht, wie es in der Klassik geschah. An der Gestalt Helenas wurde das deutlich. Sorge setzt im Abendland unausweichlich ein, als man die Antike leben will, während die christliche Heilsgewißheit als Lebenskraft verblaßt. Seit Shakespeare drängt die Sorge elementar und unaufhaltsam vor und gipfelt in der Existenzphilosophie unserer Tage. Bei Kierkegaard, Heidegger, Jaspers wurde philosophisches Wort, was Welterfahrung und Bild der Dichter die Neuzeit hindurch immer wieder war.

„Das Gewissen offenbart sich als Ruf der Sorge: der Rufer ist das Dasein, sich äng=stend in der Geworfenheit um sein Seinkönnen." (Heidegger, Sein und Zeit, 277)

„Das Gewissen ist der Ruf der Sorge aus der Unheimlichkeit des In=der=Welt=seins, der das Dasein zum eigensten Schuldigseinkönnen aufruft."

(Heidegger, Sein und Zeit, 289)

Goethe fand weniger im optimistischen 18. Jahrhundert *Vorformen* zu der ein=maligen Szene Fausts mit der Sorge. Antike Gestaltungen und solche aus der Zeit des historischen Faust brachten Stoff zu.

Anfang Mai 1826, nach Niederschrift des Auftritts der „vier grauen Weiber" überlas Goethe bei *Virgil* den Gang des Äneas zur Unterwelt. In der Vorhalle des Hades (6. Buch der Aeneis) lagern egestas, labos, ultrices, curae, letum:

> „Im Vorhof, noch im Höllenschlunde lagern
> Die Trauer, des Gewissens Folterqualen (ultrices curae)
> Und bleiche Krankheit, finstres Greisenalter,
> Furcht, Hunger, der zu bösen Taten rät,
> Häßlicher Mangel — graue Schreckgespenster,
> Und Not und Tod und diesen anverwandt
> Schlaftrunkenheit."   (Aeneis VI, 264 ff, zitiert nach K. Burdach)

Horaz bringt Sorge gerade mit dem Herrschertum in Bezug:
„Furcht und drohendes Unheil folgen auch dem Mächtigen, wohin er sich wendet, und die Sorge schwingt sich selbst auf den erzbeschlagenen Schnellruderer und sitzt hinter dem Reiter zu Pferde."   (Carmina III, 1, 40)

Seneca beschreibt im 90. Brief, wie die Sorge die Mächtigen auf ihren Purpurbetten ruhelos mache.

Vor allem gewinnt die *Fabel des Hyginus* hier Bedeutung:
„Als einst die ‚Sorge' über einen Fluß ging, sah sie tonhaltiges Erdreich: sinnend nahm sie davon ein Stück und begann es zu formen. Während sie bei sich darüber nachdenkt, was sie geschaffen, tritt Jupiter hinzu. Ihn bittet die ‚Sorge', daß er dem geformten Stück Ton Geist verleihe. Das gewährt ihr Jupiter gern. Als sie ihrem Gebilde nun ihren Namen beilegen wollte, verbot das Jupiter und verlangte, daß ihm sein Name gegeben werden müsse. Während über den Namen die ‚Sorge' und Jupiter stritten, erhob sich auch die Erde und begehrte, daß dem Gebilde ihr Name beigelegt werde, da sie ja doch ihm ein Stück ihren Leibes dargeboten habe. Die Streitenden nahmen Saturn zum Richter. Und ihnen erteilte Saturn folgende anscheinend gerechte Ent=scheidung: ‚Du, Jupiter, weil du den Geist gegeben hast, sollst bei seinem Tode den Geist, du, Erde, weil du den Körper geschenkt hast, sollst den Körper empfangen. Weil aber die Sorge dieses Wesen zuerst gebildet, so möge, solange es lebt, die Sorge es besitzen. Weil aber über den Namen Streit besteht, so möge es ‚Homo' heißen, da es aus humus (Erde) gemacht ist'."   (Zitiert nach K. Burdach)

Goethe kannte die Fabel in *Herders Übertragung* (in den „Zerstreuten Blättern" von 1787):

> Das Kind der Sorge.
> „... Dir, seiner Mutter, o Sorge,
> Werd es im Leben geschenkt.

Du wirst, so lang es nur atmet,
Es nie verlassen, dein Kind.
Dir ähnlich wird es von Tage
Zu Tage sich mühen ins Grab.
Des Schicksals Spruch ist erfüllet.
Und Mensch heißt dieses Geschöpf.
Im Leben gehört es der Sorge:
Der Erd' im Sterben und Gott."

Das Gedicht Herders wird 1798 neu aufgelegt. 1790 erschien im „Musenalmanach"
des J. H. Voß ein Gedicht gleichen Inhalts unter dem Titel „Die Erschaffung des Men=
schen nach der allgemeinen Sündflut."

Mag Goethe auch Bausteine für seine Szene gewonnen haben, er gestaltet „ein Welt=
bild ganz unantiker Weise", in dem „alles Seele" ist. „Wie könnte das Moderne durch
das Antike ausgedrückt werden?" (Paul Stöcklein)

Wichtiger dürfte das Bild geworden sein, das der Zeitgenosse des historischen Faust,
Hans Sachs, geformt hat. Goethe lernte 1773 die Kemptener Ausgabe (1612—1614)
kennen. Dort beschreibt sich *„Die unnütz Fraw Sorg"* in ihrer gewaltlosen, geheimnis=
vollen Macht genauso wie die Sorge im „Faust" (Vgl. Albrecht Weber, Die Sorge in
Goethes Faust. Phil. Diss. München 1951, 43—58, 136—150).

„Sie sprach mit ungedult:
Ich bin des alles keins
Sonder etwas gemeins
Das alle menschen tragen.
Ich sprach: Thu mir doch sagen
Nicht lenger ich dir borg.
Sie sprach: Ich bin Fraw sorg,
Lateinisch cura genannt."   (I, 790)

Sachsens Dialog *„Faulkeyt und Sorg"* dagegen zeigt die Sorge als den Stachel, der
den Menschen zu neuer Tätigkeit zwingt. Dieselbe Wendung nimmt Goethes Gestal=
tung.

„Doch endlich überwunde,
Fraw Sorg, dass ich aufstunde
Und fieng an zu arbeiten stracks;
Ich förcht fraw Armut, spricht Hans Sachs."   (IV, 318)

Fausts Sorge ist tief innen. Sie ist die eigentliche Triebkraft seiner unbedingten
Tätigkeit. Im Karlsbader Schema zu „Dichtung und Wahrheit" (1810) stellt Goethe
die Wechselwirkung fest: „Tat steht mit Reue, *Handeln mit Sorge in immerwäh=
rendem Bezug". Sorge* bleibt Faust bis zuletzt. Sie tritt als letzte Kraft aus ihm
heraus und, objektiviert, ihm entgegen. So widerfährt Faust die Sorge als etwas
Objektives, ganz und gar von ihm Unabhängiges und außer ihm Bestehendes.

Die Sorge stellt sich auch *sprachlich* als Gegenpol zu Faust dar. Ihr tonloses
Beschwören bedient sich gerne der Substantivierung einfacher Infinitive (das
Sollen, Lassen, Rollen, Befreien, Erdrücken, Erquicken), und zur Vergegenwärti=

gung der Präsenspartizipien (tastend, drückend, holend, erstickend, verzweifelnd). Ein Plural wie „Finsternisse" in ihrem Munde bricht die Siegel des Abgründigen auf und sagt Meere von Finsternis aus. Die Sorge setzt sich nur vorübergehend als Ich, um dann unpersönlich als ein Es fortzureden, während Faust sich ver= zweifelt an sein Ich klammert. Das alles geschieht auch im Rhythmus. Während Faust verzweifelt akzentuierend an seinem jambisch=stürmenden Versprinzip fest= hält, braucht die Sorge die reinsten streng alternierenden Trochäen der ganzen Dichtung. Sie begegnet seinem willensgeballten Wesen mit endloser und fast ton= loser Monotonie, Rhythmus vom Wesen des Todes.

In *drei Intervallen* steigert sich das Gespräch. Die „Sorge" nimmt zu, Faust nimmt ab. Sie tönt, als ob er gar nicht spräche. Ihr dritter Ansatz wird drama= tischer Höhepunkt. Diese Szene ist Bild ohne Farbe, Schwarz auf Grau, Raum aus reiner Zeit, Augenblick des Dazwischen, Mitternacht, Sterbeminute. Zu ihr hin verliert sich der Raum, zu ihr hin herrscht die Zeit der Welt, mit ihr verliert sich die Zeit in die Ewigkeit.

Faust „im Palast", im Innenraum also, hat erkannt, daß eine der schattenhaf= ten Erscheinungen geblieben sein muß.

> „Vier sah ich kommen, drei nur gehn." (11398)

Das Raunen einer Rede vernahm er, ohne den Inhalt, geschweige den Wortsinn verstanden zu haben. Aber der Klang war unmißverständlich. Der Reiche kennt den Klang, der um die Not ist.

> „Es klang so nach, als hieß es — Not." (11400)

Ein Klang genügt, die fortdauernde Existenz der Not selbst vor das verwöhnt abgewendete Gesicht zu rufen. Ein Reim desselben dunklen Lautcharakters ge= nügt, im vorausahnenden Fühlen den beschworenen Zustand der Not in ihren Folgezustand, den Tod, zu überführen.

> „Ein düstres Reimwort folgte — Tod. (11401)
> Es tönte hohl, gespensterhaft gedämpft."

Nochmals wird der geheimnisvolle, unheimliche Ton unterstrichen, ein hohler, das ist ein im Innern leerer, nichtssagender Ton, ein Ton, der das Nichts verrät. Nicht laut, grell oder schrill, sondern gedämpft: ein zischelnder, brodelnder Ton, den das unterdrückte Feuer seufzt, wenn es in Rauch und Dampf verqualmt, weil ihm der Luftzug des Freien entzogen ist: ein Zeichen drohenden Erstickens. Der Grund des Gedämpftseins liegt im „Gespensterhaften" des Tons, in dem die Dämonie des Daseins erwacht. Es ist ein unwirklicher und doch wirkender Ton, der aus „Undingen" von Jenseits der dinglichen Welt rührend, den Men= schen „verfolgt", der sich „nicht loszureißen" vermag.

Die Feststellung der Augen, daß eine der Erscheinungen zurückblieb, und der

geheimnisschwangere Klang, den das Ohr auffängt, erwirken in Faust den Zu=
stand der Sorge. Sorge ist herangetreten als das Rechenschaft heischende und
das Ende vorausnehmende Gewahrwerden seiner selbst. Im Zentrum dieses sor=
genden Bewußtseins steht das Phänomen des Todes. Für Faust ist es verbunden
mit allen Attributen des Gespensterhaften.

Im Gewahrwerden seiner wirklichen Lage erfährt Faust eine erschreckende Er=
kenntnis. In der Rechenschaft vor seinem bisherigen Leben erkennt er, daß die
Summe lautet: erfolglos. Faust hat trotz eines bewegten, durchkämpften Lebens,
wohl gerade deswegen, den Raum des Freien noch nicht erreicht. „Noch nicht":
die Möglichkeit besteht.

> „Noch hab' ich mich ins Freie nicht gekämpft." (11403)

Das „Freie" ist das Unverstellte. Das Freie ist der Raum des Unmittelbaren,
in dem die Bewegung des Menschen ungehindert bleibt. Es ist der Raum eines
Lebens, das, einfach und unverstellt, gewiß mühevoll und schwer zu leben ist,
täglich aller Anstrengung und Tapferkeit bedarf, um bestanden zu werden. Im
„Freien" vollzieht sich das Leben der Mittellosen. Gerade dieses aber scheint dem
„Reichen" nunmehr überhaupt noch wert. Menschsein — „ein Mensch zu sein"
ist das höchste Prädikat — scheint irgendwie abhängig von der Mühe, die erst
Wert gibt. Ist das Leben an sich Mühe, dann hat es sich nur gelohnt, wenn es
dieser Mühe wert war. Das ist *Fausts Wunsch:*

> „Stünd' ich, Natur, vor dir ein Mann allein, (11406)
> Da wär's der Mühe wert, ein Mensch zu sein."

Die Wunschform erweist die innere Summe dieses Lebens als wertlos, als ver=
gebliche Bemühung.

Den Weg zum wertvollen Leben aber, der ins Freie führt, versperren die Mit=
tel, deren sich Faust bedient hat. Er weiß, daß das gesunde, heilende Leben ein
Leben ohne Mittel ist. Er muß mittellos werden. Den Zustand solcher Unmittel=
barkeit ersehnt Faust. Es ist im Augenblick sein höchster Wunsch. Er wünscht
das radikale Entfernen des Dazwischenliegenden. Er weiß, daß es sich um ein
„Ganz und gar" handelt, um eine totale Entscheidung. Menschsein ist nur um den
Preis ganzer und radikaler Entscheidungen, die immer auch Opfer sind, gewährt.
Faust ist zu diesem Opfer bereit, aber sich selbst nicht sicher, ob er es auch ver=
mag. Denn die Magie steht dazwischen.

> „Könnt' ich Magie von meinem Pfad entfernen, (11404)
> Die Zaubersprüche ganz und gar verlernen."

Eine furchtbare Selbstanklage steckt in diesem „Könnt' ich". Angesichts des
erkannten richtigen Weges verrät dieses „Könnt' ich" das innere Ich=kann=nicht.
Fausts Situation ist ein Nicht=mehr=können. Es tut sich auch sofort kund, daß
die Magie ihn unverlernbar und nicht entfernbar besitzt, daß er sie nicht abzu=
werfen vermag. Das *„Sonst"* unmittelbaren Menschentums liegt, kaum noch der

Erinnerung erreichbar, weit zurück. Faust weiß nur noch, daß das Heile seiner Vergangenheit vor dem Anfang seines Suchens im Düstern lag. Vor jenem Bruch, der hieß:

> „Es möchte kein Hund so länger leben, (376)
> Drum hab' ich mich der Magie ergeben."

Im „Frevelwort" schließlich wurde der Bruch endgültig.

> „Fluch jener höchsten Liebeshuld! (1604)
> Fluch sei der Hoffnung! Fluch dem Glauben!
> Und Fluch vor allem der Geduld!" ·

Faust weiß: es war ein „Frevelwort" (11409). Jenes „Sonst" echten Menschen= tums lag vor dem Fluch; es ist keine Wahrheit mehr. Es gilt nur noch das *„Nun"*, die Gegenwart. Dort aber ist das Verstricktsein in das Magische so unlösbar, daß Faust es für menschliches Schicksal schlechthin hält. Er weiß zwar noch, daß *er* die Welt verfluchte, allein die durch jene „sonst – nun" Beziehung als Folgen des Fluches gekennzeichneten, spukhaften Vorstellungen will Faust in neuer Selbsttäuschung dem Allgemein=Menschlichen zuschreiben.

> „Nun ist die Luft von solchem Spuk so voll, (11410)
> Daß *niemand* weiß, wie er ihn meiden soll.
> Wenn auch ein Tag *uns* klar vernünftig lacht,
> In Traumgespinst verwickelt *uns* die Nacht;
> *Wir* kehren froh von junger Flur zurück,
> Ein Vogel krächzt; was krächzt er? Mißgeschick.
> Von Aberglauben früh und spät umgarnt:
> Es eignet sich, es zeigt sich an, es warnt.
> Und so verschüchtert, stehen *wir* allein."

Die Kehrseite des Tages, der den Inbegriff der Klarheit, der Vernunft, lachen= den Frohseins, gedeihender junger Fluren umfaßt, empfindet Faust nun als be= herrschend: die Nacht mit ihren Traumgespinsten. Ein einziger Vogelschrei ge= nügt, alle Freude in die Ahnung eines unheilvollen Schicksals zu verkehren. Kehrseite der taghellen Vernunft ist der unvernünftige *Aberglaube*, der, fein wie Garn, den Menschen jederzeit, „früh und spat", umgibt. Selbst die „Luft", das umhüllende Element, unser Atemstoff, erscheint „voll von Spuk". Und kein Mensch weiß sich dessen Rat. Fausts Glaube verkehrt sich durch den Fluch in Aberglauben. Es ist nicht so, daß man an Stelle des Glaubens den Unglauben an sich, das voraussetzungslose Nicht=Glauben setzen könnte. Der Mensch hat immer das Bedürfnis irgendeines Glaubens. Darum liegt *im Fluch der Kern der Tragödie Fausts*. An Stelle des hellen, erlösenden Glaubens ist der dunkle getre= ten. Der „Übermensch", welcher der Liebeshuld des Höchsten nicht glauben, sich ihr nicht anvertrauen wollte, glaubt nun an Gespenster, an krächzenden Vogel= ruf. Ein ungeheurer Fall, der Abfall, der ihn, wie Faust fühlt und ausspricht, ent= würdigt, die Mühe entwertet, ein Mensch zu sein. In allem sieht der Abergläu= bische ein Drohendes. In allem „eignet es sich", „zeigt es sich" und „warnt".

Genau die Umkehr des Gläubigen, der in allem den heilsamen Finger Gottes sehen und fühlen darf. In dieser Lage — „und so..." — auf uns selbst zurück= geschreckt, sind „wir verschüchtert" und stehen „allein".

> „Und so verschüchtert, stehen wir allein.   (11418)
> Die Pforte knarrt, und niemand kommt herein. (Erschüttert)"

In dem Augenblick der inneren Durchschütterung geschieht das erschütternde äußere Ereignis: eine knarrende, aufgehende Türe, durch die niemand eintritt. Das Verschlossene entriegelt sich wie von selbst. Alle Mühe, sich im Innenraum zu verschließen, war vergeblich. Die Pforte hält nicht, der Zugang wird offen, ohne irgendeine Spur von Gewalt. So wird der Wille Fausts entmachtet.

Faust, von dem unheimlichen Bild aufgeweckt, dringt nun auf diese verborgene Macht. Er will ein *Gegenüber* haben, erkennen und erforschen. Dadurch zwingt er das Verborgene überhaupt erst, Gegenüber zu werden, ansprechbares Du zu sein. Aber Faust erfährt zunächst nur, daß dieses unsichtbare Du „einmal da" und bei ihm „am rechten Ort" sei. Sein Befehl „Entferne dich!" verpufft. Es ist ein wirkliches Gegenüber. Ohne daß Faust darüber Macht hätte, gehört es ihm doch ausdrücklich zu. Die Sorge ist am rechten Ort. Das „ergrimmt" Faust „erst", dann aber „sänftigt" er sich und hält an sich. Er mahnt sich selbst zu Vorsicht vor dieser unabhängigen, überlegenen Macht.

> „(für sich)
> Nimm dich in Acht und sprich kein Zauberwort."   (11423)

Solche Selbstüberwindung führt ihn erstmalig wieder zurück in den Kreis be= sonnenen, maßvollen und würdigen Menschentums. *„Kein Zauberwort"* zu spre= chen heißt: auf das magische, aber nicht eigenste Mittel verzichten und dem Be= gegnenden nicht anders als „ein Mann allein" entgegentreten.

Gestellt, hebt dieses Gegenüber nun an, sich zu umschreiben. Es schildert sich als das, was im Herzen laut wird, hallt und schallt, ja dröhnt, ohne daß dieses Dröhnen vernommen würde. Die äußeren Sinne spielen keine Rolle. Sie können vollkommen sein und in ihrer Vollkommenheit keinen Laut vernehmen — und doch dröhnt es im Herzen. Sie können vollkommen gesund sein und im lichten Tag jeden Sinnes=Eindruck empfangen — und doch wohnen Finsternisse drinnen. Es ist also das Gegenüber im Herzen. Dabei kommt es auf keine feste Gestalt an. Zu immer neuer Verwirrung kann sich diese Gestalt gleitend fort und fort ver= wandeln. Gerade das Verwischende der entformten und verformenden Gestalt entwaffnet und läßt die grimmige Gewalt voll zur Wirkung kommen. Ob auf dem Land oder auf dem Wasser, der Mensch, der die grimmige Gewalt dröhnen hört, wird für die Dauer — es scheint ihm ewig — von Angst befallen. Denn dies unheimliche Du wird nie und von keinem gesucht, aber stets gefunden. Eben den Menschen, der davon nichts hören will, trifft es unmittelbar. Darum wird dieses Unumgängliche umschmeichelt und verflucht in gleichem Maße. Eine Macht, gegen die es kein Mittel gibt.

In diese erregende Spannung fällt das schwere Wort:

„Hast du die Sorge nie gekannt?" (11432)

Die Frage bietet Faust, der die Sorge am Anfang der Tragödie erfahren hat, erneut die Möglichkeit einer Entscheidung. Das klare Ja kommt nicht. Keine Re= chenschaft folgt. Es folgt keine Sinnfindung. So kann in derselben Seele der eine Pol den anderen fragen, die eine Wirklichkeit die andere. Das aber ist dabei das Unerhörte, daß sie sich in dieser unvermittelten Frage nicht treffen. Sie reden an= einander vorbei und können sich darum auch nicht vergleichen. Das Ganze dieser Seele kann die Harmonie nicht finden. Denn der eine Teil besitzt nicht den Mut klaren Eingeständnisses. Er sagt nicht Nein. Aber er weicht aus. Die Pole wirken aneinander vorbei. Wo die Mitte sein sollte, ist Kluft, Abgrund, Nichts. Darum die Unmöglichkeit des inneren Ausgleichs, des Seelenfriedens. Die letzte Formel muß immer lauten: *unbefriedigt* (11452). Tragödie um so mehr, als gerade dieser faustische Teil sich zur ganzen Menschheit erweitern wollte!

Faust gibt *Rechenschaft*. Sein Leben war „nur", das heißt: es war nichts als ein Rennen durch die Welt, war ein wildes Greifen nach jeder Lust, die wieder los= gelassen wurde, wenn sie den Erwartungen nicht entsprach. Kein Versuch, das Unbezwungen=Entgleitende, das Entwischende festzuhalten. Kein Versuch, Werte von Dauer zu finden. Es war nur Begierde, nur Erjagen kurz gesteckter Ziele, da= mit „abermals" neues, wildes Wünschen entbrenne. In solch engem Zirkel — „und so . . ." — bewegte sich dieses Leben, „erst" schwungvoll, „mit Macht durchge= stürmt". Allein in diesem orkanhaften *Sturmlauf* liegt unendlich viel sinnlos Re= volutionäres, dem späten Goethe Widersprechendes. Faust hält die erste vitale Kraftentfaltung für „groß und mächtig".

„Nun aber geht es weise, geht bedächtig." (11440)

Gewiß geht es jetzt langsam. „Be=dächtig", also mit Bedacht, mit Denken aber ist es auch im Alter noch nicht gegangen. Erst die Mitternacht bringt den Antrag eines Sich=voraus=Denkens. Solchen Bedacht aber lehnt der faustische Teil brüsk ab. Noch weniger trifft für Faust das seltene Glück der Weisheit zu. Sie ist dem gewährt, dessen Selbsterkenntnis ein Wissen geworden ist, das ihm erlaubt, die echten und wertvollen Bezüge insgesamt zu erkennen. Zum Weisen fehlt Faust der Grund: das Erkenne dich selbst!

So folgt die im letzten unweise, die unwissende *Ablehnung jeder Metaphysik*. Faust hat den „Erdenkreis" ausgeschritten, aber nicht, um als Frucht Sehnsucht nach „Drüben" zu tragen. Er stellt vielmehr fest, daß es für den Menschen aus dem Bezirk irdischer Gegebenheiten, dem „Erdenkreis", keine „Aus=Sicht" gibt. Wer dennoch einen „blinzelnden" Blick über das einzig Wirkliche, das Physische, hinaus nach „dorthin" richtet, ist ein Narr, ein *Tor*, der sich seinen Gott oder seine Götter nach eigenem Muster erfindet. Das Wort weist weit zurück:

„Da steh' ich nun, ich armer Tor!" (358)

Wird jetzt das Streben nach Metaphysik für Torheit erklärt, so erscheint auch hierin nur die Befindlichkeit des Anfangs. Was Mephisto einst feststellte, gilt:

> „Du bist am Ende — was du bist." (1806)

Faust hatte das erfahren:

> „Ich bin nicht um ein Haar breit höher, (1814)
> Bin dem Unendlichen nicht näher."

Den Trennungstrich gegen das Überirdische wiederholt nun der Greis. Zugleich wird das gläubige, fromme Irren, wird die große deutsche Gestalt des reinen Toren verabschiedet. Der geistige Bezug zu Parzival reißt hier ab. Faust erkennt nicht, als er die Sehnsucht nach drüben Torheit nennt, die absolute Verarmung, welche nach ihm ein Jahrhundert „faustisch" gepriesen und nicht ertragen hat.

> „Tor, wer dorthin die Augen blinzelnd richtet, (11443)
> Sich über Wolken seinesgleichen dichtet."

„Dichten" bedeutet hier Erfinden. Jenseits und Ewigkeit sind menschliche Aus=geburten, unnötig, unbrauchbar, hemmend. Dann verkündet Faust das *Evange=lium der säkularisierten Welt*. Anstatt Narr des Jenseits zu sein, solle der Mensch auf dieser Erde feststehen. Der Aspekt hat sich nicht verändert.

> „Aus dieser Erde quillen meine Freuden, (1663)
> Und diese Sonne scheinet meinen Leiden."

Zwar ist der „Erdenkreis" „genug bekannt", doch bietet er dem, der sich hier wirklich „umsieht", dem Umsichtigen, der richtig fragt, noch unendlich viele neue Antworten. Die Welt will befragt sein.

Die Welt ist das Feld dessen, der seine natürlichen Kräfte wirklich üben, bilden und anwenden will, desjenigen, der die Theorie der Tugend in die Tat umsetzt, des *Tüchtigen*.

> „Er stehe fest und sehe hier sich um; (11445)
> Dem Tüchtigen ist diese Welt nicht stumm.
> Was braucht er in die Ewigkeit zu schweifen!"

Was in dieser Welt erkennbar ist, das kann ergriffen werden. Das ist die Auf=gabe. Man muß den Tag dieser Erde nützen; denn Nacht wird kommen, „da nie=mand wirken kann", wie Goethe einmal sagt. Der Tüchtige solle planmäßig vor=dringen, ohne Rücksicht auf den Spuk in der Sphäre des Dämonischen, der „Geister". Geist wurde durch den absoluten Vorrang der Tat entwertet. Deshalb erscheint er hier verwirrt und verwirrend als „Geister".

Das „Weiterschreiten" ist Fausts letzte Formel. Weiterschreiten in Ziellosigkeit oder doch in völliger Unkenntnis des Zieles ist „Qual". Und doch ist es zugleich „Glück", Glück in der Qual, weil es die Möglichkeit gestaltender, weltformender Tätigkeit, den Genuß des Schöpferischen birgt. Das Weiterschreiten hat die Ge=fahr der Sinnlosigkeit. Dennoch liegt in der immer neu versuchten Gestaltung der Welt ein gesunder Grund, der seinerseits in der Schöpfung gründet und von dort her gerufen und mit Sinn begabt werden kann. Es kommt hier alles darauf an, „Qual *und* Glück" zu lesen, Licht und Schatten zu sehen. Die Bereitschaft, aufgerufen zu werden, ist Handeln, das der Führung harrt. Zwangsläufig muß dies Handeln aus Qual und Glück des Weiterschreitens den Menschen „jeden Augenblick", also in jedem Punkte des Daseins „unbefriedigt" lassen. Der Un= friede im Weiterschreiten zeigt eben die Macht der metaphysischen Unruhe nach jenem Frieden.

Weil Faust ausweicht, er also in der Sorge ist, deshalb darf die „Sorge" völlig unberührt fortfahren. Im Rhythmus monotoner Leere spricht sie doch weder aus Leere noch in die Leere. Scheinbar unberührt, trifft sie doch den Bruch genau, des= sen sich auch Faust im Innersten bewußt ist. Dem von ihr Besessenen wird „alle Welt nichts nütze" (11454). In ihrem Atem zerbricht und verklingt bereits die so hoch gewertete Antwort, welche diese Welt den Fragen des Tüchtigen bieten kann. Sogar „alle Welt", nicht nur der „Erdenkreis", ist nutzlos: auch das noch zu Erforschende, der Besitz der ganzen Welt bleibt nutzlos im Bereich der Seele. Der in die Sorge widerstrebend Verstrickte befindet sich im Reich des „ewigen Düstern", der andauernden „Finsternisse". Dort gibt es keine Sonne, nicht ihren Wechsel, nicht Tag und Nacht. Der Sorgende weiß auch nicht, von allen seinen Schätzen, die ihm zu Gebote stehen, die richtige, will sagen: die ihm heilsame Verfügung zu treffen. Er weiß sie nicht souverän zu brauchen, nicht zum Heil anzuwenden. Sein „Besitz" ist kein echter Besitz, er besitzt ihn nicht, sondern wird von ihm besessen. Es mangelt die freie Verfügung. Gerade die umsorgten Schätze des Reichen halten ihn gefangen und befreien nicht. In dieser Verworren= heit wird alles dunkel getönt: „Glück und Unglück" wird gleicherweise Anlaß zur „Grille", die vorhandene, aber nicht frei besessene Fülle wird der Grund des Verhungerns. Alles wird dunkel, „sei es Wonne, sei es Plage", wird ängstlich gemieden und „verschoben" auf ein endloses Anderntags, ein unendlich fortzu= dehnendes Morgen. Alle Intensität des Wartens richtet sich ausschließlich auf das Kommende.

> „Ist der Zukunft nur gewärtig."   (11465)

Darüber wird die Grundlegung der Zukunft durch Gestaltung des Gegenwärti= gen versäumt. Keine Gestalt kann vollendet werden, weil die Grenzen der Gegen= wart dauernd in die Zukunft verlängert werden. Für den Sorgenden gibt es keinen Abschluß der Vorbereitung. Das Sich=selbst=voraus=sein=in=der=Welt gestattet „niemals" ein Fertigwerden, erreicht niemals die Bereitschaft zur Fahrt. Mit die= sem „Fertig", dem Bereit=zur=Fahrt, ist wiederum bildhaft der metaphysische Aspekt angerührt.

Fausts Reaktion ist verzweifelter Aufschrei und strikte Abweisung: „Hör auf!" „Fahr hin!" Das von der „Sorge" Vorgebrachte ist „Unsinn", eine „schlechte

Litanei". Weil Faust den Sinn nicht be=greifen kann, hält er ihre Worte für wir=
kungslos.

"So kommst du mir nicht bei." (11467)

Unberührt spinnt die „Sorge" ihr Garn fort. Aus dem Nie=fertig=werden leitet
sie zur völligen Entschlußlosigkeit weiter. Diese totale Unsicherheit zeigt sich im
tastenden Wanken in der „Mitte" eines breiten und geebneten, eines „gebahnten"
Weges, sieht die Wirklichkeit verzerrt und „verliert sich immer tiefer". So lebt der
Sorgende sich und anderen zur drückenden Last, schnappt nach Luft und glaubt
dabei zu ersticken, erstickt natürlich nicht, hat aber doch kein eigentliches Leben.
Er findet kein Ende, weder in der Verzweiflung noch in der Hingabe.

"So ein unaufhaltsam Rollen." (11481)

Erschreckend, wie hier die wesenhafte Sorge, die im faustischen „Weiterschrei=
ten" steckt, aufgenommen wird. Das Weiterschreiten ist von der unaufhaltsamen
Mechanik des Rollens, des sich ständig um sich selbst in sich selbst zurück Dre=
hens, in dem gleichzeitig ein nicht zu bewältigendes Enteilen geschieht, unbekannt
wohin. „Unaufhaltsam Rollen": Bild des circulus vitiosus, in dem das Unterlassen
schmerzlich, das Sollen widrig, der Schlaf halb, das Erquicken schlecht sind, in dem
Freiheit und Zwang, Schwung und Druck zu gleichen Gewichten wechselnd wir=
ken. Hier in diesem Bilde wird deutlich: das Rollen kommt nicht voran, kreist auf
der Stelle, es „heftet ihn an seine Stelle" (11485). Es ist Stillstand und dieser Still=
stand heißt Tod, der vor der Türe steht. Seine „Schwester" Sorge darf deshalb das
fesselnde Verstricken die Bereitung der „Hölle" (11486) nennen.

Faust, der die schwersten Trümpfe fallen fühlt, gerät in äußerste Erregung, wo=
durch er seine untrennbare Verflechtung mit der Hölle und seinen Dämonen be=
kundet. Der „garstige Wirrwarr netzumstrickter Qualen" (11490) haftet an Faust.
Er gesteht es selbst, daß das Düstre ihn beherrscht und jeden gleichgültigen und
bedeutungslosen Tag in Qual verwandelt. Er weiß: es ist schwer, die dem Aber=
glauben entwachsenen Dämonen loszuwerden. Das im Geistigen Ausgespannte
und fest Geknüpfte, das „geistig=strenge Band", das auch die Bezirke des Glau=
bens einschließt, kann nicht gelöst, die Zugehörigkeit des Menschen zu den Phä=
nomenen des Geistes nicht abgeworfen werden.

"Das geistig=strenge Band ist nicht zu trennen." (11492)

Faust weiß nun auch, daß die Sorge eine große Macht ist, deren Größe im
Schleichen besteht, in ihrer Unangreifbarkeit. Faust hat also Wesen und Macht
seines Gegenübers erkannt bis zum Begriff und Wort der Selbstdarstellung der
Sorge. Allein er lehnt ihre Gültigkeit für sich ab.

"Ich werde sie nicht anerkennen." (11494)

Nichtanerkennung einer Macht, welche über die Ausübung der „Gewalt" ver=
fügt, sie sogar grimmig übt, die zudem unfaßbar und schleichend groß ist, bleibt

immer Täuschung. Im seelischen Drama betrügt sich der „faustische" Teil, indem er die Tatsachen überfliegt. Sorge aber ist Tatsache; denn sie wirkt.

So schrumpft der vielfach gepriesene Sieg des „Faustischen" zur *Illusion* zusammen. Dennoch birgt auch die Haltung der Nichtanerkennung im Kerne Wahrheit. Beide Pole können sich nicht mehr binden, weil die Mitte verloren ist. In diesem Sinne, nämlich als beiderseitige Unwirksamkeit aufeinander, kennzeichnet Fausts Wort die seelische Tatsache. Faust irrt, wenn er die „Sorge" zu negieren glaubt. Er hat aber durchaus recht, wenn er das ihm verbliebene Wesen als von der Sorge unberührbar bezeichnet; denn sie ist der abgespaltene, sorgende, der Sorge fähige Teil seiner selbst.

Ein Finden im Ganzen ist nicht mehr möglich. Der Auseinanderfall des Menschen Faust ist entschieden. Faust stirbt eigentlich jetzt bereits. Was von ihm noch weiter agiert, hat kein Organ für die Wirklichkeit mehr, schwimmt in Illusion, bis es untergeht.

Das *Verschwinden der „Sorge"* kann deshalb nicht anders sein, als daß ihre Macht den ihr ausgesetzten Teil des Ganzen trifft, den Körper, der aber eigentlich Grund, Form und Halt des Ganzen ist. Das Gefäß wird zerstört. Die Teile zerfallen. Fausts Leugnung steht das „Erfahre!" (11495) der „Sorge" gegenüber. Längst hat Faust sie erfahren, aber die Magie hat ihn dieser Erfahrung enthoben, jetzt muß er sie ins bittere Ende durchleben.

Nichts bindet nun die „Sorge" mehr, nachdem sie das Menschliche durchgesetzt hat. Sie „wendet" sich ab, läßt das „Faustische" mit „Verwünschung" allein.

In der *Einwilligung* in den Tod, was zunächst das Nichtsprechen der Zaubersprüche bedeutet, erfährt Faust die Verstricktheit seiner echten Situation. Er sieht sich in aussichtslose Räume gesperrt, von den Fetzen der durchlöcherten Magie umflattert, von geheimen Schlingen — wie damals mit dem Pudel — und von Fallstricken umgarnt. Ihm widerfährt, daß sich alles gegen den Menschen kehrt, was er nicht mit Sinn begabt. *Sinnlosigkeit* heißt immer, daß der Mensch etwas nicht mehr mit Sinn erfüllt.

Doppelt sinn=los wurde Magie. Sie erfüllte nicht das, was sie sollte und wofür sie genommen wurde, und Faust andererseits will nicht mehr das, was er wollte, nämlich Übermensch, gottähnlich sein. Aber die Hülle ohne Inhalt umgibt ihn, hält ihn gefangen, versperrt ihm „das Freie". Faust weiß nicht, ob er Magie wird entfernen und die Zaubersprüche verlernen können, traut sich den Durchbruch nicht mehr zu. Rückgewinnung des Menschlichen wird sein Wunsch vor dem Tode.

Magie verkehrte sich in *Aberglauben*. Goethe setzte sich immer wieder mit diesem Phänomen auseinander.

Es ist sehr eindrucksvoll, wie Goethe in der Ausformung um diese Stelle ringt. Sechs Handschriften überliefern eine immer neue Version, bis schließlich das „Könnt' ich Magie..." bleibt.

Im Zuge des Gedankenaustausches über den „Wallenstein" schreibt er, „der astrolo=gische Aberglaube beruhe auf dem Gefühl des Weltganzen".   (An Schiller, 8. 12. 1798)

Man „müsse nur soviel darauf geben, um Ehrfurcht vor der uns umgebenden geheim=nisvollen Macht in allem zu haben und zu behaupten."   (Zu S. Boisserée, 5. 10. 1815)

„Der Aberglaube läßt sich Zauberstricken vergleichen, die immer stärker zusammen=ziehen, je mehr man sich gegen sie sträubt. Die hellste Zeit ist nicht vor ihm sicher; trifft er aber gar in ein dunkles Jahrhundert, so strebt des armen Menschen umwölkter Sinn alsbald nach dem Unmöglichen ... Auf ganzen Jahrhunderten lasten solche Nebel."

(Im Justus Möser=Aufsatz in „Kunst und Altertum", 1823)

„Der Aberglaube gehört zum Wesen des Menschen und flüchtet sich, wenn man ihn ganz und gar zu verdrängen gedenkt, in die wunderlichsten Ecken und Winkel, von wo er auf einmal, wenn er einigermaßen sicher zu sein glaubt, wieder hervortritt."

(Maximen und Reflexionen)

Aus dem Aberglauben steigen *Dämonen* auf, die Faust umgarnen. In Wirklich=keit bricht *das Dämonische* nunmehr aus ihm hervor. Die Macht, die sich ihm ent=gegensetzt, will er bezwingen. Der Schritt der Einwilligung ins Sterben scheint ihm verfrüht. Er ballt seinen Willen erneut zusammen. Aber der Dämonische kann sich nicht selbst erlösen. Goethe hat das auch sonst verneint.

„Den Frieden kann das Wollen nicht bereiten:
Wer alles will, will sich vor allem mächtig."

(Des Epimenides Erwachen, 1814)

Das 20. Buch von „Dichtung und Wahrheit" entstand zwischen 1824 und 1832 und ist schon zeitlich der Gestaltung des V. Aktes nahe. Dort findet sich ein Satz, der Fausts Erfahrung erläutern kann:

„Aber wir verschwören uns gar zu gern mit dem Irrtum gegen das Natürlichwahre ... und so entsteht gerade das Element, worin und worauf das Dämonische so gern wirkt und uns nur desto schlimmer mitspielt, je mehr wir Ahnung von seiner Nähe haben."

Das Dämonische ist Weltkraft, ebenso schöpferischer wie zerstörender Natur, unabhängig vom Menschen und von ihm unbestimmbar, aber gerade in der Sphäre des humanum.

„Durch Verstand und Vernunft ist es nicht aufzulösen."

(Zu Eckermann, 2. 3. 1831)

Im 20. Buch von „Dichtung und Wahrheit" heißt es weiter: „Alles, was uns begrenzt, schien für dasselbe durchdringbar; es schien mit den notwendigen Elementen unseres Daseins willkürlich zu schalten; es zog die Zeit zusammen und dehnte den Raum aus. Nur im Unmöglichen schien es sich zu gefallen."

„... steht aber vorzüglich mit dem Menschen in wunderbarstem Zusammenhang und bildet eine der moralischen Weltordnung wo nicht entgegengesetzte, doch sie durch=kreuzende Macht."

„Am furchtbarsten aber erscheint dieses Dämonische, wenn es in irgendeinem Men=schen überwiegend hervortritt ... Es sind nicht immer die vorzüglichsten Menschen ... aber eine ungeheure Kraft geht von ihnen aus und sie üben eine unglaubliche Gewalt über alle Geschöpfe, ja sogar über die Elemente, und wer kann sagen, wie weit sich eine solche Wirkung erstrecken wird? Alle vereinten sittlichen Kräfte vermögen nichts gegen sie ... Selten oder nie finden sich Gleichzeitige ihresgleichen, und sie sind durch nichts zu überwinden als durch das Universum selbst, mit dem sie den Kampf begonnen; und aus solchen Bemerkungen mag wohl jener sonderbare, aber ungeheure Ausspruch ent= standen sein: Nemo contra deum nisi deus ipse."

Goethe nennt Carl August und Napoleon solche dämonischen Menschen. In seiner eigenen Natur läge es nicht, aber er sei ihm unterworfen, sagt er am 2. 3. 1831 zu Eckermann. Schon zu Lebzeiten trat Napoleon „aus der Moralität heraus", „physische Ursache wie Feuer und Wasser". An dieser Vorstellung formte sich auch das Bild des Herrschers Faust. Das von Gott dämonisch=schöpfe= risch Begabte kann nur durch den Einsatz des Dämonischen selbst wieder zerstört werden.

„Der Mensch muß wieder ruiniert werden."
(Zu Eckermann, 11. 3. 1828)

„Immer sind die retardierenden Dämonen da ... ich sehe die Zeit kommen, wo Gott keine Freude mehr an ihr hat und abermals alles zusammenschlagen muß zu einer verjüngten Schöpfung." (Zu Eckermann, 23. 10. 1828)

Faust ist eine dämonische Natur. Und sein Dämon wehrt sich verzweifelt gegen den Dämon der Zerstörung.

Goethe hat die Behauptung des eigenen Lebensprinzips selbst ausgesprochen:
„Nur muß der Mensch auch wiederum gegen das Dämonische recht zu behalten suchen." (Zu Eckermann, 18. 3. 1831)

„Aber das ist auch eben das Schwere, daß unsere kräftige Natur sich durchhalte und den Dämonen nicht mehr Gewalt einräume als billig." (Zu Eckermann, 2. 4. 1829)

Das Dämonische richtet Faust auf gegen das Dämonische. Faust hält der Sorge entgegen, daß er sein Leben tüchtig gelebt hat und noch lebt.

Das Tüchtigsein ist geradezu eine Formel Goethescher Welthaltung.

„Die Beschäftigung mit Unsterblichkeitsideen ist für vornehme Stände und besonders für Frauenzimmer, die nichts zu tun haben. Ein tüchtiger Mensch aber, der schon hier etwas zu sein gedenkt und der daher täglich zu streben, zu kämpfen und zu wirken hat, läßt die künftige Welt auf sich beruhen und ist nützlich in dieser. Ferner sind Unsterb= lichkeitsgedanken für solche, die in Hinsicht auf Glück hier nicht zum Besten weg= gekommen sind." (Zu Eckermann, 25. 4. 1824)

„Je mehr man sich an dem Spekulieren über das Übermenschliche trotz aller War= nungen Kants vergeblich abgemüht haben wird, desto vielseitiger wird dereinst das Philosophieren zuletzt auf das Menschliche, auf das geistig und körperlich Erkennbare der Natur gerichtet und durch eine wahrhaft so zu benennende Naturphilosophie er= faßt werden." (Zu G. Paulus, 1800)

„Kant hat unstreitig am meisten genützt, indem er die Grenzen zog, wie weit der menschliche Geist zu dringen fähig sei, und daß er die unauflöslichen Dinge liegen ließ."
(Zu Eckermann, 1. 9. 1829)

„Wie kann man sich selbst erkennen? Durch Betrachten niemals, wohl aber durch Handeln. Versuche deine Pflicht zu tun und du weißt gleich, was an dir ist."
(Maximen und Reflexionen)

Fausts Anrufung des Tüchtigen entspricht durchaus Goethes Grundhaltung. Aber Faust mißachtet die Grenze, setzt auch die Leistung, das Tüchtigsein absolut: Tätigkeit um der Tätigkeit, Weiterschreiten um des Weiterschreitens willen.

Nicht so Goethe:

„Nicht das macht frei, daß wir nichts über uns anerkennen, sondern eben, daß wir etwas verehren, das über uns ist."   (Zu Eckermann, 18. 1. 1827)

> „Wie schal und abgeschmackt ist solch' ein Leben,
> Wenn alles Regen, alles Treiben stets
> Zu neuem Regen, neuem Treiben führt
> Und kein geliebter Zweck euch endlich lohnt."
>   (Die natürliche Tochter, III, 4)

„Unbedingte Tätigkeit, welcher Art sie auch sei, macht zuletzt bankrott."
                                        (Maximen und Reflexionen)

Faust war bereit und entschlossen, sein Ich dem Universum auszusetzen. Er wollte sterben. In der Kreatürlichkeit aber klammert er sich an dieses Ich, sobald er eine Wirkung gegen sich, einen Widerstand fühlt. Alles in ihm wird Abwehr, nicht in Abkehr, sondern in unermüdlicher Versteifung seines gelebten Prinzips. Er will nicht mehr sterben wie alle Menschen, sondern auch im Sterben nur Faust, nur Ich sein. Seine Entscheidung für den Menschen kommt zu Fall, weil keine Dauer der Überwindung seiner selbst Wert verleiht.

Faust hat das Prinzip des „Faustischen" ausschließlich festgehalten. Wenn ver= bissenes Klammern am vorläufigen Ich und nicht der Durchbruch zum Selbst, dem wahren, echten und eigentlichen, dem transzendentalen Ich — die Unter= scheidung im Sinne Herders — überhaupt ein Sieg heißen kann, hat Faust einen Triumph des Willens errungen. Aber um welchen Preis?

Faust ermächtigt sich auf Kosten der Transzendenz. Er erneuert den Fluch. Denn die Sorge ist nicht nur ein innerweltliches Phänomen, sondern als Grund= lage des Menschen von jenseitiger Herkunft. Sie kommt aus der Transzendenz, der sich Faust verweigert. Es ist der Verzicht auf die Lösung des Kernes dieser Krise, die am Ende eine religiöse ist.

Die Aufbietung und Erschöpfung aller Kraft gegen die Sorge hat ihr gerade das Feld geebnet. Nicht minder erregt, aber doch todsicher und mühelos, zieht sie die Summe. Sie reagiert mit keiner Silbe auf Fausts Ausfälle: Zeichen ihrer Überlegenheit. Ein Weltgesetz überrollt einfach das vereinzelte Ich und sein verzweifeltes Aufbäumen.

Über den letzten Augenblicken Fausts liegt der Fluch — eine Handschrift spricht sogar von „Fluch und Wunsch". Der Fluch realisiert sich in Erblindung. Eine furchtbare Folge für den, dessen ganze, eben verkündete diesseitige Weltanschau= ung in erster Linie auf dem Gesichtssinn beruht. Auch die „Sorge" weiß um das Großartige der „faustischen" Haltung. Darin, daß sie das Leben Fausts als ein „Nicht=blind=sein" bezeichnet, liegt die höchste Anerkennung, die sie einer Indivi=

duation gewähren kann. Trotzdem oder gerade deswegen muß sie das Schicksal an ihm vollziehen.

Mit dieser Wendung gibt sie Faust frei. Das Leben in der Zeit ist vorbei. Die „Sorge" bestätigt, daß Faust ein Leben lang mehr gesehen als die lebenslang „Blinden", die nur wähnen und in Dunkelheiten hinein glauben. Ihnen, den Blinden, ordnet sie Faust nun ein:

> „Erfahre sie! wie ich geschwind (11495)
> Mich mit Verwünschung von dir wende!
> Die Menschen sind im ganzen Leben blind,
> Nun, Fauste, werde du's am Ende!"   (Sie haucht ihn an.)

Was Sorge war, spaltet sich ab. Ihr Wesen macht ihn blind.

Am Anfang des ersten Teils, in der „Nacht", erschien die Sorge im Monolog als Nennung Fausts. Am Ende personifiziert sie sich als der Gegenpol des „Fau= stischen" durch Dialog. An der Darstellung läßt sich erfassen, daß jene Risse, welche am Anfang der Herrschertragödie der Verlust des „Besten" dem magisch ermächtigten Ich einzeichnete, am Ausgang des Lebens zur Kluft aufgerissen sind. Das Gespräch mit der „Sorge" ist Objektivierung und Dramatisierung einer Spaltung, die sich gerade durch Widerstreben unheilbar vertieft. Auf der einen Seite steht das „Faustische", das nun dem Wahn verfällt, auf der anderen die „Sorge" als Realität der Welt. Idee und Realität zerfallen unrettbar. Als Mensch hat Faust aufgehört. Was von ihm die wenigen Schritte zum Grabe geht, unter= liegt dem Zeichen einer schauervollen Ironie.

Vorbereitung für Kap. „Der Tod":

nötig: Studiere 11511—11843!
         Überlege: Warum liegt tragische Ironie über Fausts Ende?

möglich: Arb.=Gem.: Was ist Mystik?
         Wendet sich Faust zur Gemeinschaft?
         Hat Mephisto die Wette gewonnen?

Der Tod

Mit Lynkeus Abgesang ist die Kraft des Auges von Faust gewichen. Die „Sorge" hat ihn ins Menschliche zurückgeordnet, in die Blindheit des Menschen, über dem Sorge waltet. Erblindung ist der letzte Ruf zur Besinnung auf die letzten Dinge.

Erblindung heißt: das dem Licht der äußeren Welt adäquate Organ verlieren, ohne Aussicht auf sich selbst verwiesen sein, in sich selber sein müssen.

Volles Gewicht erhält die Tatsache der Erblindung Fausts, wenn man die Schlüs= selstellung von Licht und Auge im Weltbild Goethes bedenkt.

„Licht und Geist, jenes im Physischen, dieses im Sittlichen herrschend, sind die höch=
sten denkbaren und unteilbaren Energien."   (Maximen und Reflexionen)

„... das geheimnisvoll klare Licht als die höchste Energie, ewig, einzig und unteilbar
zu betrachten."   (Tag= und Jahreshefte 1817)

„.... uranfänglicher, ungeheurer Gegensatz von Licht und Finsternis, den man all=
gemein durch Licht und Nicht=Licht ausdrücken kann."   (Weimarer Ausgabe IV, 1, 298)

„Farben sind Leiden des Lichts, Taten und Leiden."   (Farbenlehre)

„Licht, welches mit Finsternis die Farbe wirkt, ist ein schönes Symbol der Seele,
welche mit der Materie den Körper bildend belebt. So wie der Purpurglanz der Wolken
schwindet und das Grau der Materie zurückbleibt, so ist das Sterben des Menschen. Es
ist ein Entweichen, ein Erblassen des Seelenlichts, das aus dem Stoffe weicht."
                                                           (Zu Riemer, 3. 12. 1808)

„Das Licht ist Wahrheit."   (1769 in einem Brief. WA IV, 1, 199)

In der Bezogenheit von Licht und Geist, von Licht und Stoff tritt das *Auge* in
die entscheidende Funktion. Es muß fähig sein, muß gebildet sein, Licht zu erfas=
sen. Im Sinne der vollkommenen Ansprechbarkeit durch Licht ist es selber von der
Qualität des Lichts:

„Trügen wir kein Licht und keine Farben im eigenen Auge, so würden wir außer
uns dergleichen nicht wahrnehmen."   (Zu Eckermann, 26. 2. 1824)

Aber das Auge ist noch nicht aktives Licht.

„Im Auge wohnt ein ruhendes Licht."   (Farbenlehre)
„Wär' nicht das Auge *sonnenhaft*,
 Die Sonne könnt' es nie erblicken ..."

„Was! das Licht sollte nur sein, insofern Sie es sehen? Nein! Sie wären nicht da, wenn
das Licht Sie nicht sähe."   (Zu Arthur Schopenhauer, 1813/14)

So kann denn das Auge erlöschen und das Licht bleibt.

Goethe, der Augenmensch, war selbst im Bestand seines Augenlichts wiederholt
angegriffen. Augenleiden erzeugten stets eine erhöhte Sehnsucht nach dem Licht,
und „Mehr Licht!" soll, wie Kanzler von Müller berichtet, auch das letzte Wort
des Sterbenden gewesen sein.

Man muß die Weltsicht des Dichters einsehen, um die Wucht von Fausts Er=
blindung zu verstehen. Einem Gericht ist der Herrscher nicht greifbar. Aber ihn
trifft die für Goethe wohl härteste Einbuße im Leben. Dem „Tüchtigen" wird das
zentrale Organ seines Daseins zerstört, die Brücke zur Welt abgebrochen.

Mit dem Erlöschen der Augen aber erlischt das Licht nicht. Die Gewißheit des
Blinden über das Weiterleuchten des Lichts verlagert sich nach innen, wird geistige
Gewißheit, „*inneres Licht*".

Das „innere Licht" ist Kern und Wesen der mystischen Erfahrung. μύειν heißt:
die Augen schließen. Der Weg des Mystikers zum „inneren Licht" beruht auf
einem freiwilligen Entschluß, einer Aktivität des Menschen, wenn auch der Welt

gegenüber einer letzten Aktivität: vor ihr die Augen zu schließen, auf sie zu ver=
zichten. Mystik ist freiwilliger Verzicht der actio nach außen, ist Umwendung der
actio ausschließlich nach innen.

"Ich erinnere mich nur, daß ich die Vermutung aussprach, die Schlußszene werde wohl
in den Himmel verlegt werden und Mephisto als überwunden vor den Hörern beken=
nen, daß ein guter Mensch in seines Herzens Drange sich des rechten Weges wohl be=
wußt sei, Goethe kopfschüttelnd sagte: Das wäre ja Aufklärung. Faust endet als Greis
und im Greisenalter werden wir Mystiker." (Gespräch mit Förster, 1828)

Ist Faust Mystiker geworden?

Fausts Erblindung ist kein freiwilliger Entschluß. Sie widerfährt ihm. Kern und
Wesen der mystischen Erfahrung sind ihm aufgezwungen. Faust findet kein Ver=
hältnis zu dem Vorgang durch den er hindurch muß. Er fühlt nicht, daß die Wege,
die das "innere Licht" erhellt, nur in das Innerste führen können und dürfen.
Im Gegenteil: Faust versucht sofort das mystische Geheimnis zu positivieren. Wo
der Weg ins Innerste gewiesen ist, wendet sich Faust schroff nach außen. Er ver=
hindert seine eigene Vertiefung. Er stimmt nicht ein. Er will seine blinden Augen
nicht schließen. Er reißt sie erst recht auf, um das "Werk" in "dieser Welt"
"glücklich zu schauen". Er verhindert die mystische Vereinigung mit dem gött=
lichen Du auf dem Grunde der Seele, die wahre Heimkehr. Denn dieses mystische
Erlebnis ist dem unmöglich, der jenes göttliche Du für eine wahnsinnige Erdich=
tung von seinesgleichen hält. Der hundertjährige *Faust ist kein Mystiker gewor=
den*. Dieser Blinde ist kein Mystiker, aber auch kein Idealist. Er versteht nicht,
daß Wesen und Ziel der Idealität eben in der Idee, im Geistigen liegen: ein in
jedem Sinn mit Blindheit Geschlagener, ein *blinder Idealist*.

Ungeheure Problematik liegt in dieser Wendung. Der Realist muß notwendig
an den Grenzen des Menschlichen erblinden, der Idealist ist notwendig blind im
Gestalteten. Wirklichkeit wird Schein, "das Beßre heißt Trug und Wahn" (637),
wie Faust im ersten Monolog aussprach, das "innere Licht", innere Realität bleibt
zuletzt allein gültig.

Wieweit sich Goethe mit dem "inneren Licht" identifiziert, ist sehr schwer ab=
zugrenzen.

Ottilie in den "Wahlverwandtschaften" ist es damit sehr ernst: "Ich glaube, der
Mensch träumt nur, damit er nicht aufhöre zu sehen. Es könnte wohl sein, daß das
innere Licht einmal aus ihm heraustäte, so daß wir keines anderen mehr bedürfen."
Ebenso ernst meint es der Herzog in der "Natürlichen Tochter":

"Du bist kein Traumbild, wie ich dich erblicke;
Du warst, du bist. Die Gottheit hatte dich
Vollendet einst gedacht und dargestellt.
So bist du teilhaft des Unendlichen,
Des Ewigen, und bist auf ewig mein." (III, 1)

Genau gegenteilig wirkt es im Munde des Bakkalaureus:

"Ich aber frei, wie mir's im Geiste spricht, (6803)
Verfolge froh mein innerliches Licht,

Und wandle rasch, im eigensten Entzücken,
Das Helle vor mir, Finsternis im Rücken."

Ist dies Wort Kritik an Fichte, von dem Goethe einmal viel erwartet hatte? Man denkt an Faust, wenn man in Fichtes „Bestimmung eines Gelehrten" liest: „... ich kann nie aufhören zu wirken und mithin nie aufhören zu sein. Das was man Tod nennt, kann mein Wort nicht abbrechen... Mithin ist meinem Dasein keine Zeit bestimmt — und ich bin ewig. Ich habe zugleich mit der Übernehmung jener großen Aufgabe Ewigkeit an mich gerissen..." Später rückt Goethe klar von Fichte ab und ironisiert die idealistische Haltung.

Bejahung und Kritik dieser in der Mystik als „Seelenfünklein", im Pietismus als „inneres Licht" beschriebenen Erfahrung wachsen zusammen zu polarer Welt=sicht. Wie an anderem blickt auch hier das Antlitz des greisen Goethe hindurch: im Bewußtsein notwendigen Festhaltens am geistig=tätigen Prinzip und ebenso notwendigen Aufgehoben=werdens, in wissender Ironie.

Faust dagegen bleibt die Selbstironie versagt. Es mißlingt ihm die aufgegebene Umstimmung aus der äußeren Tat in die innere, aus der vita activa in die vita contemplativa, weil er an der äußeren Tat festhält, obwohl er in den Zustand der Mystik genötigt ist. Auch der Sorge vermag er nicht in einem Stand der Be=sinnung zu entsprechen. Er nimmt den Tod nicht an, läßt sich nicht heimsuchen. Faust verfehlt in pathetischem Wahn das rechte Verhältnis zu seiner Situation.

„Es ist nichts trauriger anzusehen, als das unvermittelte Streben ins Unbedingte in dieser durchaus bedingten Welt." (Maximen und Reflexionen)

„... man kann auch sagen, daß es inkomplette, unvollständige Menschen gibt. Es sind diejenigen, deren Sehnsucht und Streben mit ihrem Tun und Leisten nicht proportio=niert ist." (Maximen und Reflexionen)

„Alle Verhältnisse der Dinge wahr, Irrtum allein in dem Menschen. An ihm nichts wahr, als daß er irrt, sein Verhältnis zu sich, den andern, den Dingen nicht finden kann." (Maximen und Reflexionen)

Tragik ist das Verfehlen der rechten Verhältnisse. Fausts *letzte Tat* wird die *letzte Illusion*. Das Werk der Kolonisation soll vollendet werden durch die Trockenlegung eines gefährlichen Sumpfes.

Diese Arbeit aber ist *keine soziale Tat*. Denn sie geschieht nicht auf soziale, menschliche Weise.

„Arbeiter schaffe Meng' auf Menge,   (11552)
Ermuntre durch Genuß und Strenge,
Bezahle, locke, presse bei!"

Die Mitmenschen, die anvertrauten Arbeiter, werden wie Sklaven eingeschätzt. Baucis sagte:

„Menschenopfer mußten bluten,   (11127)
Nachts erscholl des Jammers Qual."

Fausts Weise der Herrschaft hat sich auch jetzt nicht gewandelt. Er kennt keine

Gemeinschaft als Gegenüber, ebensowenig wie er Gemeinschaft mit den Alten auf der Düne halten konnte.

> „Wie er sich als Nachbar brüstet,   (11133)
> Soll man untertänig sein."

Faust gibt die Befehle für die Untertanen einem „Aufseher". Es geht um das, „was *ich* gedacht" (11501), „was *ich* kühn ersann" (11504). Es „genügt *ein* Geist für tausend Hände" (11510). Fausts Geist ist allein berechtigt zu denken, zu planen, zu befehlen. Bei allen anderen zählen nur die Hände.

Auch das Ziel dieser Arbeit ist nicht sozial; denn es ist eigentlich Selbstgenuß der Macht.

> „Wie das Geklirr der Spaten mich ergetzt!   (11539)
> Es ist die Menge, die mir *frönet*."

In seinen Mitteln, in der Weise der Verwirklichung hat sich Faust nicht gewandelt. Die versäumte Einkehr, die Blindheit, verhängt die Illusion.

Faust befiehlt, einen Graben zu ziehen — und läßt sein Grab schaufeln.

> „Man spricht, wie man mir Nachricht gab,   (11557)
> Von keinem Graben, doch von Grab."

Faust befiehlt die Vollendung eines Werkes, das Zeiten, ja Ewigkeiten überdauern soll —

> „Es kann die Spur von meinen Erdentagen   (11583)
> Nicht in Äonen untergehn." —

und er bereitet doch nur der sicheren Zerstörung den Gegenstand.

> „Du bist doch nur für uns bemüht   (11544)
> Mit deinen Dämmen, deinen Buhnen;
> Denn du bereitest schon Neptunen,
> Dem Wasserteufel, großen Schmaus.
> In jeder Art seid ihr verloren; —
> Die Elemente sind mit uns verschworen,
> Und auf Vernichtung läuft's hinaus."

Erst in der Vision der Sterbeminute sucht Faust die Gemeinschaft —

> „Auf freiem Grund mit freiem Volke stehn." —   (11580)

und hat doch, solange die Möglichkeit zu solcher Freiheit bestand, nur Untertanen geduldet. Jetzt, im letzten Augenblick, will er Gemeinschaft und Freiheit, aber seine Zeit steht bereits jenseits der Verwirklichung. Es ist zu spät.

Der greise Faust endet in einer schauderhaften Ironie. Erkenntnis war erst dem Blinden und auch da erst in der Sterbeminute zuteil. Das Sterben ist die letzte Tragödie Fausts: das Zu=spät der Erkenntnis.

Unter dem Zeichen der Ironie steht die letzte Vision. Fausts Gefühl ist sich auch jetzt voraus, übereilt sich. Im Wunsch —

„Das Letzte *wär'* das Höchsterrungene" (11562)

„Solch ein Gewimmel *möcht'* ich sehn..." (11579)

„Zum Augenblicke *dürft'* ich sagen..." — (11581)

eilt sein Geist der Erfüllung in der Wirklichkeit voraus. Es ist eine große Vision: Lebensraum für Millionen zu schaffen, eine Gemeinschaft, die in der Verteidigung des Bodens gegen die Elemente zusammensteht, freier Grund, freies Volk, Freiheit, die stets gefährdet ist und stets ganzen Einsatz verlangt. „Im Freien" sein in täglicher Gefährdung — das wäre „die Mühe wert, ein Mensch zu sein".

> „Das ist der Weisheit letzter Schluß: (11574)
> Nur der verdient sich Freiheit wie das Leben,
> Der täglich sie erobern muß."

Die letzte Weisheit vom Leben als freiem Wagnis unter freien Menschen bleibt Wunsch. Der erste und einzige Entschluß, in dem Faust wirklich von sich absieht, sich überwindet, kann nicht mehr verwirklicht, nicht mehr bewiesen werden. Dieser Wunsch allein ist schon eine Tat des Herzens ,wenn auch das Werk der freien Liebe nicht mehr folgen kann. Im Diesseits aber, dem für Faust allein Gültigen, entzieht sich die Wandlung jeglicher Bewährung.

So endet Faust unter *tragischer Ironie*, dem Zeichen großer Tragödie. Fausts Existenz ist gescheitert. Das Scheitern erweist die Dichtung als „wahre Tragödie".

Faust hat seine *Wette* gegen Mephisto verloren. Die Formel lautete:

> „Werd' ich *zum Augenblicke* sagen: (1699)
> *Verweile doch, du bist so schön!"*

Jetzt spricht er sie aus:

> „Zum Augenblicke *dürft'* ich sagen: (11581)
> *Verweile doch, du bist so schön!"*

> „Im Vorgefühl von solchem hohen Glück (11585)
> Genieß' ich jetzt den höchsten Augenblick."

Mephisto versteht nicht, wie Faust ein großes Leben durchstürmen konnte, „unbefriedigt jeden Augenblick" (11452), um zu dem letzten Wahn „Verweile doch!" zu sagen.

> „Den letzten, schlechten, leeren Augenblick, (11589)
> Der Arme wünscht ihn festzuhalten."

Mephisto deckt die Illusion auf. Er fühlt fast Mitleid. So sucht er nach einem Ausdruck des Bedauerns, der Anerkennung, indem er „Vollbracht" zugesteht. Vom Chor wird er sogleich verbessert: „Vorbei".

„Es ist vollbracht". Ein gelebter Tag ist abgeschlossen, der Kelch, den das Leben bot, zur Neige gekostet. (Goethe braucht in den Tagen der „Marienbader

Elegie" selbst dieses Wort vom Kelch in einem Brief an Ottilie.) Es ist das christ=
liche Symbol für das freiwillige und ungeteilte Entgegennehmen des auferlegten
Leidens. Um den Kelch, der vorübergehen soll, geht das Ringen in Gethsemane.
Die Erfüllung von allem, was der Kelch bot, heißt: „Es ist vollbracht". Mit dem
Wort am Kreuz ist das Leben geleistet.

„Es ist vollbracht", sagt Mephisto. Hat Fausts Leben seinem Empfinden nach
einen schweren, aber sinnvollen Abschluß? Es klingt in Mephistos Munde wie
Erinnerung des höheren Ursprungs. Aber das wird sofort berichtigt. „Vorbei",
sagt der Chor und weist damit Fausts eigenes Bild und eigene Worte vor.

> „Die Uhr mag stehn, der Zeiger fallen,   (1705)
> Es sei die Zeit für mich *vorbei*."

Mephisto aber scheint nicht zu begreifen, daß über einem solchen Leben nichts
als „Vorbei" stehen soll:

> „Vorbei! ein dummes Wort.   (11595)
> Warum vorbei?
> Vorbei und reines Nicht, vollkommnes Einerlei!
> Was soll uns denn das ew'ge Schaffen!
> Geschaffenes zu nichts hinwegzuraffen!
> ‚Da ist's vorbei!' Was ist daran zu lesen?
> Es ist so gut, als wär' es nicht gewesen,
> Und treibt sich doch im Kreis, als wenn es wäre.
> Ich liebte mir dafür das Ewig=Leere."

Obwohl Mephisto, in dem sich eine tragische Spaltung ankündigt, dieses Ende
nicht begreift, bereitet er sich doch, vom Chor der Lemuren gemahnt —

> „Der Gläubiger sind so viele" —,   (11611)

sein Recht auf die verpfändete Seele zu behaupten.

Zuerst hatte Mephisto die *Lemuren* aufgerufen.

> „Herbei, herbei! Herein, herein!   (11511)
> Ihr schlotternden Lemuren,
> Aus Bändern, Sehnen und Gebein
> Geflickte Halbnaturen."

Lemuren sind böse Geister von Toten, Schreckgespenster.

Goethe kannte sie aus einer Darstellung eines Grabes bei Cumae. In dem Aufsatz
„Der Tänzerin Grab" schrieb er 1812:

> „...so sehen wir hier in dem traurigen lemurischen Reiche von allem das Gegenteil...
> alles gibt den Ausdruck des Stationären, des Beweglich=Unbeweglichen: ein wahres Bild
> der traurigen Lemuren, denen noch so viel Muskeln und Sehnen übrigbleiben, daß sie
> nicht ganz als durchsichtige Gerippe erscheinen und zusammenstürzen."

Die Lemuren sind „geflickte Halbnaturen": es sind Zwischenwesen, nur noch
von halber Natur, nur noch „Bänder, Sehnen und Gebein", aber ohne Geist und
Seele — Wesen, die als Menschen ihre Seele verloren und in Mephistos Hand ge=

fallen sind. Der Teufel verfügt über die Zwischenwelt der Lemuren. Sie leisten Dienst als Totengräber. Ihr Lied (11515–11522, 11531–11538), das sie als ent= seelte Sklaven Mephistos erweist, ist eine freie Bearbeitung des Totengräberliedes aus dem V. Akte von Shakespeares „Hamlet".

Es stuft sich also eine Zwischenwelt zur Hölle nieder, wie die Welt der Engel von der Erde zum Himmel aufsteigt. Mephisto ruft das negative Dazwischen auf. Konnten Lemuren nur Handdienste zur Grablegung Fausts leisten, die Seele festhalten bedarf es gewisserer Teufel. So ruft Mephisto die ganze Hölle in ihren vielerlei Schreckgestalten (11614–11675) zum Beistand auf und das höllische Feuer, das Element, worüber er verfügt.

Da tut sich der Himmel auf; es erscheint „Glorie von oben rechts". Mephistos Rechtstitel wankt. Hat nicht Faust das „Verweile doch" einem Augenblicke zu= gesprochen, der noch nicht da war, einem Bild der Zukunft? Mephisto hat die Wunschform völlig überhört. So hat er auch die Wette nicht gewonnen. Konnte er aber schon die Wette mit Faust nicht gewinnen, so hat er die Wette mit dem Herrn — eigentlich gar keine Wette, wie wir sahen — verloren.

„Mephisto darf seine Wette nur halb gewinnen, und wenn die halbe Schuld auf Faust ruhen bleibt, so tritt das Begnadigungsrecht des alten Herrn sogleich herein . . ."

(An Schubarth, 3. 11. 1820)

Es kehrt das Drama auf die höhere Ebene zurück, in die Auseinandersetzung zwischen Himmel und Hölle um die ewige Existenz des Menschen. Fausts Tod besiegelte das Scheitern.

Vorbereitung für Kap. „Fausts Rettung":

nötig: Studiere 11844–12111!
          Überlege: Wie ist die Welt stufenweise ins Jenseits überhöht?
möglich: Auswendig: Gesang des Pater profundus und Chorus Mysticus.
          Arb.=Gem.: Der vielfältige Ausdruck der Liebe.
                Vergleiche „Prolog im Himmel" und „Bergschluchten"
                Das Ewig=Weibliche als Weltprinzip.
                Endet Mephisto als tragische Figur?

Fausts Rettung

Durch den Tod weitet sich das Drama Fausts zu einem Drama zwischen Him= mel und Hölle. Das Geschehen kehrt in seinen Ursprung zurück. Im Mysterium „Bergschluchten" vollendet sich der Beginn des „Prolog im Himmel". Mephistos verneinendes und als solches im Schöpfungsplan notwendiges Wesen kommt in die letzte Entscheidung mit den „echten Göttersöhnen" (344), den „Himmels= verwandten" (11678).

Goethe plante zuerst eine dem „Prolog im Himmel" gleiche Schlußszene, in der im Prozeß Christus, Maria und die Heiligen über das Recht Mephistos auf Fausts Seele entscheiden sollten. Er hat die Absicht eines abschließenden Gerichts, wie es zum Beispiel Athena und der Areiopag über Orestes in des Aischylos „Orestie" halten, fallen lassen und dafür ein im Grunde unausdeutbares Bild des Hineinwachsens in die ewige Liebe gegeben. Halten sich bei Aischylos Ja und Nein die Waage, beläßt das antike Schicksalsgefühl den Menschen zwischen Göt= tern und Dämonen, so konnte dem abendländischen Dichter, dem Erben jahr= tausendalter christlicher Tradition, ein freisprechendes oder verdammendes Urteil nicht genügen. Denn gerade das juristische Element hat Christus aus der Gott= beziehung ausgeschlossen. Luther hat dieses Gerechtwerden aus Glaube und Gnade betont. Zudem lagen in diesem Streitfall die sogenannten Rechtsverhält= nisse sehr schwierig: Faust hat scheiternd verloren und verlor doch nicht, Me= phisto hat gewonnen und doch nicht. Ein Ja *und* Nein, wie bei Aischylos, ein Schuldig=Unschuldig hätte ausgesprochen werden müssen, aber gerade dieses Ausweglose einer vorchristlichen Tragödie, dieses Schuldig ohne Schuld hob Christi Erlösertod auf.

Goethe hat um den Schluß gerungen:

„Ich frage nach dem Ende. Goethe: ‚Das sage ich nicht, darf es nicht sagen, aber es ist auch schon fertig und sehr gut und grandios geraten, aus der besten Zeit'. Ich denke mir, der Teufel behalte unrecht. Goethe: ‚Faust macht im Anfang dem Teufel eine Be= dingung, woraus alles folgt'."　　　　　　(Aus Sulpiz Boisserées Tagebuch, 3. 8. 1815)

„Mephistopheles darf seine Wette nur halb gewinnen, und wenn die halbe Schuld auf Faust ruhen bleibt, so tritt das Begnadigungsrecht des alten Herrn sogleich herein, zum heitersten Schluß des Ganzen." —　　　　　(An Karl Ernst Schubarth, 3. 11. 1820)

> „Gerettet ist das edle Glied
> Der Geisterwelt vom Bösen,
> *Wer immer strebend sich bemüht,*
> *Den können wir erlösen.*
> Und hat an ihm die Liebe gar
> Von oben teilgenommen,
> Begegnet ihm die selige Schar
> Mit herzlichem Willkommen.

‚In diesen Versen', sagte er, ‚ist der Schlüssel zu Fausts Rettung enthalten. In Faust selber eine immer höhere und reinere Tätigkeit bis ans Ende, und von oben die ihm zu Hilfe kommende ewige Liebe. Es steht dieses mit unserer religiösen Vorstellung durch= aus in Harmonie, nach welcher wir nicht bloß durch eigene Kraft selig werden, sondern durch die hinzukommende göttliche Gnade.

Übrigens werden Sie zugeben, daß der Schluß, wo es mit der geretteten Seele nach oben geht, sehr schwer zu machen war, und daß ich bei so übersinnlichen, kaum zu ahnenden Dingen mich sehr leicht im Vagen hätte verlieren können, wenn ich nicht meinen poetischen Intentionen, durch die scharf umrissenen christlich=kirchlichen Fi= guren und Vorstellungen, eine wohltätig beschränkende Form und Festigkeit gegeben hätte.'"　　　　　　　　　　　　　　　　　　　(Zu Eckermann, 6. 6. 1831)

Nach Goethes Worten ist es niemals Fausts Kraft allein, die ihn selig werden läßt, sondern „die hinzukommende göttliche Gnade". Goethe idealisiert Faust nicht, selbst wenn er zuletzt von „immer höherer und reinerer Tätigkeit bis ans Ende" spricht. Hat er doch eben diese Tätigkeit notwendig scheitern lassen und die Reinheit auf das Wollen beschränkt.

Eine christliche Landschaft tut sich auf, Verse voll musikalischen Wohlklanges stimmen die letzte Harmonie an, immer mehr in den daktylischen Rhythmen überirdischer Chöre. Die Sphärenharmonie im Gesang der Erzengel klingt wieder an, doch diesmal vom Menschen erlebt (11866—11889).

> „Wie Felsenabgrund mir zu Füßen   (11866)
> Auf tiefem Abgrund lastend ruht ..."

Der *Pater profundus* — das Mittelalter nannte Bernhard von Clairvaux so — nimmt die tiefe Region ein, verbunden mit der Welt. Er empfindet das Gefangen= sein in „stumpfer Sinne Schranken" als den Schmerz schneidender Ketten („Scharfangeschloßnem Kettenschmerz", 11887), als ein leidvolles Gekettetsein an die Welt. Er weiß die Liebe als die Allmacht —

> „So ist es die *allmächtige Liebe*,   (11872)
> Die alles bildet, alles hegt."

Wie er die verkündenden Engel (11882) fühlt, wird sein Schauen, Sinnen und Singen Gebet.

> „O Gott! beschwichtige die Gedanken,   (11888)
> Erleuchte mein bedürftig Herz!"

In Bewegung, „auf und ab schweifend", in Schwebe ist der *Pater ecstaticus*, wie im Mittelalter der heilige Antonius benannt wurde. Er ist der Ekstase fähig, innerer Bewegung, die aus dem Verweilen in sich hinausführt; er ist außer sich. Seine Haltung und sein Wort kreisen leidenschaftlich um die größere Mitte: den Kern ewiger Liebe.

> „Daß ja das Nichtige   (11862)
> Alles verflüchtige,
> Glänze der Dauerstern,
> *Ewiger Liebe Kern*."

In der „mittleren Region" wohnt der *Pater seraphicus*. Man hat im Mittelalter Franz von Assisi so genannt. Er sieht die Seraphim, nur noch halb der Welt zugewandt, so weit darüber, daß er sie überschauen kann, ohne ihr verhaftet zu sein. So kann er den „seligen Knaben", den „Mitternachtsgeborenen" (11898) (ein alter Volksglaube sagte, die um Mitternacht Geborenen gingen gleich ins Jenseits hinüber) mit seinen Augen —

>„Steigt herab in meiner Augen (11906)
>Welt= und erdgemäß Organ,
>Könnt sie als die euern brauchen,
>Schaut euch diese Gegend an!
>(Er nimmt sie in sich.)" —

die Welt zeigen, die ihnen zur Vollendung fehlt. Als sie aber vor der Welt zurück=
schauern, weist er sie nach oben.

>„Denn das ist der Geister Nahrung, (11922)
>Die im freisten Äther waltet:
>*Ewigen Liebens* Offenbarung,
>Die zur Seligkeit entfaltet."

Dem Blick des Pater seraphicus werden die Engel erreichbar; ihm erscheinen
sie.

„In der höchsten, reinlichsten Zelle" wohnt der *Doctor Marianus.* Er ist der
Gottesgelehrte, der in der Anbetung Marias, der Mutter Gottes, lebt.

>„Hier ist die Aussicht frei, (11989)
>Der Geist erhoben."

Er sieht die „Mater gloriosa einherschweben". Sein Dasein ist Anbetung der
„Himmelskönigin" (11995).

>„Höchste Herrscherin der Welt! (11997)
>Lasse mich im blauen,
>Ausgespannten Himmelszelt
>Dein Geheimnis schauen.
>Billige, was des Mannes Brust
>Ernst und zart beweget
>Und mit heiliger *Liebes*lust
>Dir entgegenträget.
>
>Unbezwinglich unser Mut,
>Wenn du hehr gebietest;
>Plötzlich mildert sich die Glut,
>Wie du uns befriedest.
>Jungfrau, rein im schönsten Sinn,
>Mutter, Ehren würdig,
>Uns erwählte Königin,
>Göttern ebenbürtig."

Der Doctor Marianus ist der höchste der „heiligen Anachoreten", die „gebirg=
auf verteilt" sind. Sie alle haben festen Grund unter den Füßen, Fels, angeordnet
in aufsteigender Folge, aufstrebend, männlich. Es sind lauter männliche Figuren,
die die Welt des Aufstrebens aus dem Diesseitigen verkörpern. Die seligen Kna=
ben berühren diese Welt, aber schon unkörperlicher, hineinwachsend in reine
Bereiche:

>„Wachset immer unvermerkt, (11919)
>Wie, nach ewig reiner Weise,
>Gottes Gegenwart verstärkt."

Der Doctor Marianus bittet um die Billigung des männlichen Aufstrebens, um das Auffangen durch das sich neigende Weibliche, das er Jungfrau, Mutter und Königin nennt, um Befriedigung männlichen Sinnes und Mutes (im alten Sinn von gemüete). Der Doctor Marianus hat das letzte, irdische Wort. Es ist Anbetung des Ewigen, das sich gläubig hingibt und so gleichnishaft als das Weibliche erscheint, das allein männliches Suchen und Streben auffangen und vollenden kann.

> „Werde jeder beßre Sinn   (12100)
> Dir zum Dienst erbötig;
> Jungfrau, Mutter, Königin,
> Göttin, bleibe gnädig!"

„Jeder beßre Sinn" weilt jenseits des Strebend=Männlichen, dient der entgegen= kommenden, erbarmenden Gnade. Der Doctor Marianus weist hinüber, wo Faust das „Beste seines Inneren" seit jenem Inne=werden auf dem Hochgebirge weiß. Er schaut jene sich neigende Sphäre: *Büßerinnen* umschlingen die Kniee der Him= melskönigin, ihrer Gnade bedürfend (12015—12019). Und er betet für sie. Vor allem scheint sein Gebet der „Una Poenitentium, sonst Gretchen genannt" zu gelten.

> „Dir, der Unberührbaren,   (12020)
> Ist es nicht benommen,
> Daß die leicht Verführbaren
> Traulich zu dir kommen.
>
> In die Schwachheit hingerafft,
> Sind sie schwer zu retten;
> Wer zerreißt aus eigner Kraft
> Der Gelüste Ketten?
>
> Wie entgleitet schnell der Fuß
> Schiefem, glattem Boden?
> Wen betört nicht Blick und Gruß,
> Schmeichelhafter Odem?"

Die Mater gloriosa „schwebt einher". Die drei Büßerinnen rufen die Himmels= mutter an. Alle drei beginnen beschwörend mit „Bei": „Bei der Liebe...", „Bei dem Bronn...", „Bei dem hochgeweihten Ort...". Alle drei erinnern die Gottes= mutter an Begegnungen mit ihrem Sohne. Die *Magna peccatrix* begegnete als reuige Sünderin Christi im Hause eines Pharisäers, küßte weinend des Herrn Füße und salbte sie (St. Lucae VII, 36). Die *Mulier Samaritana* traf Christus am Brunnen und er sprach zu ihr vom Wasser der Ewigkeit (St. Joh. IV). *Maria Aegyp= tiaca* führte, nach den Acta Sanctorum, ein Leben in Sünde, kam an die Grabes= kirche nach Jerusalem und wandelte sich, weil ihr dort der Eintritt sich versagte, zu einer Büßerin in der Wüste, wo sie nach vierzig Jahren starb. Sterbend schrieb sie in den Sand, ihr Beichtvater möge für sie beten.

Diese Begegnungen mit Christus beschwören die drei Büßerinnen, aber nicht für sich, sondern um mehr Gehör zu finden für ihr Gebet für die „Una Poeniten= tium, sonst Gretchen genannt".

> „Die du großen Sünderinnen   (12061)
> Deine Nähe nicht verweigerst
> Und ein büßendes Gewinnen
> In die Ewigkeiten steigerst,
> Gönn auch dieser guten Seele,
> Die sich einmal nur vergessen,
> Die nicht ahnte, daß sie fehle,
> Dein Verzeihen angemessen."

Aber auch die *„Una Poenitentium"*, *„Die eine Büßerin"*, die jetzt namenlos betet und büßt, *„sonst* Gretchen genannt", sie betet nicht für sich, sondern für den „früh Geliebten" (12074). Ihr Gebet vor der Mater gloriosa —

> „Neige, neige,   (12069)
> Du Ohnegleiche,
> Du Strahlenreiche,
> Dein Antlitz gnädig meinem Glück!" —

es klingt an das Gebet zur Mater dolorosa im „Zwinger" an:

> „Ach neige,   (3587 u. 3617)
> Du Schmerzensreiche,
> Dein Antlitz gnädig meiner Not!"

Gretchen hat die Prüfung bestanden, aus Schmerz und Not des Irdischen ist sie eingegangen in Glanz und Glück des Himmlischen. Sie hat an der Erlösung durch die Liebe Anteil und sie liebt noch, den sie bis an die Grenze ihrer see= lischen Existenz liebte, und betet für ihn.

> „Der früh Geliebte,   (12073)
> Nicht mehr Getrübte,
> Er kommt zurück."

In das Unaussprechliche der ewigen Liebe wächst diese Welt der Liebe und des Gebetes empor. Ist allem Männlich=Strebenden die ewige Liebe höchstes Ziel, so sieht alles Weiblich=Neigende fürbittend von sich ab. Diese Welt des Heiligen, ähnlich der in Dantes „Paradeiso", ist die neue Ordnung, in die Faust hinein= wächst.

Diese Welt sendet zur Rettung Fausts aus Mephistos Händen *Engel:* Wesen des reinen Dazwischen, geschlechtslos („bübisch=mädchenhaft", 11687), schwebend in der Sphäre zwischen dem Diesseitig=Männlichen und dem Ewig=Weiblichen. Sie haben Rosen erhalten, Blüten aus dem Wesen der Liebe und des Heiligen.

> „Jene Rosen aus den Händen   (11942)
> Liebend=heiliger Büßerinnen
> Halfen uns den Sieg gewinnen."

Diesen Rosen himmlischer Liebe sind die Teufel nicht gewachsen, als die „himmlische Heerschar" vordringt (11699—11709, 11726—11734). Mephisto schlägt sich vergeblich mit den „Irrlichtern" (11741) herum. Vergeblich ruft er das Feuer der Hölle auf, es ist der reinigenden himmlischen Flamme, dem Feuer der Liebe, worüber die Engel verfügen (11727, 11802, 11817), nicht gewachsen. Die Glut himmlischer Liebe schmilzt selbst die teuflische Verhärtung.

> „Die Teufel wittern fremde Schmeichelglut." (11725)

Selbst Mephisto, „der alte Satansmeister" (11951), wird erfaßt:

> „Mir brennt der Kopf, das Herz, die Leber brennt, (11753)
> Ein *überteuflich* Element!
> Weit spitziger als Höllenfeuer!" —

> „Hat mich ein Fremdes durch und durch gedrungen? (11762)
> Ich mag sie gerne sehn, die allerliebsten Jungen;
> Was hält mich ab, daß ich nicht fluchen darf?"

> „Ihr schönen Kinder, laßt mich wissen: (11769)
> Seid ihr nicht auch von Luzifers Geschlecht?
> Ihr seid so hübsch, fürwahr ich möcht' euch küssen,
> Mir ist's, als kämt ihr eben recht.
> Es ist mir so behaglich, so natürlich,
> Als hätt' ich euch schon tausendmal gesehn;
> So heimlich=kätzchenhaft begierlich;
> Mit jedem Blick aufs neue schöner schön.
> O nähert euch, o gönnt mir *einen* Blick."

> „Ist dies das Liebeselement? (11784)
> Der ganze Körper steht in Feuer ..."

> „So sieh mich doch ein wenig lüstern an!" (11796)

> „Die Racker sind doch' gar zu appetitlich!" (11800)

Die „allmächtige Liebe" überwindet auch Mephisto. Er erinnert sich seiner hö= heren Natur. Er wird weich. Als der grundsätzliche Verneiner kann er auch jetzt nicht positive Stellung gewinnen. Er wird der lüsterne und perverse, der dumme Teufel. Sein Wesen wird ihm selber zwittrig.

> „Der ganze Kerl, dem's vor sich selber graut, (11810)
> Und triumphiert zugleich, wenn er sich ganz durchschaut."

Die Engel holen Fausts Seele heraus. „Sie erheben sich, *Faustens Unsterbliches entführend*", lautet die Bühnenanweisung (vor Vers 11825). Zurück bleibt Me= phisto als der Geprellte. Sein Spiel war sinnlos.

> „Bei wem soll ich mich nun beklagen? (11832)
> Wer schafft mir mein erworbenes Recht?
> Du bist getäuscht in deinen alten Tagen,
> Du hast's verdient, es geht dir grimmig schlecht.
> Ich habe schimpflich *mißgehandelt*,
> Ein großer Aufwand, schmählich! ist vertan;
> Gemein Gelüst, absurde Liebschaft wandelt
> Den ausgepichten Teufel an."

Mephisto hat verspielt. Er hat, wie er einsieht, die Täuschung verdient, weil er seiner Funktion im Weltganzen (342) zuwider handelte. So bleibt der Böse als der in sich Zerrissene zurück, als der Tor, weil eben Zerstörung sinnlos ist.

> „Und hat mit diesem kindisch=tollen Ding (11840)
> Der Klugerfahrne sich beschäftigt,
> So ist fürwahr die *Torheit* nicht gering,
> Die seiner sich am Schluß bemächtigt."

Faust hatte sich am Anfang des Dramas einen Toren genannt. Jetzt erkennt sich Mephisto als solchen. Mit dem Eingeständnis des Scheiterns des intellektuel= len Bösen und des bösen Intellekts wird *Mephisto die eigentlich tragische Erschei= nung des Faustdramas.* Denn die Gnade an Faust wird Urteil über Mephisto. Indem das Mysterium des Schlusses die Tragödie von Faust nimmt, ist sie über Mephisto verhängt.

Mephisto, das Böse, war Fausts längster Begleiter. Die machtvollste Gegenkraft im Inneren hat ihn im Tode verlassen. Die *Entelechie* ist jetzt allein mit sich und ihrem Prinzip. Die Engel tragen die Entelechie empor. Sie werden, „schwebend in der höheren Atmosphäre", dem Schauen des Pater seraphicus offenbar. „Fau= stens Unsterbliches tragend" — die Handschrift hatte hier „Fausts Entelechie" — treten sie über dem Irdischen ein in den Kreis des Aufsteigens zum ewigen Licht. Sie fügen Faust dem unaufhaltsamen Streben zu Gott ein. Es ist der steile An= stieg, der einsetzt mit den Worten des Pater seraphicus zu den seligen Knaben —

> „Steigt hinan zu höherm Kreise . . ." (11918)

und über das Wort der Mater gloriosa einmündet in das Unsagbare:

> „Komm! hebe dich zu höhern Sphären!" (12095)

Der Weg der Entelechie von der Erde zu Gott ist unendliche Wandlung. Es ist die „Umartung" von der Schwere und Dunkelheit der Materie, von der Verwor= renheit des Bösen, in das Licht, in durchsichtige und schwerelose Klarheit. Es ist die Umartung der Entelechie von ihrem irdischen Geschick, in dem sie als „starke Geisteskraft" Welt und Elemente „anraffte", zu dem Geschick der Seligen und der Seligkeit, in dem alles Irdische abgestreift wird, wie der Doctor Marianus kündet:

> „Blicket auf zum Retterblick, (12096)
> Alle reuig Zarten,
> Euch zu seligem Geschick
> Dankend umzuarten."

Alle sind in die Verwandlung einbegriffen, alle, die bereuen und dankend zu= rückkehren zum Schöpfer.

Wölkchen schweben als Zeichen, daß die Materie immer leichter und lichter wird, um die seligen Knaben (11894, 11970) und um die „Büßerinnen" (12014). Leichter und lichter werden: Lösung von der Materie, Freiwerden zum Licht, das göttlich ist, das bedeutet hier Erlösung. „Fausts Unsterbliches", ohne Namen und eigene Leistung, wird den letzten Weg der Erlösung emporgehoben.

Faust gehört seit dem Fluch auf die Tat und dem Zulassen der Sorge in jenseitiger Sicht zu den „reuig Zarten". Seiner Entelechie ist jetzt die unendliche Aufgabe der „Umartung" zur Seligkeit gegeben.

Schon in der Auseinandersetzung der Engel mit Mephisto, in der das Böse von Fausts Seele geschieden wird, beginnt die Verwandlung.

> „Was euch nicht angehört, (11745)
> Müsset ihr meiden,
> Was euch das Innre stört,
> Dürft ihr nicht leiden,
> Dringt es gewaltig ein,
> Müssen wir tüchtig sein.
> Liebe nur Liebende
> Führet herein!"

Noch aber ist die Entelechie Irdischem verhaftet. Noch ist Geist mit Natur zur „Zwienatur geeint", fast unauflösbar. „Die vollendeteren Engel" fühlen den „Erdenrest", der ihnen „peinlich" ist.

> „Uns bleibt ein Erdenrest (11954)
> Zu tragen peinlich,
> Und wär' er von Asbest,
> Er ist nicht reinlich.
> Wenn starke Geisteskraft
> Die Elemente
> An sich herangerafft,
> Kein Engel trennte
> Geeinte Zwienatur
> Der innigen beiden,
> Die ewige Liebe nur
> Vermag's zu scheiden."

Die Engel selbst vermögen nicht die Reinigung dieser Entelechie und dürfen sie nicht weiter emportragen. Sie vertrauen sie den „seligen Knaben" an, deren Unschuld Faust gewinnen, die aber von ihm zur gegenseitigen Vollendung Welt erfahren können.

> „Sei er zum Anbeginn, (11978)
> Steigendem Vollgewinn
> Diesen gesellt!"

Die „seligen Knaben" empfangen „Fausts Unsterbliches" im „Puppenstand": als eine Metamorphose zur letzten Gestalt. Sie müssen die „Flocken" lösen, das Gespinst um die Puppe oder vielleicht auch letzte, in das ewige Licht sich auflösende Wolkenteile, sie müssen Welt abnehmen, um die Entelechie im „heiligen Leben schön und groß" werden zu lassen:

„Freudig empfangen wir   (11981)
Diesen im Puppenstand;
Also erlangen wir
Englisches Unterpfand.
Löset die Flocken los,
Die ihn umgeben!
Schon ist er schön und groß
Von heiligem Leben."

Der Aufwärtsbewegung der „seligen Knaben" kommt die „ewige Liebe" ent=
gegen, die allein diese starke Entelechie lösen und damit erlösen kann. Darum
beten die Büßerinnen. Jetzt ist Faust von Materie „nicht mehr getrübt". Jetzt ist
sein Unsterbliches rein und frei — frei vom Erdenrest und frei für Gott. Gewaltig
steigt die Entelechie hinan.

„Er überwächst uns schon   (12076)
An mächtigen Gliedern",

spüren die „seligen Knaben". Faust ist jetzt „der Neue", der am Ende rein und
jugendlich zurückbringt sein einmaliges Prinzip, das „Gesetz, wonach er an=
getreten".

„Vom edlen Geisterchor umgeben,   (12084)
Wird sich der Neue kaum gewahr,
Er ahnet kaum das frische Leben,
So *gleicht er schon der heiligen Schar.*
Sieh, wie er jedem Erdenbande
Der alten Hülle sich entrafft
Und aus ätherischem Gewande
Hervortritt erste Jugendkraft.
Vergönne mir, ihn zu belehren,
Noch blendet ihn der neue Tag."

Faust ist gerettet. Die Rettung geschieht aus dem Wesen der unendlichen Liebe
im Namen und Zeichen Gretchens. Nicht Helena, das Mal der Schönheit, erlöst,
sondern Gretchen, die Liebe als der Kern christlichen Glaubens. Schönheit bleibt
zurück als Vorhof des Göttlichen. Die Mater gloriosa bestätigt die Allmacht der
Liebe.

„Komm! hebe dich zu höhern Sphären!   (12094)
Wenn er dich ahnet, folgt er nach."

Die Mater gloriosa besiegelt Fausts Erlösung. Sie bestätigt damit die Rettungs=
tat und die Auffassung der Engel:

„Gerettet ist das edle Glied   (11934)
Der Geisterwelt vom Bösen,
Wer immer strebend sich bemüht,
Den können wir erlösen.
Und hat an ihm die Liebe gar
Von oben teilgenommen,
Begegnet ihm die selige Schar
Mit herzlichem Willkommen."

Wer sich *stets* zu Gott hin bemüht, der kann erlöst werden. Aber sein Be=
mühen ermöglicht erst ein Können. Liebe nur kann erlösen. Ohne Liebe und
Gnade erlöst Streben nicht. Denn im letzten ist Streben ein Irren, zum Scheitern
verurteilt, im letzten gelangt auch die metaphysische Unruhe des Menschen nicht
zu Gott. Gott vielmehr muß den Menschen in Gnade aufnehmen. Das ist Er=
lösung. Es ist die Erlösung auch Fausts.

An Faust geschieht dieses vollkommen Unerklärbare und Unbeschreibbare: die
Rückkehr eines Menschen ins göttliche Du. Es ist ein mystischer Vorgang, von
dem nur im Gleichnis zu sagen ist. So vereinigt sich alles zum „Chorus mysticus".
Selbst ein Gleichnis, spricht die Dichtung den Gleichnischarakter des Endlichen
für das Unendliche, des Vergänglichen für das Unvergängliche, des Beschränkten
für das Unbeschränkte, des Sagbaren für das Unsägliche aus. Ihr letztes Wort
stellt dem Diesseitig=Männlich=Strebenden das Jenseitig=Weiblich=Hingebende als
das Erlösende gegenüber.

> „Alles Vergängliche   (12104)
> Ist nur ein Gleichnis;
> Das Unzulängliche,
> Hier wird's Ereignis;
> Das Unbeschreibliche,
> Hier ist's getan;
> Das Ewig=Weibliche
> Zieht uns hinan."

Vorbereitung für Kap. „Das Faustische":

nötig: „Faust" nochmal lesen!
           Überlege: Tragödie und Mysterium (Verhältnis und Bedeutung).

möglich: Arb.=Gem.: Spenglers Begriff des Faustischen.
                   Goethes Gedichte „Vermächtnis" und „Eins und Alles".

WIRKUNGEN

Das Faustische

Faust entwickelte in seinem Leben manche Eigenschaft: Streben, Wissensdurst, Glaube, Eros, ästhetisches Vermögen, Schaukraft, Zweifel, Trotz, Besorgtheit. Stufe um Stufe, Tragödie um Tragödie, löst sich eines um das andere ab. Fausts zentrale Eigenschaften, unbedingtes Streben verbunden mit prometheischem Trotz, verharren zuletzt allein. Es sind die Eigenschaften, deren Mitspielen jeden neuen Ansatz dieses Lebens scheitern ließ, wie es das ganze Leben unter tragi=scher Ironie zum Scheitern brachte. Das ist das Eigentliche Fausts, der Kern der Existenz, das „Faustische".

Seit Oswald Spengler hat man „das Faustische" als *das* Kriterium unserer abendländischen Kultur genommen: der Drang ins Unendliche, der die Endlich=keiten erringt und überfliegt. Der „Held" der Goetheschen Dichtung trat damit in den Kern einer Geschichtsphilosophie, die das historische Verständnis wenig=stens einer Generation geprägt hat. Wie man aber Spengler mißverstand und durch Einsatz „faustischen" Willens den „Untergang des Abendlandes" aufzu=halten und womöglich in einen Neubeginn umzukehren suchte, so beruht die Spenglersche Formel vom „faustischen Menschen" selbst auf einem Mißverständ=nis der Goetheschen Dichtung. Spengler beruft sich auf Goethe und Nietzsche gleicherweise und solche Verquickung wird Goethe nicht gerecht. Spengler nimmt „das Faustische" nicht nur als *eine,* sondern als *die* Tatsache abendländischen We=sens und nicht nur als Tatsache, sondern als Ideal. Als ob Faust nicht gescheitert und nur durch Gnade gerechtfertigt wäre! Als ob Goethe nur die Person des Titel=helden und nicht die ganze Dichtung geschaffen hätte! Als ob kein Größeres das Spiel im Diesseits überwölbe!

Spenglers Mißverständnis ist aber nicht nur sein eigenes, sondern das eines sehr optimistischen, wissenschafts= und fortschrittsgläubigen Jahrhunderts, eben auch der Faustforschung jener Zeit. Die Fausterklärung nämlich beruhte auf phi=losophischem Postulat: auf dem Idealismus, der dann in den Materialismus um=schlug. Man heroisierte Faust als den ungebrochenen Träger seiner Idee oder man bewunderte ihn als sozialen Wohltäter. Der Text jedenfalls war nicht die letzte Auskunft über Faust.

Das Mißverständnis geht zurück auf Lessings Haltung, der Streben nach Wahrheit der Wahrheit selbst vorzuziehen wagte:

„Nicht die Wahrheit, in deren Besitz irgendein Mensch ist oder zu sein vermeine, sondern die aufrichtige Mühe, die er angewandt hat, hinter die Wahrheit zu kommen, macht den Wert des Menschen... Wenn Gott in seiner Rechten alle Wahrheit und in seiner Linken den einzigen immer regen Trieb nach Wahrheit, obschon mit dem Zusatze, mich immer und ewig zu irren, verschlossen hielte und spräche zu mir: ‚Wähle‘, ich fiele ihm mit Demut in seine Linke und sagte: ‚Vater gib! Die reine Wahrheit ist ja doch nur für dich allein‘." (Lessing, Eine Duplik, 1778)

Streben ist hier wichtiger als Wahrheit selbst, menschliches Tun wertvoller als göttliche Weisheit. Eine folgenschwere Verkehrung! Es spricht der Aufklärer, voll ungetrübten Vertrauens, daß der Mensch von sich aus Gott fände. Welch Irrtum! Die Faustdichtung gestaltet diesen Weg, verurteilt ihn aber auch zugleich.

Die ungeheure Ironie über dem Ende Fausts verrät die zwei Blickpunkte: das Bild der Welt vom Helden und von der ganzen Dichtung her, die Ansicht des Helden und die Sicht des Dichters. Der Held will sich behaupten, die Dichtung aber hebt ihn auf. So ist Faust, der Titelheld, mehr als das Faustische, „Faust", die Dichtung, mehr als der Held und Goethe, der Dichter, mehr als „Faust", sein Gedicht. Und auch der Dichter ist immer wieder nur Mund und Medium eines Größeren.

Der Rahmen, in dem sich der „Tragödie erster und zweiter Teil" vollzieht, ist mehrschichtig. Vom *Rahmen des Mysteriums*, vom Prolog und der Schlußszene, muß die Dichtung ausgehen.

Im Diesseits wirkt der *Rahmen der Sorge:* vom Monolog am Anfang unter=gründig fortwirkend und das Bewußtsein des Helden schließlich spaltend im „Sorge"=Dialog des Ausgangs, bis die Person Fausts in der „Mitternacht" durch die seelische Aus=einander=Setzung aufgehoben wird.

Ein drittes Band schlingt der Zusammenhang von Wette, Pakt und *Magie*. Ihm ist der Handlungsablauf aufgespannt. Hier gründet Zeitenthebung und Grad=erhöhung, Tat und Schuld.

Fausts Leben verläuft unter metaphysischem, kosmischem und ethisch=sozialem Blickwinkel. „Mitternacht" ist dazu der geometrische Ort. Durch das Medium des Kosmos greift das divinum in das humanum. Sorge wird Heimsuchung, dies=seitig besehen: Vernichtung, jenseitig besehen: Auftakt der Heimholung.

Goethe hütete sich, seinen „Faust" zu kommentieren. Schubarth gegenüber nannte er 1820 die Entelechie „zur Hälfte" wirksam, damit das „Begnadigungs=recht des alten Herrn hereintreten könne zum heitersten Schluß des Ganzen". Auch vor Eckermann betont er das notwendige Zusammenkommen von sich er=höhender „Tätigkeit" und „zu Hilfe kommender Liebe" (1831). Es handelt sich um die Pflicht des Menschen und das Recht, nicht die Pflicht, des Herrn zur Gnade. Wo solche Worte fehlen, widerlegt das Sein des Dichters und — nicht zuletzt — die Dichtung selbst die Merkmale des „Faustischen", insofern sie absolut ver=standen werden.

Goethe war dem Ausdruck religiöser Gewißheit gegenüber verhalten.

„Streng genommen kann ich von Gott doch weiter nichts wissen, als wozu mich der ziemlich beschränkte Gesichtskreis von sinnlichen Wahrnehmungen auf diesem Planeten berechtigt, und das ist in allen Stücken wenig genug." (Zu J. D. Falk, 25. 1. 1813)

„Je mehr man sich mit dem Spekulieren über das Übermenschliche trotz aller War= nungen Kants vergeblich abgemüht haben wird, desto vielseitiger wird dereinst das Philosophieren zuletzt auf das Menschliche, auf das geistig und körperlich Erkennbare der Natur gerichtet und dadurch eine wahrhaft so zu benennende Naturphilosophie er= faßt werden." (Zu E. G. Paulus, um 1800)

„Das eigentliche, einzige und tiefste Thema der Welt= und Menschengeschichte, dem alle übrigen untergeordnet sind, bleibt der Konflikt des Unglaubens und des Glaubens. Alle Epochen, in denen der Glaube herrscht, unter welcher Gestalt er auch wolle, sind glänzend, herzerhebend und fruchtbar für die Nachwelt und Mitwelt. Alle Epochen da= gegen, in denen der Unglaube, in welcher Form es auch sei, einen kümmerlichen Sieg behauptet, und wenn sie auch einen Augenblick mit einem Scheinglanze prahlen sollten, verschwinden vor der Nachwelt." (Noten zum Divan)

Goethe trat in stiller Verehrung vor das Unerforschliche, das Faust einfach als „Erdichtung" leugnet. Goethe wußte um den Bereich des Heils, den Faust leugnet.

„Daß der Mensch ins Unvermeidliche sich füge, darauf dringen alle Religionen: jede sucht auf ihre Weise mit dieser Aufgabe fertig zu werden. Die christliche hilft durch Glaube, Liebe, Hoffnung gar anmutig nach; daraus entsteht dann die Geduld." (Aus den „Wanderjahren")

Die *vier Kardinaltugenden* des Mittelalters sind bei Goethe von der Jugend bis zum Greisenalter, vom „Urfaust" zu den „Wanderjahren" unverrückbar die eng verschlungenen Mächte des Aufrichtenden und himmelwärts Führenden.

> „Im Namen dessen, der sich selbst erschuf,
> Von Ewigkeit in schaffendem Beruf;
> In seinem Namen, der den Glauben schafft,
> Vertrauen, Liebe, Tätigkeit und Kraft...
> Du zählst nicht mehr, berechnest keine Zeit,
> Und jeder Schritt ist Unermeßlichkeit." (Prooemion)

Sub specie creatoris ist die Tätigkeit eingeordnet und sinnvoll bezogen auf den Urgrund. Liebe erfaßte Goethe in der Bibel ebenso, wie er sie im Leben erfuhr:

„Es ist alles übrigens Stückwerk in der Welt außer der Liebe, wie St. Paulus spricht 1. Kor. 13." (An G. A. Bürger, März 1776)

„Das Heilige kann allein gegen die ungeheuren zudringenden Mächte beschirmen." (Ottilie in den „Wahlverwandtschaften" II)

„Das schönste Glück des denkenden Menschen ist, das Erforschliche erforscht zu ha= ben und das Unerforschliche ruhig zu verehren." (Maximen und Reflexionen)

„Aber eines bringt niemand mit auf die Welt, und doch ist es das, worauf alles an= kommt, damit der Mensch nach allen Seiten zu ein Mensch sei: Ehrfurcht!" („Wanderjahre", II, 1)

„Das Höchste, wozu der Mensch gelangen kann, ist das Erstaunen, und wenn ihn das Urphänomen in Erstaunen setzt, so sei er zufrieden." (Zu Eckermann, 18. 2. 1829)

Ehrfurcht aber hat Faust nicht, verehrt nichts, kennt kein Erstaunen, ist nie zufrieden. Er weiß nicht um das Geben, welches das Nehmen erlaubt, er weiß nur um Zugriff, „Anraffen", um seine Tat.

Auch Goethe rühmte die Tat.

„Des echten Mannes wahre Feier ist die Tat."   (Pandora)

Aber in seinem Munde formt sich das Bedingende und nicht das Unbedingte. Sie setzt einen „echten" Mann voraus und muß als „wahre Feier" vollzogen werden. Zum Handeln gehört also eine hohe, scheue, andächtig=freudige Besinnung, Verantwortung vor dem Ganzen und ehrfürchtige Ergründung des Sinnes. Faust aber steht in der Unbesonnenheit zu schnellen Tuns.

Goethe wertete den Tüchtigen hoch.

„Es ist nicht genug zu wollen, man muß auch tun."   (Maximen und Reflexionen)

„Ein tüchtiger Mensch aber, der schon hier etwas Ordentliches zu sein gedenkt und daher täglich zu streben, zu kämpfen und zu wirken hat, läßt die künftige Welt auf sich beruhen und ist tüchtig in dieser."   (Zu Eckermann, 3. 11. 1824)

Faust aber enthebt sich des „sauren Schweißes" (380) durch die Magie, kennt nur sein Wollen und gelangt nicht zum echten, dem unmittelbaren Tun, das nütz= lich ist. Bei Goethe wird die Tätigkeit an sich, das Streben an sich beschränkt, bedingt und ausgewogen.

Goethe rühmte das Leben.

„Das Höchste, was wir von Gott und der Natur erhalten haben, ist das Leben, die rotierende Bewegung der Monas um sich selbst, welche weder Rast noch Ruhe kennt."
(Weimarer Ausgabe IV, 6, 216)

Faust rühmt nicht, wie Lynkeus, das Leben, sondern bleibt „unbefriedigt jeden Augenblick".

Goethe wußte um das Maß.

> „Genieße *mäßig* Füll' und Segen,
> Vernunft sei überall zugegen,
> Wo Leben sich des Lebens freut.
> Dann ist Vergangenheit beständig,
> Das Künftige voraus lebendig —
> Der Augenblick ist Ewigkeit."   (Vermächtnis, 1829)

Goethe kostet im Augenblick die Ewigkeit aus, Faust rennt nur durch die Welt.

Niemals wird die Leistung in Goethes Mund ein Absolutes.

„... mit dem Positiven muß man es nicht so ernsthaft nehmen, sondern sich durch Ironie darüber erheben und ihm dadurch die Eigenschaft des Problems erhalten; denn sonst wird man bei jedem geschichtlichen Rückblick konfus und ärgerlich über sich selbst."   (An Graf von Sternberg, 19. 7. 1826)

„... daß wir unsere Fehler und Irrtümer, wie ungezogene Kinder, spielend behandeln ... Ironie, ein Bewußtsein, womit man seinen Mängeln nachsieht, mit seinen Irrtümern scherzt und ihnen desto mehr Raum und Lauf läßt, weil man sie doch am Ende zu beherrschen glaubt oder hofft."   (Zur Farbenlehre)

Goethes Ironie ist Nachsicht mit menschlichem Unvermögen. Ironisch setzt er sich über das Gestaltete hinweg als etwas, das wieder aufgehoben werden kann. Faust hat diese Ironie nicht, behandelt seine Fehler und Irrtümer weder spielend noch scherzend. Goethe *lächelt* wissend an den Grenzen des Menschen, Faust wird dort *lächerlich. Nimmt sich der greise Faust selbst todernst, so nimmt ihn der greise Goethe als „ernstgemeinten Scherz"* (An S. Boisserée), als *„sehr ernsten Scherz"* (An W. v. Humboldt, 17. 3. 1832). Immer steht im letzten „Scherz", nicht etwa „scherzhafter Ernst", nein Scherz, der allen Ernst, auch den Ernst des Todes aufhebt. „Zum heitersten Schluß des Ganzen", schrieb Goethe an Schubarth. Aus dem Wesen dieses „Heiteren", des Geklärten, Gelösten, des Freien, des Leuchtenden, des jupiterhaft Strahlenden, aus dem Wesen göttlichen Lachens, nicht menschlichen Gelächters, stammt solcher Scherz. Wo selbst Sorge und Tod im letzten Scherz aufgehen, sind Sphären berührt, welche offenbar nur das Alter, der Weise, fühlen darf: etwa in Rembrandts letztem Selbstbildnis.

Faust nimmt das Leben als das Letzte. „Äonen" sollen „die Spur von seinen Erdentagen" bewahren. Zähe klammert er sich an der Welt fest, nachdem er das „Beste", die platonische seiner „zwei Seelen", entweichen sah. Was dann noch Faust heißt, ist einseitig, ist Teil. *Ihm fehlt die Polarität,* der Takt Goethes.

„Soviel kann ich Sie versichern, daß ich mitten im Glück in einem anhaltenden Entsagen lebe, und täglich bei aller Mühe und Arbeit sehe, daß nicht mein Wille, sondern der Wille einer höheren Macht geschieht, deren Gedanken nicht meine Gedanken sind."
(An V. L. Plessing, 26. 7. 1782)

„... die Absichten der Gottheit dadurch erfüllen, daß wir, indem wir von einer Seite uns zu verselbsten genötigt sind, von der anderen in regelmäßigen Pulsen uns zu entselbsten nicht versäumen."   (Weimarer Ausgabe, I, 23, 167)

„Vom All ins All zurückzukehren."   (Zu F. Förster)

Faust verselbstet, atmet nur ein, rafft nur an. Er kann nicht zurückkehren, weil er die Heimat nicht kennt. Er ist in die Welt aufgegangen, an die Welt verloren. So gibt es für den Weltverlorenen keine Lösung als durch Gnade.

> „Wenn starke Geisteskraft   (11958)
> Die Elemente
> An sich herangerafft,
> Kein Engel trennte
> Geeinte Zwienatur
> Der innigen beiden,
> Die ewige Liebe nur
> Vermag's zu scheiden."

Faust ist zu eigener Lösung aus der Verkrampfung in den Weltstoff weder willens noch fähig. Goethe hingegen wußte tief um die Nötigung, sich zu scheiden:

„Unser ganzes Kunstwerk besteht darin, daß wir unsere Existenz aufgeben, um zu existieren." (Maximen und Reflexionen)
„Sich aufzugeben ist Genuß." (Eins und Alles)

Es ist schöpferische Selbstaufgabe, *nicht Untergang im Nichts*, Selbsterfahrung im Stirb und Werde.

„Und solang du dies nicht hast,
Dieses Stirb und Werde,
Bist du nur ein trüber Gast
Auf der dunklen Erde." (Selige Sehnsucht)

Faust hat dieses „Stirb und Werde" nicht, ihm bleibt die Erde dunkel, weil er nicht erkennt, daß er Gast ist. Dem strebenden Faust tritt das Bild *Wilhelm Meisters* zur Seite.

Auch in „Wilhelm Meisters Lehrjahren" (zitiert nach Reclams Klassiker=Ausgabe) geht es um eine „strebende und irrende" Entelechie, eines bildsameren Menschen zwar als Faust, dem „der Anblick einer großen Tätigkeit fehlt" (III, 6, 3). „So groß war seine Leidenschaft, so rein seine Überzeugung, er handle vollkommen recht, sich dem Drucke seines bisherigen Lebens zu entziehen und einer neuen edleren Bahn zu folgen, daß sein Gewissen sich nicht im mindesten regte, keine Sorge in ihm entstand." (III, 6, 35). „So entfernte sich Wilhelm, indem er sich selbst einig zu werden strebte, immer mehr von der heilsamen Einheit" (III, 7, 4). „Tage des lauten, ewig wiederkehren= den und mit Vorsatz erneuerten Schmerzens folgten darauf; doch sind auch diese für eine Gnade der Natur zu achten" (III, 6, 69). Ihm „fehlte der Zusammenhang" (III, 6, 11). Am Anfang sagt Wilhelm noch: „Der Mensch ist dem Menschen das Interessan= teste und sollte ihn vielleicht ganz allein interessieren. Alles andere, was uns umgibt, ist entweder nur Element, in dem wir leben, oder Werkzeug, dessen wir uns bedienen" (III, 6, 93).

Auch für Faust ist der Mensch Mittelpunkt seines Interesses. Aber dieser Mensch ist nur er selbst, den er nicht meistert. Während Wilhelms Eingreifen für Mignon die Würde eines verfolgten, verletzten Menschen rettet und wiederherstellt, sinken die Menschen um Faust zum Werkzeug herab: der Eingriff für und der gegen den Men= schen. Wilhelms Streben ist ein „wunderbares", weil gläubiges, ein „gutmütiges Suchen". Es führt ihn zu Natalie, in der sich „Glaube, Liebe, Hoffnung und Geduld" vereinen, so sehr, daß Therese, die Tüchtige, völlig überschattet wird: „Jarno sagte: Therese dres= siert ihre Zöglinge, Natalie bildet sie. Ja, er ging so weit, daß er mir einst die drei schönen Eigenschaften Glaube, Liebe und Hoffnung völlig absprach. Statt des Glaubens, sagte er, hat sie die Eintracht, statt der Liebe die Beharrlichkeit, und statt der Hoffnung das Zutrauen", schreibt Therese an Natalie (8. Buch, 4. Kap. III, 7, 253). „Nur deine Gegenwart hat mich überzeugt, belebt, überwunden und deiner schönen hohen Seele tret ich gern den Rang ab. Auch meinen Freund verehre ich in demselben Sinne, seine Lebensbeschreibung ist ein ewiges Suchen und Nicht=Finden, aber nicht das leere Suchen, sondern das wunderbare, gutmütige Suchen begabt ihn."

Wilhelm ist auch fähig und darin glücklich, sein Leiden in Tränen zu lösen: „Wilhelm hatte sein Gesicht an Theresens Halse verborgen, er war glücklich genug, weinen zu können" (8. Buch, 4. Kap. — III, 7, 266). Er verzichtet endlich auf eigenen Willen: „Es ist vergebens, in dieser Welt nach eigenem Willen zu streben. Was ich festzuhalten wünschte, muß ich fahren lassen, und eine unverdiente Wohltat drängt sich mir auf" (8. Buch, 10. Kap. — III, 7, 317). Ja, er gerät auch an die Grenze, in Zweifel und Ver= wirrung: „... ist es nicht völlig einerlei, ob eigene Schuld, höherer Einfluß oder Zufall

Tugend oder Laster, Weisheit oder Wahnsinn uns in Verderben stürzen?" (III, 7, 329). Nun ist die Bedingung erfüllt, die Selbstaufgabe droht gefährlich in Verzweiflung um= zuschlagen. Es ist hohe Zeit, daß Lothario eingreift und zur Tätigkeit mahnt, aber *für* andere und *mit* anderen, in der Gemeinschaft und *in voller Würde:* „Lassen sie uns zusammen auf eine würdige Weise tätig sein."

Faust und Wilhelm Meister: zwei Wege, zwei Antworten. Der Weg ins Unbe= dingte wird Ironie, der Weg ins Bedingte und Gebundene wird Lösung. Goethe aber umfaßt beides: den Willen zum Unbedingten und das Bescheiden im Be= dingten.

Aus der grenzenlosen Vereinsamung und Bitternis der *Marienbader Elegie* er= löst ihn gerade die Hingabe, jener Eros, der fast jenen magischen Punkt erreicht, auf dem zur Geliebten „Religion, nicht Liebe" (Novalis), damit auch Entsagung möglich wird, wie in den „Wahlverwandtschaften" die „Entsagenden" endlich nur im Medium des Heiligen ihren Weg finden.

> „In unsers Busen Reine wogt ein Streben,
> Sich einem Höhern, Reinern, Unbekannten
> Aus Dankbarkeit freiwillig hinzugeben
> Enträtselnd sich den ewig Ungenannten.
> Wir heißen's fromm sein! — Solcher seligen Höhe
> Fühl' ich mich teilhaft, wenn ich vor ihr stehe."

Hier wird in großer Form jene Seite ausgesprochen, jene Magie der Liebe, die es Goethe erlaubte, Leben und Werk zu vollenden.

Man kann das ganze Werk Goethes anführen, zu zeigen, daß Goethe nicht Faust ist. Ebenso wirksam spricht dieses Werk aus, daß Faust eine Kraft in Goethe ist, eine dämonisch abgründige Kraft, die sich personifiziert. Goethe hielt sich selbst nicht für dämonisch, aber für „dem Dämonischen unterworfen". Er sagte auch im „Faust", woran er litt, um sich von dem Leiden durch Sagen zu befreien. So erscheint das „Faustische" als das machtvoll Dämonische, das überwunden, ge= heilt und zum Guten gewandelt werden muß. Darum warnt der „Chor der Engel" und mahnt zur Tüchtigkeit, zur Tugend, der Ordnung, die von innen kommt:

> „Was euch nicht angehört,   (11745)
> Müsset ihr meiden,
> Was euch das Innre stört,
> Dürft ihr nicht leiden.
> Dringt es gewaltig ein,
> Müssen wir tüchtig sein.
> Liebe nur Liebende
> Führet herein!"

Faust wird als Mensch Opfer des Faustischen. Darum ist *„Faust" die „Tragödie" und nicht der Hymnus des Faustischen.*

Vorbereitung für Kap. „Das Unauflösliche":
nötig: Wiederhole den Abschnitt „Goethe" in der Literaturgeschichte!
           Überlege: Gedanken über die Widersprüche im „Faust".
möglich: Altersweisheit (Interpretation von Rembrandts Selbstbildnis).

Das Unauflösliche

Aus dem Undurchdrungenen einer Seele traten die Schichten und Ebenen des Spiels heraus. In ihnen entfaltete sich ein Weltspiel, das alle Kräfte aufrief. Im Schnittpunkt stand der Mensch Faust, gewiesen, das Wesen seiner Entelechie zu behaupten, und zugleich gehalten, von sich abzusehen. In einer Folge von Tragödien endet jeder neue Flug in neuem Sturz. Faust verliert die Wette nicht und Mephisto gewinnt die Wette nicht. So gewinnt der Herr seine „Wette", aber eben das ist keine Wette. Im Diesseits vollzieht sich an Faust eine „wahre Tragödie", wohl Goethes einzige; bekannte er doch zu Schiller, daß er dazu nicht fähig sei. Schauerlich in ihrer Ausweglosigkeit scheint sie nur einer antiken Tragödie vergleichbar, worin der Mensch schuldlos schuldig wird und den Sinn des vernichtenden Schicksals nicht versteht. Und doch wächst aus dem Kreuz des Leidens an sich selbst die Erlösung, einem Mysterienspiel des christlichen Mittelalters oder des christlichen Barock gleich. Der tragische Akzent verlagert sich. Scheint er zuerst Gretchen zu treffen, so lastet er lange über Faust, um endlich über Mephisto zu verharren. Tragisch im letzten ist die Wendung einer von Gott abgefallenen Kraft gegen Gott. Wenn Wissen Macht ist, so endet hier sinnfällig der Drang nach Erkenntnis im Griff nach Macht. Der Mensch muß streben und muß scheitern. Zu seinem Dasein ist Ja und Nein gesagt, ähnlich dem Urteil der Athena über Orestes in des Aischylos „Orestie".

Unendliches bleibt in der Schwebe, ohne daß das Wesentliche gleichgültig und nicht unterschieden wäre. Der Dichter setzt in gültig formender Weise die Gestalt und hebt sie in gültig öffnender Gebärde wieder auf. So hat es Goethe selbst verstanden:

„Das Werk ist, seinem Inhalt nach, rätselhaft genug ..."
(An Riemer, 29. 12. 1827)

„Der Faust ist doch ganz etwas Inkommensurables, und alle Versuche, ihn dem Verstand näher zu bringen, sind vergeblich. Auch muß man bedenken, daß der erste Teil aus einem etwas dunklen Zustand des Individuums hervorgegangen ist. Aber eben dieses Dunkel reizt die Menschen, und sie mühen sich daran ab, wie an allen unauflösbaren Problemen." (Zu Eckermann, 3. 1. 1830)

„Faust ... der Welt- und Menschengeschichte gleich, enthüllt das zuletzt aufgelöste Problem immer wieder in ein neues aufzulösendes." (An Reinhardt, 7. 9. 1831)

Goethe hat keine Philosophie des „Faustischen" geschrieben, die dem Verstand entspräche. Er hat alles zum Bild verdichtet, eindeutig und zugleich vielschichtig. Er hütete sich auch, sein eigener Interpret zu sein.

„Der Dichter soll doch nicht sein eigener Erklärer sein und seine Dichtung in alltägliche Prosa fein zerlegen; damit würde er aufhören, ein Dichter zu sein."
(Zu Luden, 19. 8. 1806)

So blieb auch „Faust" ein Rätsel und es gilt für ihn, was Goethe von den „Lebensrätseln" wußte:

„Die Menschen scherzen und bangen sich an den Lebensrätseln herum, wenige küm=
mern sich um die auflösenden Worte."   (An Schiller, 12. 7. 1801)

Die Grenzen des Daseins sind Rätsel, von denen her das ganze Leben rätselhaft
erscheint, zum „Lebensrätsel" wird. Dieser Rätselhaftigkeit scheint sich gerade
„der Augenblick", wie Goethe ihn faßt und Faust vergeblich erstrebt, zu ent=
ziehen. Als Gipfel des Lebens ist er ganz Gegenwart: durchsichtig, gegenständ=
lich, wirklich.

> „Laß den Anfang und das Ende
> Sich in eins zusammenziehn!"   (Dauer im Wechsel)

Solche Dichte des Gegenwärtigen, in der das Gewesene und das Kommende
umschlossen liegt, ist die Form, in der das Ewige aufleuchten kann. „Der Augen=
blick ist Ewigkeit."

> „Dann ist Vergangenheit beständig,
> Das Künftige voraus lebendig —
> Der Augenblick ist Ewigkeit."   (Vermächtnis)

Anfang und Ende sind in den Augenblick zusammengezogen. Aber auch alle
Rätsel um diesen Anfang und dieses Ende, die Grenzen, verschränken sich in
ihm. So wird der Augenblick ebenso durchsichtig wie hintergründig, ebenso
offenbarend wie geheimnisvoll, ebenso wirklich wie unwirklich und überwirklich.
Er ist das „offenbare Geheimnis", Repräsentant der Klarheit und Unerklärtheit
des Ewigen. Er vereinigt unter seinem strahlend=gegenwärtigen Bogen alle Schat=
ten des Undurchdrungenen. In ihm erscheint eine innerste Verwandtschaft des
Klassischen mit dem Dämonischen. Er ist Freiheit und Pflicht des Menschen.

Es eignet der wesentlich klassischen Lebenssicht, daß das Leben in ihr ebenso
plastisch wie rätselhaft wird. Gemäß der weiten seelischen Grundanlage von
„freudvoll und leidvoll", von „Qual und Glück" vollzieht sich auch die Ausein=
andersetzung mit den „Lebensrätseln" als „Scherzen" und als „Bangen". Dies
wechselvolle Bemühen der „Vielen" ist fruchtlos. Sie sind blind. Denn sie „küm=
mern sich nicht um die auflösenden Worte". Es liegt eine falsche Sicht des Lebens
zugrunde, des Lebens, das als „Stirb und Werde" erfahren und bejaht sein will.

Faust ist bemüht, sich zeitlebens außerhalb des Allgemeinen zu halten. Ohne
jedoch das „Heilige" zu ergreifen — das Goethe kennt und gestaltet hat —, muß
er am Ende in das Nur=Menschliche einbezogen werden. Er erlebt „blind", wie
alle, den Tod. Einst zwar wußte auch Faust um das Dasein und das Los „der
wenigen":

> „Die wenigen, die was davon erkannt,   (590)
> Die töricht gnug ihr volles Herz nicht wahrten,
> Dem Pöbel ihr Gefühl, ihr Schauen offenbarten,
> Hat man von je gekreuzigt und verbrannt."

Er lehnte jedoch für sich ausdrücklich den Weg dieser Wenigen über Selbst=
Offenbarung zu Kreuz und Feuer ab:

> „Wer darf das Kind beim rechten Namen nennen?"   (589)

Weil Faust die Wahrheit, das Helle kennt, aber nicht bekennt, deshalb wird er am Ende wieder unter „*die* Menschen", unter „den Pöbel", unter „die Menge" zurückgeordnet.

Auch Mephisto spricht in der Gestalt der Phorkyas dieses esoterische Wissen um die ontologische Wahrheit aus:

> „Die Menschen, die Gespenster sämtlich gleich wie ihr,   (8932)
> Entsagen auch nicht willig hehrem Sonnenschein.
> Doch bittet oder rettet niemand sie vom Schluß;
> Sie wissen's alle, *wenigen* doch gefällt es nur."

Faust „entsagt nicht willig", wie „die Menschen". Er weiß um sein Ende. Daß niemand" ihm den Tod ab=„bitten", niemand ihn „retten" wird, ist ihm klar; aber er will nicht, daß ihn jemand rette, vor dem er bereuen, zu dem er beten, dem er sich anvertrauen müßte. Er will sich selber retten und verharrt in Trotz. So gehört er nicht zu den „Wenigen", den wirklich Sehenden, denen der „Schluß gefällt", weil sie ihn als notwendig im Weltplan erkennen. Faust gehört unter die „Blinden".

Das Lösende zu finden, erscheint nun nach Goethes Wort dem Menschen durch= aus möglich, wenn er sich darum „kümmert": wenn nicht nur das Beharren und Behaupten, sondern auch das Entheben und „Auflösen" seine Sorge ist. Denn das Lösende wächst aus der Einstimmung in den Rhythmus des Lebens. Es ist auch „Genuß, sich aufzugeben", nicht nur „Kümmern".

> „Das Lebendige will ich preisen,
> Das nach Flammentod sich sehnet."   (Selige Sehnsucht)

Die „auflösenden Worte" sind Geheimnis der „Wenigen". Ohne die Behutsam= keit, welche innerer Zuordnung entspringt, vor den Augen des „Pöbels", könnten sie mißverstanden und in ihrem wahren Wesen zerstört werden.

> „Sagt es niemand, *nur den Weisen*,
> Weil die Menge gleich verhöhnet."   (Selige Sehnsucht)

Kundgabe und Verkapselung des Geheimnisses, das Wahrheit ist, wäre also gleich verhängnisvoll. Gefährdet das Offenbaren das wahre Selbst und zerstört den Verkünder, so vernichtet das Verschweigen unfehlbar das seelische Gefüge. Wahrheit, die keinen Leib erhält, wird Lüge; sie wird Gift, wo sie aufhört, durch Bekennen und Tun die Welt zu gestalten. In dieser Tragik steht der Wis= sende. Der Weise überwindet sie durch Entsagung, durch stille Aufgabe des Selbst und der Welt, der Bekenner durch den Mut und die Tat offener Selbstaufgabe, durch das Opfer. Faust aber ist des Auflösenden in keiner Gestalt fähig.

Es führen die Linien des Löslichen darum geradewegs in die Schichten des Unauflöslichen hinein. Unauflösliches geht an sich im Prozeß der Dichtung vor, Unauflösliches waltet in Sonderheit über der endlichen Rettung.

Ein geheimnisvoller und kristallener Stil offenbart, ohne zu entblößen. Weis=
heit des Alters kehrt enthebend „Ernst" in „Scherz", wobei der Tüchtige an sei=
ner durchaus ernst zu nehmenden Maxime der Narr seiner selbst wird. In einem
Lidschlag geschieht das große Ereignis. Das herrlich=autonome Menschentum ent=
gleitet in das Hilflose menschlicher Geschöpflichkeit. Im „Weiterschreiten" wird
die letzte Leere des Prometheischen kund. Alles steht im Zeichen des Umsprungs.

Alle Vorgänge geschehen innen. Immer bleibt die Fassade, bleibt Faust auf=
recht, immer scheint ungebrochen, was man „faustische" Haltung nennt. Keine
Katastrophe, kein Weltuntergang ereignet sich, kein deus ex machina, kein „ba=
rocker Operngott" — wie Thomas Mann mißdeutete — tritt herein.

Irrtum, vom „Prolog im Himmel" her dem Streben zugeordnet, erfüllt sich
im Scheitern dieses Strebens, das den „faustischen" Menschen ausmacht. Gewiß
sind Streben und Tüchtigsein wesentliche Züge im Bilde Goethescher „Weltfröm=
migkeit". Wie aber in der Sicht des Herrn Irrtum dem Streben zugehört, so wird
dieses dem Irren verhaftete Streben der Erlösung bedürftig und würdig.

> „Wer immer strebend sich bemüht,   (11936)
> Den können wir erlösen."

So sehr die Engel offenbar „Strebend=sich=Bemühen" für eine „Erlösung" be=
tonen, so schwer wiegt die unaufhörliche Dauer dieser Bemühung, die Forderung
des „Immer". Faust hat dieses dauernde Streben ins Reine nicht durchgehalten.
Hätte er aber auch jene Bedingung erfüllt, verstünde sich dennoch die „Erlösung"
als ein „Können", als eine Möglichkeit oder Fähigkeit der „Liebesboten", ein
Dürfen, Gerufen=sein — niemals ein Müssen. Um wieviel mehr ist Faust, ohne
erfüllte Bedingnis, im Felde der Gnade. Spricht dieses oft berufene Wort keines=
wegs die Rechtfertigung „faustischen" Daseins durch die Boten des Herrn aus,
so geschieht die Heimholung Fausts aus den Fängen des Nichts eben doch, viel=
leicht gerade deswegen, weil er nicht gerechtfertigt, nicht „gerecht" im Sinne des
Neuen Testamentes ist.

Streben, Irrtum und Scheitern gehören notwendig zusammen zur möglichen
Rettung. Denn christlich gesprochen gilt: „Es gibt nichts Irdisches, was die Sehn=
sucht ganz zur Ruhe bringen könnte" (Thomas von Aquin, De regimine prin=
cipum). Erlösung und Gnade bedürfen der metaphysischen Unruhe, wie sie
Augustin beschreibt: „Cor meum inquietum est, donec requiescat in te". Solche
metaphysische Unruhe enthüllt sich als der letzte Grund der Existenz Fausts.
In seinem Scheitern wird unendliches Leiden der „ganzen Menschheit" offenbar,
gewollt und vorgewußt in dieser Bedeutung:

> „Und so mein eigen Selbst zu ihrem Selbst erweitern,   (1775)
> Und, wie sie selbst, am End' auch ich zerscheitern."

So muß Faust die Sonderheit seiner magischen Existenz sühnen und zugleich
„das Menschliche ausbaden", wie Goethe einmal sagt.

Die Fäden verweben und verschlingen sich untrennbar: Streben, Irrtum und

Scheitern, Rettung und Erlösung. Aus ihnen aber wirkt sich ein Bild des Leidens und der Gnade. Aus der Tiefe des Dichters leuchten Umrisse einer theologia crucis herauf, aus der gläubigen Mitte dessen, der scheu der Nennung und Ver= äußerlichung des Kreuzes auswich, weil er das Göttliche „ewig ungenannt" wis= sen wollte.

Hier waltet das Unauflösliche, Heilige, Göttliche über dem Dichter, auch wider seinen Willen, auch ohne sein Wissen — und führt die Feder. Der natürliche Ur= grund des Menschlichen und mit ihm der tiefe Grund eines christlichen Jahr= tausends wird aus sich selbst offenbar. Am Menschen selbst endet und überschrei= tet sich das im Humanismus begonnene „Studium des Menschen". Führt die Sorge alles in den „Nullpunkt" zurück, so steht mit ihr auch alles im Zeichen des Umsprungs, der vollkommenen Wende. Das Christliche erhebt sich aus den Passionen des späten Mittelalters und nimmt Faust, den in den Stürmen der Reformation erwachten, umgebrochenen und vereinsamten Menschen in den Schoß des Heilen zurück.

Überschreitet schon Goethes existentiell=phänomenologisches Wissen die Philo= sophie seiner Zeitgenossen unendlich weit, so erscheint in seiner Dichtung noch unendlich viel mehr, als er wußte. Ein Es dichtet das Letzte. Die eine Wahrheit tut sich kund. Goethe ist dann Werkzeug, erfüllend den einen Sinn, der sich auch über ihn hinweg erfüllen würde.

Der Ruf erging. Goethe war ihm offen. Dieses Offensein ließ im Lied, einer „Äolsharfe" (28) gleich, den Anruf einer anderen Sphäre erklingen: per — so= nare, das Große an Goethes Persönlichkeit. So dichtet es im letzten über ihn hin= weg. „Inkommensurabel", sagt er selber.

Unauflöslich werden alle Übergänge in diesem offenen und klingenden Leben, in dem die Harmonien und Abgründe des Weltalls tönen. Vom Handeln durch Schuld zu Reue, Sorge und innerstem Schweigen, vom titanischen Trotz über Verharren im Weiterschreiten zu bewahrender Ehrfurcht und vollendender Erfül= lung schwingt die große Bewegung. Je weiter die Gegensätze klaffen, desto tiefer scheinen sie sich zu durchdringen. Gut und Böse, Hell und Dunkel, Scheitern und Heil sind immer gleich gültig vorhanden. Aber sie sind nicht vereinfacht und ver= äußerlicht, sie wirken innen.

Wo im Weltgedicht — denn „Faust" gleicht der „Welt= und Menschen= geschichte" — die Ordnungen des Schöpfers durch den Mund des Dichters sprechen, wo sie schon der Darstellbarkeit wegen, die notwendig vereinseitigt, stärker als sonst entbunden, gegeneinander zu treten scheinen, wo nicht nur Gott in Auseinandersetzung mit dem von ihm abgefallenen luziferischen Teil (dessen Teil wiederum Mephisto ist), sondern im Streit mit sich selbst — nemo contra deum nisi deus ipse — erfahren wird, endet das erklärende Bemühen. Das An= schauen tritt in sein Recht, wo Begriff und Name versagen.

Auch im „Faust" tut sich Gott dialektisch kund in der Paradoxie, daß sich seine Geschöpfe und Werte gegeneinander behaupten, gegenseitig bedingen und einander aufheben müssen. Im Widerspruch muß das Sagbare verharren. Die un= gebrochene „Tätigkeit", das rücksichtslose „Weiterschreiten", die Heiligung dies= seitigen „Werkes" wiegen als Tag für Tag, ja Stunde für Stunde bewährte „Pflicht" das Schuldig=sein dem Dasein gegenüber auf. Und doch machen sie, im Über= maß, „zuletzt bankrott". Das festgehaltene geistige Prinzip in der Form des „in= neren Lichtes" behauptet sich in einer Gebärde der Idealität, die zugleich Ironie ist. Der „gute Mensch" muß schuldig werden, um die Rettung zu erfahren, muß zu seiner Erlösung scheitern, aber immer in strebendem Bemühn. Selbst die Ab= sage an das Jenseits, der „dunkle Drang", der circulus vitiosus im Magischen fängt sich noch im Rahmen des Bewußtseins vom „rechten Wege". Der „gute Mensch" verhärtet zum „Reichen", verfällt dem Bösen, gerät in Schuld und ist ihr doch unzugänglich. Der Sorge anheimgegeben, wird er zurück in den Kos= mos gewiesen, wohin ihn die Boten des Jenseits einholen. „Vollbracht" und „Vor= bei" klingen über dem Toten, dessen Heimholung jenes „Vollbracht" bestätigt, jede Spur von Travestie entfernend. Das Ja des Herrn wirkt am Strebenden, der im Irrtum die Folgen des Strebens wagte, und wirkt am Liebenden, weil er ge= liebt wird. Was im Rahmen der Sorge nur als Scheitern gelten konnte, wird im Rahmen des Mysteriums gesegnet, wird von Gott her anerkannt als Weg. Die Engel sprechen vom „edlen Glied der Geisterwelt", das „vom Bösen gerettet" sei, an dem „die Liebe von oben teilgenommen" habe, weswegen ihm ein „herzliches Willkommen" begegne. Den die Engel im „Puppenstand" überliefern, er wird „von heiligem Leben" erhoben ins Schöne und Wahre und „gleicht schon der heiligen Schar" (12087). Der sich nie Reue, sondern verhärtet nur Fluch und Ver= druß eingestand, er zählt nun unter die „reuig Zarten", die „aufblicken" dürfen zum „Retterblick" (12096). Der Gottesleugner, nun „dankend umgeartet zu seli= gem Geschick", nimmt unsichtbar teil am Gebet zur mater gloriosa um das Fort= währen ihrer Gnade.

> „Werde jeder beßre Sinn   (12100)
> Dir zum Dienst erbötig;
> Jungfrau, Mutter, Königin,
> Göttin, bleibe gnädig."

Kein Zeichen davon, daß der Mensch ohne Gnade das Drüben erobern könne, aber auch alle Zeichen dafür, daß Gott den Menschen nicht nur durch Gnade er= lösen wolle, sondern auch das irrende, blinde Bemühen seiner Gnade einfüge, daß Gott den Menschen nicht erniedrige und verdamme, um ihn zu erlösen, son= dern durch Gnade bereichere und den sich selbst Erniedrigenden und Verdam= menden erhöhe „zu höheren Sphären". Die Richtung geht nicht mehr ins Breite des Irdischen, sondern in die Höhe des Überirdischen. Gott und Mensch begegnen sich, weil Gott herabkommt. Dieses Ja Gottes, sein Annehmen auch des fausti= schen Weges, übersteigt jede Einsicht und jedes Begreifen vom Menschen her.

So sind auch Faust und das Faustische in der bejahten Notwendigkeit von der absurden und als Kritik gezeichneten Verranntheit im letzten kaum abzuheben. Hier überdeutlich scheiden hieße: die Gestalt zerstören und das Ganze verlieren. So tritt, im Urphänomen, die Gestalt in ihr Recht: unauflöslich.

Unerklärlich, unbegreiflich, unbeschreiblich wie das Leben selbst waltet die Dichtung: empfangen und errungen, erlebt und widerfahren, gestaltet und ge= worden. Unauflöslich wie das Leben sind auch die Begegnungen: Magie und Liebe, Kunst und Herrschaft, Sorge und Tod. Ein großes Spiel wird gezeigt, ein Beispiel gegeben, das gleichermaßen zu Selbstverwirklichung ruft und vor Selbstvergot= tung warnt. Die Macht des Herrn entfaltet sich durch das Diabolon, das Zer= legende, zu Übermacht und Ohnmacht; beides geht in der Allmacht wieder auf.

Durch Leiden ruht auch der Abtrünnige in Gottes Hand. Denn Gott, in dem sich eine Bewegung vollzieht, ist der Urgrund des Dämonischen: „Nemo contra deum nisi deus ipse". Gott allein ist die vollkommene coincidentia oppositorum, Ruhe seinem Wesen, Bewegung seiner Natur nach:

> „Denn alles Drängen, alles Ringen
> Ist ew'ge Ruh in Gott dem Herrn."   (Wenn im Unendlichen)

Wo beide Teile der Tragödie auslaufen, hebt das Mysterium an. Auf der Schwelle wandelt sich ein durchstürmtes und vertanes Leben zu Dauer und Frie= den. Durch das Tor des Todes geht ein lösbares Diesseitiges hinüber in das Unauf= lösliche Gottes.

Hier endet das Gleichnis des faustischen Daseins. Es spricht vom Unauflös= lichen, vom Ineinander der Gegensätze im „Allumfassenden und Allerhaltenden". Gott ist Drang und Mündung. Über die Stufen der Gleichnisse wird erst von drüben her „das Unzulängliche Ereignis".

> „Das Unbeschreibliche,   (12108)
> Hier ist's getan."

Literaturhinweise

AUSGABEN UND TEXTE

Goethes Werke, hsg. im Auftrage der Großherzogin Sophie von Sachsen=Weimar 1887 bis 1912 = *Weimarer Ausgabe* (Faust = Bände 14/15).

Goethes sämtliche Werke, Cotta, Stuttgart—Berlin = *Jubiläumsausgabe* (Faust = Bände 13/14).

Gedenkausgabe, hsg. E. Beutler, Zürich 1949 = *Artemisausgabe* (Faust = Band 5).

Goethes Werke, hsg. E. Trunz, Hamburg 1949 = *Hamburger Ausgabe* (Faust = Band 3. Diese ausgezeichnet eingeleitete und erläuterte Ausgabe dürfte für den Lehrer am wichtigsten sein. Dort auch weitere Literatur.)

Goethes Gespräche, hsg. F. v. Biedermann, Leipzig 1909/10.

Goethe über seine Dichtungen, hsg. H. G. Gräf, Frankfurt/M. 1904 (Faust = Band II/2).

Chronik von Goethes Leben, Insel=Verlag 1949.

GOETHEZEIT UND GOETHEBIOGRAPHIE

Korff, H. A., Geist der Goethezeit, 4 Bände, Leipzig 1923 ff.
v. Wiese, Benno, Die deutsche Tragödie von Lessing bis Hebbel, 2 Bde, Hamburg 1948.
Meinecke, Fr., Die Entstehung des Historismus, München 1946.
Strich, Fritz, Goethe und die Weltliteratur, Bern 1946.
Rehm, Walter, Griechentum und Goethezeit, Leipzig 1936.
Grimm, Hermann, Das Leben Goethes (1876) neu bearbeitet von R. Buchwald,
Hehn, Viktor, Gedanken über Goethe, Berlin 1909 [7].   [Stuttgart 1947.
Gundolf, Fr., Goethe, Berlin 1922.
Staiger, Emil, Goethe, 2 Bände, 1949 ff.
Dilthey, W., Das Erlebnis und die Dichtung, Leipzig—Berlin 1923 [8].
Spranger, E., Goethe und die metaphysischen Offenbarungen, in: Dt. Vierteljahrschrift
     für Literaturwissenschaft und Geistesgeschichte, 1936, 20—42.
Beutler, E., Essays um Goethe, Leipzig 1941.

FAUSTFORSCHUNG   *Stoff*

Faustbücher: siehe Hamburger Ausgabe 3, 640.
Tille, A., Die Faustsplitter in der Literatur des 16. bis 18. Jahrhunderts, Weimar 1898.
Gestaltungen des Faust, 3 Bände, hsg. H. W. Geißler, München 1927.
Müller, Günther, Geschichte der deutschen Seele. Vom Faustbuch zu Goethes Faust.
     Freiburg i. Breisgau 1939.
Petersen, Julius, Faustdichtungen nach Goethe, in: Dt. Vierteljahrschrift für Literatur=
     wissenschaft und Geistesgeschichte, 1936, 473—494.

Entstehung

Burger, H. O., Motiv, Konzeption, Idee — das Kräftespiel in der Entwicklung von
     Goethes Faust. in: Dt. Vierteljahrschrift für Literaturwissenschaft und Geistes=
     geschichte, 20 (1942), 17—64.

Deutungen

Buchwald, R., Führer durch Goethes Faustdichtung, Stuttgart 1942.
Steiner, Rudolf, Geisteswissenschaftliche Erläuterungen zu Goethes Faust, Dornach 1931.
v. Wiese, Benno, Faust als Tragödie, Stuttgart 1946.
Pfeiffer, Johannes, Goethes Faust, Einführung, Hamburg (Meiner) 1956.
Böhm, Wilhelm, Faust in neuer Deutung, Köln 1949.
Daur, Albert, Die Tragödie Fausts, Heidelberg 1948.
— Faust und der Teufel, Heidelberg 1950.

Form

Petsch, Robert, Die dramatische Kunstform des Faust, in: Euphorion 33 (1932), 211—244.
May, Kurt, Faust 2. Teil, in der Sprachform gedeutet, Berlin 1936.
Kommerell, Max, Faust, 2. Teil. Zum Verständnis der Form, in: Geist und Buchstabe der
     Dichtung. Frankfurt/M. 1944 [3], 9—74, Sorge 75—111, Schlußszene 112—131.
Emrich, Wilhelm, Die Symbolik von Faust II, Berlin 1943.

Faust II

Lohmeyer, Dorothea, Faust und die Welt. Zur Deutung des 2. Teiles der Dichtung.
     Potsdam 1940.
Stöcklein, Paul, Wege zum späten Goethe. Hamburg 1949.
Weber, Albrecht, Die Sorge in Goethes Faust. Phil. Diss. München 1951.

Einzelinterpretationen zum I. und II. Teil
siehe E. *Trunz,* Hamburger Ausgabe 3, 643—645.